SALOMON GESSNER · IDYLLEN

SALOMON GESSNER

SALOMON GESSNER

Idyllen

KRITISCHE AUSGABE

HERAUSGEGEBEN VON
E. THEODOR VOSS

PHILIPP RECLAM JUN. STUTTGART

Universal-Bibliothek Nr. 9431-35
Alle Rechte vorbehalten. © Philipp Reclam jun. Stuttgart 1973
Gesetzt in Garamond-Antiqua. Printed in Germany 1973
Herstellung: Reclam Stuttgart
ISBN 3-15-009431-3

Die Nacht.

1753.

Stille Nacht! Wie lieblich überfällst du mich hier! hier am
bemoßten Stein. Ich sah noch den Phœbus, wie er hinter den
Stuffen jener Berge sich verlohr, er lachte das lezte mahl
zurück, durch den leichten Nebel, der wie ein göldner Flohr,
5 entfernte Weinberge, Haine und Fluhren glänzend um-
schlich, die ganze Natur feyerte im sanften Wiederschein des
Purpurs, der auf streifichten Wolken flammte, seinen Ab-
zug, die Vögel sangen ihm das lezte Lied, und suchten ge-
paart die sichern Nester, [2] der Hirt, vom längern Schatten
10 begleitet, blies nach seiner Hütte gehend sein Abendlied, als
ich hier sanft einschlief.
Hast du Philomele, durch dein zärtliches Lied, hat ein lau-
schender Waldgott mich geweckt, oder eine Nimphe, die
schüchtern durchs Gebüsche rauscht?
15 O wie schön ist alles in der sänfteren Schönheit! Wie still
schlummert die Gegend um mich! Welch Entzücken! welch
sanftes Taumeln fließt durch mein wallendes Herz!
Schüchtern durchstreifet mein Blick den dunkeln Wald, ruht
auf lichten Stellen, die der Mond durch das dichte Gewölb
20 zitternder Blätter, hier am mossigten Stamm, dort auf dem
winkenden Gras, oder an zitternden Ästen ins schwarze
Dunkel hinstreut, oft eilt er schüchtern zurück, durch trie-

gende Gestalten krummer Stämme, oder im Dunkeln rauschender Äste, oder schwarzer Schatten erschrökt, oder er
fährt auf den Wellen da-[3]her, die wie Lichter auf dem
schwarzen Bach hüpfen, der sich neben mir rauschend
stürzt.

Dann Luna fährt über die glänzenden Gipfel der Bäume
hin, von zartgeschänkelten Rehen oder von Drachen mit
rauschenden Flügeln und schlankzirkelndem Leibe gezogen.

Wie lieblich duftet ihr um mich her, ihr Blumen! und du
Viole, die bey stiller Nacht nur sich öfnet, und Balsam-
Gerüche zerstreut! Wie lieblich duftet ihr da im Dunkeln,
und wieget schlummernde Zephirs! Unsichtbar! Ohne den
bunten Schmuck glänzender Farben verrät euch die Wollust
die ich jetzt athme. Ihr witzlose Mädchens mit rohten Wangen und schönem Mund, wann die Nacht des Alters einst
diesen Reitz euch raubt, dann gleicht ihr geruchlosen Tulpen
bey finstrer Nacht.

Aber was vor ein sanftes gezwitscher, welch heischrer Gesang
thönt dort von der sumpfichten Wiese? Kleine Laubfröschen
sitzen auf Blättern, [4] und singen ihr einschläfernd Lied,
untermischt von der gröbern Stimme derer die im nahen
Wasser auf den Rücken schwimmender Stämme sitzen, oder
im Schilf ruhen, so froh beym heischern Gesang, wie die
Nachtigal beym gefühlfollen Lied; so lächelt ein elender
Dichter zufrieden bey seinem Fröschen-Gesang, und freut
sich wie – – und – – beym Göttlichen Lied.

Dort hinter der Wiese hebt sich der strauchichte Hügel sanft
empor, wo unter schlanken Eichen das Mondlicht und
dunkle Schatten durch einander hüpfen, dort eilt der rieselnde Bach, ich hör, ich höre sein Rauschen, er stürzt sich an
moßichte Steine, und trängt sich schäumend durch enge
Wege.

Dort ist es, wo ich einst am blumichten Ufer beym Mondlicht
das schönste Mädchen fand, es lag da in Blumen hingegossen,
im leichten Kleid, leicht, wie die dünnesten Wolken, in die

sich durchscheinend der Mond oft hüllt; eine Cither ruhte
in dem sanften Schoosse, und im zarten Arm, indem die
flaternde Hand Thöne aus den hellklingenden Saiten
[5] lockte, Thöne deren jeder mehr entzückte, als das ganze
5 schöne Lied von tausend entzückenden Mädchen.

Sie sang dem Amor ein Lied, die ganze Gegend feyerte das
Lied, die Nachtigal horchte stumm, Amor lauschte im Gebüsch, entzückt auf den Bogen hingelähnt; Ich bin der Gott
der Liebe, der Gott der frohesten Entzückung, sprach er bey
10 sich, aber diesem Entzücken, dieser Wollust, gleichen beym
Stix! Nur wenige der seligsten Minuten, die ich genoß, so
lang ich Amor bin.

Luna befahl ihren Drachen, nicht mit Flügeln zu rauschen,
aufmerksam lehnt sie sich über die Seite des silbernen Wa-
15 gens, und seufzt, die keusche Göttin!

Das Mädchen sang nicht mehr, schon hatte die Echo in nahen
und fernen Klüften den lezten Ton entzücket dreymal gesungen, die Natur feyerte noch das Lied, noch saß die
Nachtigal stumm auf dem laubichten Ast: Da trat ich zum
20 Mädchen. [6] Himmlisches Mädchen! Göttin! Stammelt' ich,
und trückt' ihr zitternd die Hand, und seufzte, das Mädgen
sah schüchtern zur Erde, schamroth und lächelnd, kraftlos
sank ich neben sie hin, Stammeln und bebende Lippen mahl-
ten ihr da mein unaussprechlich Entzücken.

25 Meine zitternde Linke, spielt' auf dem leichtbekleideten
Schoosse mit ihren zarten Händen verrähtrische Spiele, in-
dem der andre Arm, um den weissen Hals von braunen
Locken umflattert sich wand.

Meine Hand sank auf den atmenden Busen, da seufzte das
30 Mädchen, ich fühlt' es, sah schmachtend nieder, und nahm
mit zitterndem Wiederstand meine Hand vom schwellenden
Busen, blöde ließ ich den Busen, und den winkenden Sieg.

O Mädchen! Mädchen! Was fühl' ich! Bald förcht ich, du
habest mich Flaterhaften zum ew'gen Sclaven gefesselt!

35 Aber! Götter! was seh ich! dort auf der dun-[7]keln Fluhr!
Flammen hüpfen daher, mit hüpfenden Flammen, sie wollen

sich haschen, jetzt tanzen sie im Kreise, jetzt fliegen sie, wie
Blitze geschwind, über Wälder und Hügel dahin.
Ihr seyd Götter! Der fromme Landmann zittert vor euch,
und der frefle Gelehrte nennt euch, entheiligend, entflam-
mete Dünste. Milde Götter seyd ihr, die gutthätig des Nachts   5
erscheinen, ihr führet den irren Liebhaber zum ängstlich
wartenden Mädchen, oder ihr beleuchtet beyden den Weg,
wann sie geheime Gebüsche besuchen, oder führet lauschende
Verräther irre, und lasset sie watend im Sumpf.
Wie schön ist jetzt der Himmel mit Sternen besäet! Nur   10
selten schwimmt eine kleine Wolke daher, mit glänzend sil-
bernem Rand, auf der silbernen Oberfläche gaukeln kleine
Liebes-Götter, sie lassen Thau hernieder träufeln, die Rosen,
welche Morgen auf jungen Busen blühen sollen, und den
Weinstock zu erfrischen, dann ach! wie oft dienen beyde den   15
schlauen Göttern!
[8] Aber warum verbirgst du dich Luna, im düstern Flohr?
kanst du Keusche die leichtsinnigen Spiele der Götter auf
den Wolken nicht vertragen? Oder hat ein Satyr dir Endi-
mion zu geruffen?   20
Beleuchte meinen Weg, sanfte Göttin! Ich will hingehn, aus
dem Hain, und jenen Hügel besuchen, wo den sich schlän-
gelnden Bach junge Reben umschatten, auf dessen weitum-
sehendem Rücken die Laube steht, wo sich kriechende Reben,
im hohen Gewölbe mit Trauben behangen umarmen, wo ich   25
oft im kühlen Schatten, an die grüne Wand hingelehnt, mit
Brüdern trank.
Dort ragt sie hervor, die heilge Laube! Sanfter Schauer
mischt sich in das Dunkel, das in dem Heiligthum ruht, dann
Bachus hat die Laube in den Schutz genohmen.   30
Oft hört man hier bey stiller Nacht mit heilgem Erstaunen
Trink-Lieder, und den Silberthon des vollen Bechers. Der
irre Wandrer hörts, sieht hin, sein forschendes Auge sieht
nichts, erstaunet bebt er zurück, und geht voll Ehrfurcht
vorüber.   35
[9] Sey mir gegrüßt dunkle Laube, wie hoch wölben sich die

Ranken mit Trauben behangen! Wie lieblich hüpfen die Blätter im Mondlicht!

Was säuselt so sanft durch dein Laub und hüpfet von Trauben auf Trauben? Zephirs sinds, und – – – glaubts der heilgen
5 Muse! und Seelen der künftgen Trinker, dienstbare Zephirs
tragen sie auf balsamischen Flügeln, sie sammeln sich auf
den Rücken der Trauben, und spielen, und sind jetzt schon
Brüder. Auch wir waren schon Brüder ihr Freunde, da wir
noch Atomen waren, da lachten wir schon im holen Reb-
10 Blatt, und schlüpften über den perlenden Becher, oder
schlummerten auf Rosen, die junge Mädchen auf den Busen
pflanzten.

Ihr Brüder, die ihr jetzt fern in trägem Schlummer lieget,
ach wäret ihr hier! hätte mir fernher das Lampen-Licht aus
15 der Laube gestrahlet! hätt ich fernher euern Gesang gehört!
wie hätt ich mich in eure Arme geeilt, und trunken in Freude,
meine Stimme dem Rund-Gesang eingemischt!

[10] Allein! wie wird mir? Was seh ich? Götter! Welch
heilger Schimmer! Rings um schmücken sich die Äste mit
20 Lampen, das Licht spielt lieblich im zitternden Laube mit
dem Schatten: Besuchen die Götter die Laube? Oder – – –

Doch nein! o Freude! Euch seh ich ihr Brüder! Euch seh ich
im Kreis um mich her, ihr stimmet ein Trink-Lied an, es
schallt durch den Hain, und Hügel singens den Hügeln.

25 Der Faun, der jetzt in den Klüften schläft, hörts, und wird
wach. Erstaunt behorcht er das Lied, hüpft auf, und öfnet
den Schlauch.

Phœbus, wann er hinter jenem Berg im göldnen Wagen herauf fährt, findet uns noch. Ach! ruft er dann, so lang ich
30 wieder Phœbus bin, hab ich nie solche Freude genossen! – – –
Dann zieht er Wolken zusamen, und regnet einen traur'gen
Tag durch.

IDYLLEN
von dem
Verfasser
des
Daphnis

Zürich bei Gessner.
1756.

S. Gessner fecit.

AN DEN LESER.

Diese Idyllen sind die Früchte einiger meiner vergnügtesten
Stunden; denn es ist eine der angenehmsten Verfassungen, in
die uns die Einbildungs-Kraft und ein stilles Gemüth setzen
5 können, wenn wir uns mittelst derselben aus unsern Sitten
weg, in ein goldnes Weltalter setzen. Alle Gemählde von
stiller Ruhe und sanftem ungestöhrtem Glük, müssen Leuten
von edler Denkart gefallen; und um so viel mehr gefallen
uns Scenen die der Dichter aus der unverdorbenen Natur
10 herholt, weil sie oft mit unsern seligsten Stunden, die wir gelebt, Ähnlich-[6]keit zu haben scheinen. Oft reiß ich mich aus
der Stadt los, und fliehe in einsame Gegenden, dann entreißt
die Schönheit der Natur mein Gemüth allem dem Ekel und
allen den wiedrigen Eindrüken, die mich aus der Stadt ver-
15 folgt haben; ganz entzükt, ganz Empfindung über ihre
Schönheit, bin ich dann glüklich wie ein Hirt im goldnen
Weltalter und reicher als ein König. *Scheinbarer Realismus*
Die Ekloge hat ihre Scenen in eben diesen so beliebten Gegenden, sie bevölkert dieselben mit würdigen Bewohnern,
20 und giebt uns Züge aus dem Leben glüklicher Leute, wie sie
sich bey der natürlichsten Einfalt der Sitten, der Lebens-Art
und ihrer Neigungen, bey allen Begegnissen, in Glük und
Unglük betragen. Sie sind frey von allen den Sclavischen
Verhältnissen, und von allen [7] den Bedürfnissen, die nur
25 die unglükliche Entfernung von der Natur nothwendig machet, sie empfangen bey unverdorbenem Herzen und Verstand ihr Glük gerade aus der Hand dieser milden Mutter,
und wohnen, in Gegenden, wo sie nur wenig Hülfe fordert,
um ihnen die unschuldigen Bedürfnisse und Bequemlichkei-
30 ten reichlich darzubieten. Kurz, sie schildert uns ein goldnes
Weltalter, das gewiß einmal da gewesen ist, denn davon kan
uns die Geschichte der Patriarchen überzeugen, und die Einfalt der Sitten, die uns Homer schildert, scheint auch in den
kriegerischen Zeiten noch ein Überbleibsel desselben zu seyn.
35 Diese Dichtungs-Art bekömmt daher einen besondern Vor-

theil, wenn man die Scenen in ein entferntes Weltalter sezt;
sie erhalten dardurch einen höhern [8] Grad der Wahrschein-
lichkeit, weil sie für unsre Zeiten nicht passen, wo der Landmann mit saurer Arbeit unterthänig seinem Fürsten und den
Städten den Überfluß liefern muß, und Unterdrükung und
Armuth ihn ungesittet und schlau und niederträchtig gemacht haben.[1] Ich will darmit nicht läugnen, daß ein Dichter,

1. Bekanntlich weist gerade dieser Abschnitt eine auffallende Übereinstimmung mit einer bestimmten Partie aus dem Kapitel *Von Idyllen
oder Schäfergedichten* in Gottscheds *Versuch einer Critischen Dichtkunst*
auf (1. Aufl. 1730, S. 382, Hervorhebungen von uns):
»Will man nun wissen, worinn das rechte Wesen eines guten Schäfer-
Gedichtes besteht: So kan ich kürtzlich sagen; in der Nachahmung des
unschuldigen ruhigen, und ungekünstelten Schäferlebens, welches vor-
zeiten in der Welt geführet worden. Poetisch würde ich sagen, es sey eine
Abschilderung des güldenen Welt-Alters; auf Christliche Art zu reden,
eine Vorstellung des Standes der Unschuld, oder doch wenigstens der
Patriarchalischen Zeiten vor und nach der Sündfluth. Aus dieser Beschreibung kan ein jeder leicht wahrnehmen, was vor ein herrliches Feld
zu schönen Beschreibungen eines tugendhafften und glücklichen Lebens
sich hier einem Poeten zeiget. Denn die Wahrheit zu sagen, der heutige
Schäferstand ist derjenige nicht, den man in Schäfer-Gedichten abschildern muß. Er hat viel zu wenig Annehmlichkeiten, als daß er uns recht
gefallen könnte. *Unsre Landleute sind mehrentheils armselige, gedrückte
und geplagte Leute.* Sie sind selten die Besitzer ihrer Heerden, und
wenn sie es gleich sind, werden ihnen doch so *viel Steuren und Abgaben
auferlegt*, daß sie bey all ihrer *sauren Arbeit* kaum ihr Brod haben.
Zudem herrschen unter ihnen schon so *viele Laster*, daß man sie *nicht
mehr als Muster der Tugend* aufführen kan. Es müssen gantz andre
Schäfer seyn, die ein Poet abschildern, und deren Lebensart er in seinen
Gedichten nachahmen soll.«
Mitzulesen wäre hier allerdings auch, was Geßner etwa ein Jahr vor der
Niederschrift dieser Vorrede, am 29. November 1754, noch im Gedanken
an seinen Hirtenroman *Daphnis*, an Gleim schrieb:
»Ich hielt mich indeß zu Keinem von den Kunstrichtern, die entweder
dem Theokrit alles zur Schönheit, oder alles zu Fehlern anrechnen. Er ist
göttlich, aber er hat für Leute von andern, vielleicht bessern Sitten gesungen; ich kann den Käse und die Nüsse im Gedicht auch nicht zu oft
ausstehen. Es ist kein Fehler, aber wir empfinden etwas dabey, das bey
so ganz veränderten Sitten nicht ausbleibt. Allein ich könnt' es auch nicht
mit denen halten, die aus allzugrosser Gefälligkeit für ausschweifend
zärtliche Leute, die Bilder und Gemälde aus dem wirklichen Landleben
wegweisen, und die Schäferwelt nur zu einer poetischen machen wollen;

der sich ans Hirten-Gedicht wagt, nicht sonderbare Schönheiten ausspüren kann, wenn er die Denkungsart und die
Sitten des Landmanns bemerket, aber er muß diese Züge mit
feinem Geschmak wählen, und ihnen ihr Rauhes zu benehmen
5 men wissen, ohne den ihnen eigenen Schnitt zu verderben.
Ich habe den Theokrit immer für das beste Muster in dieser
Art Gedichte gehalten. Bey ihm findet man die Einfalt der
Sit-[9]ten und der Empfindungen am besten ausgedrükt,
und das Ländliche und die schönste Einfalt der Natur; er ist
10 mit dieser bis auf die kleinsten Umstände bekannt gewesen;
wir sehen in seinen Idyllen mehr als Rosen und Lilien; Seine
Gemählde kommen nicht aus einer Einbildungs-Kraft, die
nur die bekanntesten und auch dem Unachtsamen in die
Augen fallenden Gegenstände häuft; sie haben die ange-
15 nehme Einfalt der Natur, nach der sie allemal gezeichnet zu
seyn scheinen. Seinen Hirten hat er den höchsten Grad der
Naivität gegeben, sie reden Empfindungen, so wie sie ihnen
ihr unverdorbenes Herz in den Mund legt, und aller Schmuk
der Poesie ist aus ihren Geschäften und aus der ungekün-
20 stelten Natur hergenommen. Sie sind weit von den Epi-
grammatischen Witz ent-[10]fernt, und von der schulgerech-
ten Ordnung der Sätze; er hat die schwere Kunst gewußt,
die angenehme Nachlässigkeit in ihre Gesänge zu bringen,
welche die Poesie in ihrer ersten Kindheit muß gehabt ha-
25 ben; er wußte ihren Liedern die sanfte Mine der Unschuld
zu geben, die sie haben müssen, wenn die einfältigen Empfindungen eines unverdorbenen Herzens eine Phantasie be-
feuern, die nur mit den angenehmsten Bildern aus der Natur

denen eckelt, wenn ihnen in der Ekloge der Sinn an den Landmann, und
seine Geschäfte kömmt. Das ist zu hart. In einem Lande, wo ein hoch-
gräflicher Herr Graf, oder ein gnädiger Herr Baron den Landmann zum
armen Sclaven macht, da mag letzterer kleiner und verächtlicher seyn,
als bey uns, wo die Freiheit ihn zum besser denkenden braven Mann
macht; und ich getraue mir, auf unsern Alpen Hirten zu finden, wie
Theokrit zu seiner Zeit, denen man wenig nehmen und wenig leihen
dürfte, um sie zur Ekloge zu bilden« (W. Körte, Briefe der Schweizer,
S. 217 f.; vgl. auch w. u. Geßners *Fragment eines Briefes von 1751*).

angefüllt ist. Zwar ist gewiß, daß die noch weniger verdor-
bene Einfalt der Sitten zu seiner Zeit, und die Achtung die
man damals noch für den Feldbau hatte, die Kunst ihm er-
leichtert hat. Der zugespizte Witz war noch nicht Mode, sie
hatten mehr Verstand und Empfindung für das wahre   5
Schöne, als Witz.

[11] Mir deucht, das ist die Probe darüber, daß Theokrit in
seiner Art fürtreflich sey, weil er nur wenigen gefällt; denen kan er nie gefallen, die nicht für jede Schönheit der
Natur, bis auf die kleinsten Gegenstände, empfindlich sind,   10
denen, deren Empfindungen einen falschen Schwung genommen haben, und einer Menge von Leuten, die ihre Bestimmung in einer falsch-ekeln Galanterie finden. Denen ekelt
vor dem Ländlichen, ihnen gefallen nur Hirten, die so ge-
ziert denken wie ein witziger Dichter, und die aus ihren   15
Empfindungen eine schlaue Kunst zu machen wissen. Ich
weiß nicht, ob die meisten neuern entweder zu bequem gewesen sind, mit der Natur und den Empfindungen der Unschuld sich genauer bekannt zu machen, oder ob es Gefälligkeit für unsre umgearte-[12]ten Sitten ist, in der Absicht sich   20
allgemeinern Beyfall zu gewinnen, daß sie so weit sich von
dem Theokrit entfernen. Ich habe meine Regeln in diesem
Muster gesucht, und es wird mir eine Versicherung der glük-
lichen Nachahmung seyn, wenn ich diesen Leuten auch miß-
falle. Zwar weiß ich wol, daß einige wenige Ausdrüke und   25
Bilder im Theokrit, bey so sehr abgeänderten Sitten uns
verächtlich worden sind; dergleichen Umständgen habe ich
auszuweichen getrachtet. Ich meyne aber hier nicht dergleichen, die ein französischer Übersetzer in dem Virgil nicht
ausstehen konnte; die ich meyne, hat Virgil, der Nachahmer   30
des Theokrit, selbst schon weggelassen².

Geßner.

2. Kurz vor der Veröffentlichung der *Idyllen*, am 23. Dezember 1755,
schrieb Geßner an Ramler: »Freylich hab ich zu meinen Idyllen den Theokrit gelesen; ihn alein und den Virgil, bey diesen alein ist diese Dichtart
in ihrer Volkomenheit; die verzärtelten Franzosen hab ich nicht gelesen,

[13] AN DAPHNEN. *Anakreontisch*

ukosa

Nicht den blutbesprizten kühnen Helden, nicht das öde
Schlachtfeld singt die frohe Muse; sanft und schüchtern flieht
sie das Gewühl, die leichte Flöt' in ihrer Hand. R

5 Gelokt durch kühler Bäche rieselndes Geschwäze und durch *x pou tir*
der heilgen Wälder dunkeln Schatten, irrt sie an dem be-
schilften Ufer, oder geht auf Blumen, in grüngewölbten
Gängen hoher Bäume, und ruht im weichen Gras, und sinnt
auf Lieder, für dich, für dich nur, schönste Daphne!

10 [14] Denn dein Gemüth voll Tugend und voll Unschuld, ist
heiter, wie der schönste Frühlings-Morgen; So flattert mun- R
ter Scherz und frohes Lächeln, stets um die kleinen Lippen, R
um die rothen Wangen, und sanfte Freude redet stets aus
deinen Augen. Ja seit du Freund mich nennst, geliebte

15 Daphne! seitdem umglänzt ein Sonnenschein von Freude,
mein Leben vor mir her, und jeder Tag, gleicht einem hellen
Lieder-reichen Morgen.
O wenn die frohen Lieder dir gefielen! die meine Muse oft
dem Hirten abhorcht; auch oft belauschet sie in dichten Hai-

sie sind zu sehr von ihm abgewichen« (F. Wilhelm, Briefe an Karl Wil-
helm Ramler, S. 227).
Bei dem »französischen Übersetzer« handelt es sich um Jean Baptiste
Gresset (1709–77), den Geßner in Bodmers *Neuen Critischen Briefen*
(Zürich 1749) gerügt finden konnte, weil ihm selbst Vergil in seinen
Eklogen zu »niedrige« Züge aufweist und korrekturbedürftig erscheint.
Als Beispiel wird dort die Stelle aus Vergils VI. Ekloge angeführt, wo
der trunkene Silen von der Najade Aegle mit Maulbeersaft rot gefärbt
wird (v. 20–22):

> Addit se sociam timidisque supervenit Aegle,
> Aegle, naiadum pulcherrima, iamque videnti
> Sanguineis frontem moris et tempora pingit.

> (Ihnen gesellt sich zugleich, und stärkt die Furchtsamen, Aegle,
> Aegle, vor allen Najaden die schönere; jetzt, da er aufblickt,
> Malet sie Stirn' und Schläfen ihm rot mit blutigen Maulbeern.
>
> Übers. J. H. Voss)

Gresset hatte statt dessen übersetzt:

> La jeune Egle survint et se joint aux Pasteurs
> Pour former au vieillard une Chaine de fleurs.

PAN

nen, der Bäume Nymphen und den Ziegenfüß'gen Wald-
Gott, und Schilfbekränzte Nymphen in den Grotten; und oft
besuchet sie bemooste Hütten, um die der Landmann stille
Schatten pflanzet, und bringt Geschichte[n] her, von Groß-
muth und von Tugend, und von der immer frohen Unschuld. 5
Auch oft beschleichet sie der Gott der Liebe, in grünen [15]
Grotten dichtverwebner Sträuche, und oft im Weidenbusch
an kleinen Bächen. Er horchet denn ihr Lied, und kränzt ihr
fliegend Haar, wenn sie von Liebe singt und frohem Scherz.
Diß, Daphne! diß allein, belohne meine Lieder, diß sey mein 10
Ruhm, daß mir an deiner Seite, aus deinem holden Aug der
Beyfall lächle. Den der nicht glüklich ist wie ich, begeistre
der Gedanke, den Ruhm der späten Enkel zu ersingen; sie
mögen Blumen auf sein Grabmal streun, und kühlen Schatten
über den verwesnen Pflanzen! 15

f. Gesin. f

[16]   MILON.

O Du! die du lieblicher bist, als der thauende Morgen, du
mit den grossen schwarzen Augen; schön wallt dein dunkles
Haar unter dem Blumenkranz weg, und spielt mit den Winden. Lieblich ists, wenn deine rothen Lippen zum Lachen sich
öfnen, lieblicher noch, wenn sie zum Singen sich öfnen. Ich
habe dich behorcht, Chloe! o ich habe dich behorcht! da du
an jenem Morgen beym Brunnen sangest, den die zwo Eichen
beschatten; böse daß die Vögel nicht schwiegen, böse daß die
Quelle rauschte hab ich dich behorcht. Izt hab ich neunzehn
Ernden gesehen, und ich bin schön und braun von Gesicht;
oft hab ichs bemerkt daß die Hirten aufhörten zu singen
und horchten, wenn mein Gesang durchs Thal hintönte, und
deinen Gesang würde keine Flöte besser begleiten als meine.
O schöne Chloe, [17] liebe mich! Siehe, wie lieblich es ist, auf
diesem Hügel in meinem Felsen zu wohnen! sieh wie das
kriechende Epheu ein grünes Nez anmuthig um den Felsen
herwebt, und wie sein Haupt der Dornstrauch beschattet.
Meine Höle ist bequem, und ihre Wände sind mit weichen
Fellen behangen, und vor den Eingang hab' ich Kürbisse gepflanzet, sie kriechen hoch empor und werden zum dämmernden Dach; Sieh wie lieblich die Quell' aus meinem
Felsen schäumt, und hell über die Wasserkresse hin durch
hohes Gras und Blumen quillt! unten am Hügel sammelt er
sich zur kleinen See, mit Schilf-Rohr und Weiden umkränzt,
wo die Nymphen bey stillem Mondschein oft nach meiner
Flöte tanzen; wenn die hüpfenden Faunen mit ihren Crotalen* mir nachklappern. Sieh wie auf dem Hügel die Haselstaude zu grü-[18]nen Grotten sich wölbt, und wie die Brom-
beer-Staude mit schwarzer Frucht um mich her kriecht, und wie
der Hambutten-Strauch die rothen Beeren empor trägt, und
wie die Apfelbäume voll Früchte stehn, von der kriechenden
Reb' umschlungen. O Chloe! diß alles ist mein! wer wünschet

---

* Crotalen, waren aufgespaltene Rohre, deren auf- und zuschlagen das
Ton-Maaß des Gesanges und der andern Instrumente begleitete.

sich mehr? Aber ach! wenn du mich nicht liebest, dann um-
hüllt ein dichter Nebel die ganze Gegend. O Chloe, liebe
mich! Hier wollen wir dann ins weiche Gras uns lagern,
wenn Ziegen an der felsichten Seite klettern, und die Schafe
und die Rinder um uns her im hohen Grase watten; dann
wollen wir über das weit ausgebreitete Thal hinsehn, ins
glänzende Meer, wo die Tritonen hüpfen und wo Phöbus
von seinem Wagen steigt, und singen, daß es weit umher
in den Felsen wiedertönt, daß Nymphen still stehn und hor-
chen, und die Ziegenfüssigten Wald-Götter.   1
So sang Milon der Hirt auf dem Felsen, als [19] Chloe in
dem Gebüsch ihn behorchte; lächelnd trat sie hervor, und
faßte dem Hirten die Hand; Milon, du Hirt auf dem Felsen,
so sprach sie, ich liebe dich mehr als die Schafe den Klee,
mehr als die Vögel den Gesang; führe mich in deine Höle;   1
süsser ist mir dein Kuß als Honig, so lieblich rauscht mir
nicht der Bach.

[20]   IDAS. MYCON.

Sey mir gegrüßt Mycon! du lieblicher Sänger! Wenn ich dich
sehe, dann hüpft mir das Herz vor Freude; seit du auf dem   2
Stein beym Brunnen mir das Frühlings-Lied sangest, seitdem
hab ich dich nicht gesehen.
M y c o n. Sey mir gegrüßt Idas, du lieblicher Flötenspieler!
Laß uns einen kühlen Ort suchen, und in dem Schatten uns
lagern.   2
I d a s. Wir wollen auf diese Anhöhe gehn, wo die grosse
Eiche des Palemons steht, sie beschattet weit umher, und die
kühlen Winde flattern da immer. Indeß können meine Ziegen an der jähen Wand klettern und vom Gesträuch reissen;
sieh wie die grosse Eiche die schlanken Äste herum trägt,   3
und kühlen Schatten ausstreut, laß hier bey den wilden Ro-
sen-Gebüschen uns lagern, die sanften Winde sollen [21] mit
unsern Haaren spielen. Mycon! diß ist mir ein heilger Ort!

O Palemon! diese Eiche bleibt deiner Redlichkeit heiliges
Denkmal! Palemon hatte eine kleine Herde; er opferte dem
Pan viele Schafe, o Pan! bat er, laß meine Herde sich mehren, so kan ich sie mit meinem armen Nachbar theilen, und
5 Pan machte daß seine Herde in einem Jahr um die Helfte
sich mehrte, und Palemon gab dem armen Nachbar die
Helfte der ganzen Herde, und er opferte dem Pan auf diesem Hügel, und pflanzt' eine Eiche, und sprach: O Pan!
dieser Tag sey mir heilig, an dem mein Wunsch sich erfüllte,
10 segne die Eiche, daß ich jährlich in ihrem Schatten dir opfere;
Mycon! soll ich dir das Lied singen, das ich immer unter
dieser Eiche singe?

M y c o n. Wenn du mir das Lied singest, dann will ich diese
neunstimmige Flöte dir schenken, ich selbst habe die Rohre
15 mit langer Wahl am Ufer geschnitten, und mit wohlriechen-
dem Wachs vereint.

[22] Idas sang izt.

Die ihr euch über mir wölbt, schlanke Äste, ihr streut mit
euerm Schatten, ein heiliges Entzüken auf mich; Ihr Winde,
20 wenn ihr mich kühlt, dann ists als rauscht' eine Gottheit
unsichtbar neben mir hin! Ihr Ziegen und ihr Schafe schonet,
o schonet! und reißt das junge Epheu nicht vom weissen
Stamm, daß es empor schleiche und grüne Kränze flechte, rings
um den weissen Stamm. Kein Donnerkeil, kein reissender
25 Wind soll dir schaden, hoher Baum! Die Götter wollens, du
solt der Redlichkeit Denkmal seyn! Hoch steht sein Wipfel
empor, es siehet ihn fernher der Hirt, und weist ihn er-
mahnend dem Sohn; es sieht ihn die zärtliche Mutter, und
sagt Palemons Geschichte, dem horchenden Kind auf der
30 Schooß. O pflanzt solche Denkmal' ihr Hirten! daß wir einst
voll heilgen Entzükens, in dunkeln Hainen einhergehn.

So sang Idas, er hatte schon lange geschwie-[23]gen, und Mycon saß noch wie horchend, ach Idas! Mich entzükt der
thauende Morgen, der kommende Frühling entzükt mich,
35 noch mehr des Redlichen Thaten.

So sprach Mycon, und gab ihm die neunstimmige Flöte.

[24]   DAPHNIS.

An einem hellen Winter-Morgen saß Daphnis in seiner
Hütte; die lodernde Flammen angebrannter dürrer Reiser
streuten angenehme Wärme in der Hütte umher, indeß daß
der herbe Winter sein Stroh-Dach mit tiefem Schnee bedekt
hielt; er sah vergnügt durch das enge Fenster über die wint-
richte Gegend hin; Du herber Winter, so sprach er, doch bist
du schön! Lieblich lächelt izt die Sonne durch die dünnbenebelte Luft über die Schnee-bedekten Hügel hin; wie glänzet
der Schnee! Lieblich ists, wie aus dem Weissen empor die
schwarzen Stämme der Bäume zerstreut stehn, mit ihren
krummgeschwungenen unbelaubten Ästen, oder eine braune
Hütte mit dem Schnee-bedekten Dach, oder wenn die
schwarzen Zäune von Dorn-Stauden die weisse Ebene durch-
kreuzen; Schön ists wie die grüne [25] Saat dort über das
Feld hin die zarten Spizen aus dem Schnee empor hebt, und
das Weiß mit sanftem Grün vermischt; Schön glänzen die
nahen Sträuche, ihre dünnen Äste sind mit Duft geschmükt,
und die dünnen umherflatternden Faden. Zwar ist die Gegend öde, die Herden ruhen eingeschlossen im wärmenden
Stroh; nur selten sieht man den Fußtritt des willigen Stiers,
der traurig das Brennholz vor die Hütte führt, das sein Hirt
im nahen Hain gefällt hat; die Vögel haben die Gebüsche
verlassen, nur die einsame Meise singet ihr Lied, nur der
kleine Zaun-Schlüpfer hupfet umher, und der braune Sperling kömmt freundlich zu der Hütte und piket die hingestreuten Körner; Dort wo der Rauch aus den Bäumen in die Luft
empor wallt, dort wohnet meine Phillis; Vielleicht sizest du
izt beym wärmenden Feuer, das schöne Gesicht auf der unterstüzenden Hand, und denkest an mich, und wünschest
den Frühling; Ach Phillis! wie schön bist [26] du! Aber, nicht
nur deine Schönheit hat mich zur Liebe gereizt; O wie liebt
ich dich da! als dem jungen Alexis zwo Ziegen von der Fel-
sen-Wand stürzten; er weinte, der junge Hirt, ich bin arm,
sprach er, und habe zwo Ziegen verlohren, die eine war

trächtig; ach! ich darf nicht zu meinem armen Vater in die Hütte zurük kehren. So sprach er weinend, du sahest ihn weinen, Phillis, und wischtest die mitleidigen Thränen vom Aug, und nahmest aus deiner kleinen Herde zwo der besten Ziegen; da Alexis, sprachst du, nimm diese Ziegen, die eine ist trächtig, und wie er vor Freude weinte, da weintest du auch vor Freude, weil du ihm geholfen hattest. O! sey immer unfreundlich Winter; meine Flöte soll doch nicht bestaubt in der Hütte hangen, ich will dannoch von meiner Phillis ein frohes Lied singen; zwar hast du alles entlaubt, zwar hast du die Blumen von den Wiesen genommen, aber du solt es nicht hindern, daß ich nicht einen Kranz [27] flechte; Epheu und das schlanke Ewig-Grün mit den blauen Blumen will ich durch einander flechten, und diese Meise, die ich gestern fieng, soll in ihrer Hütte singen; ja ich will dich ihr heute bringen und den Kranz, sing ihr dann dein frohes Lied, sie wird freundlich lächelnd dich anreden, und in ihrer kleinen Hand die Speise dir reichen. O wie wird sie dich pflegen, weil du von mir kömmst!

[28]   MIRTIL.

Bey stillem Abend hatte Mirtil noch den Mond-beglänzten
Sumpf besucht, die stille Gegend im Mondschein und das
Lied der Nachtigal hatten ihn in stillem Entzüken aufgehalten. Aber izt kam er zurük, in die grüne Laube von Reben
vor seiner einsamen Hütte, und fande seinen alten Vater
sanftschlummernd am Mondschein, hingesunken, sein graues
Haupt auf den einen Arm hingelehnt. Da stellt er sich, die
Arme in einander geschlungen, vor ihm hin. Lang stand er
da, sein Blik ruhete unverwandt auf dem Greisen, nur blikt'
er zuweilen auf, durch das glänzende Reblaub zum Himmel,
und Freuden-Thränen rollten dem Sohn vom Auge.
O du! so sprach er izt, du, den ich nächst den Göttern am
meisten ehre! Vater! wie sanft schlummerst du da! Wie lächelnd ist der Schlaf [29] des Frommen! Gewiß gieng dein
zitternder Fuß aus der Hütte hervor, in stillem Gebete den
Abend zu feyren, und betend schliefest du ein. Du hast auch
für mich gebetet, Vater! Ach wie glüklich bin ich! die Götter
hören dein Gebet; oder warum ruht unsere Hütte so sicher
in den von Früchten gebogenen Ästen, warum ist der Segen
auf unserer Herde und auf den Früchten unsers Feldes? Oft
wenn du bey meiner schwachen Sorge für die Ruhe deines
matten Alters Freuden-Thränen weinst; wann du dann gen
Himmel blikest und freudig mich segnest, ach was empfind
ich dann, Vater! Ach dann schwellt mir die Brust, und häufige Thränen quillen vom Auge! Da du heut an meinem
Arm aus der Hütte giengest, an der wärmenden Sonne dich
zu erquiken, und die frohe Herde um dich her sahest und
die Bäume voll Früchte, und die fruchtbare Gegend umher,
da sprachst du, meine Haare sind unter Freuden grau geworden, seyd [30] immer gesegnet, Gefilde! nicht lange mehr
wird mein dunkelnder Blik euch durchirren, bald werd ich
euch an seligere Gefilde vertauschen. Ach Vater! bester
Freund! bald soll ich dich verliehren, trauriger Gedanke!
Ach! dann – – dann will ich einen Altar neben dein Grab

hinpflanzen, und dann, so oft ein seliger Tag kömmt, wo ich Nothleidenden Gutes thun kann, dann will ich, Vater! Milch und Blumen auf dein Grabmal streun.

Izt schwieg er, und sah mit thränendem Aug auf den Greisen; wie er lächelnd da liegt und schlummert! sprach er izt schluchzend, es sind von seinen frommen Thaten im Traum vor seine Stirne gestiegen. Wie der Mondschein sein kahles Haupt bescheint und den glänzend weissen Bart! O daß die kühlen Abendwinde dir nicht schaden und der feuchte Thau! izt küßt er ihm die Stirne, sanft ihn zu weken und führt ihn in die Hütte um sanfter auf weichen Fellen zu schlummern.

[31] LYCAS und MILON.

Der junge Sänger Milon; denn auf seinem zarten Kinn stunden die Haare noch selten, so wie das zarte Gras im jungen Frühling aus spätgefallenem Schnee nur selten vorkeimt; und Lycas mit dem schöngelokten Haar, gelb wie die reife Saat, kamen zusamen mit der blökenden Herde, hinter dem Buchwald. Sey mir gegrüßt Lycas, sprach der Sänger Milon und bot ihm die Hand, sey mir gegrüßt, laß in den Buchwald uns gehn, indeß irrt unsere Herde im fetten Gras am Teich, mein wacher Hund wirds nicht zugeben daß sie sich zerstreue.

L y c a s. Nein Milon, wir wollen hier unter dem gewölbten stozigten Felsen uns sezen, es liegen da heruntergerissene Stüke mit sanftem Moos bedekt. Dort ists lieblich und kühl, sieh wie der klare Bach staubend ins wankende [32] Gesträuche sich stürzt, er rieselt unter ihrem Gewebe hervor, und eilt in den Teich. Hier ists lieblich und kühl, laß auf die bemoosten Steine uns sezen, dann steht der Schatten des Buchwalds dunkel gegen uns über.

Und izt giengen sie und sezten sich unter dem Felsen auf die bemoosten Steine: Und Milon sprach, lang schon, du

Flötenspieler Lycas, lang schon hab ich deinen Gesang loben gehört, laß uns einen Wettgesang singen, denn auch mir sind die Musen gewogen; jenes junge Rind will ich zum Preis dir sezen, es ist schön geflekt, schwarz und weiß.

L y c a s. Und ich, ich seze die beste Ziege aus meiner Herde, samt ihrem Jungen, dort reißt sie das Epheu von der Weide a[m] Teich, das muntre Junge hüpft neben ihr. Aber Milon, wer soll Richter seyn? Soll ich den alten Menalkas rufen? Sieh er leitet die Quelle in die Wiese am Buchwald; er versteht den Gesang. Izt riefen die [33] jungen Hirten dem Menalkas, und er kam und sezte sich zu den Knaben auf einen weich-bemoosten Stein, und Milon hub den Gesang an.

M i l o n. Selig ist der zu preisen, der die Gunst der Musen hat. Wenn uns das Herz von Freuden hüpft, wie lieblich ist es dann ein Lied zu singen, der Echo und dem Hain! Nie entsteht mir ein liebliches Lied, wenn mich der Mondschein entzükt, oder des Morgens Rosenfarbe. Auch weiß ich daß der Gesang die trüben Stunden heiter macht. Denn mir sind die Musen gewogen, und jene schneeweisse Ziege ist ihnen zum Opfer bestimmt, bald will ich sie, die Hörner mit Blumen umkränzt, opfern, und neue Loblieder singen.

L y c a s. Als stammelndes Kind saß ich dem Vater auf dem Schooß, und wenn er ein Lied auf der Rohrflöte blies, denn horcht ich schon aufmerksam zu und lallt' es ihm nach. Oder lächelnd nahm ich die Flöt' ihm vom Mund, und [34] blies gebrochene Töne hervor. Aber bald erschien Pan mir im Traum. Jüngling, so sprach er, geh in den Hain und hole die Flöte die der Sänger Hylas an die mir geheiligte Eiche hieng, du bist es werth ihm nachzuspielen. Erst gestern hab ich ihm Sprossen von meinen neugepfropfeten Bäumen gebracht, und einen Krug voll Öl und einen Krug voll Milch vor ihm ausgegossen.

M i l o n. Auch die Liebe begeistert zu Gesängen, mehr als das helle Morgenroth, mehr als der liebliche Schatten, mehr als der Schimmer des Monds. O wenn ein tugendhaft Mäd-

chen unsre Lieder lobt! Wenn es unsre Lieder mit sanftem
Lächeln belohnt, oder mit einem Kranz! Seit Daphne ihren
Freund mich nennt, seitdem ists in meinem Herzen so helle
wie in dieser Gegend voll Sonnenschein im Frühling, seitdem
sing ich bessere Lieder; Daphne, die sanft lächelt wie die
milde Ceres, und weise ist wie die Musen.

L y c a s. Ach! mein Herz ist lange frey von Lie-[35]be ge-
blieben, da sang ich ruhig nichts als frohe Lobgesänge den
Göttern, oder von der Pflege der Herde, oder vom Pfropfen
der Bäume, oder vom Warten des Weinstokes. Aber seit ich
Chloen sah, die unempfindliche Chloe, seitdem sing ich nur
Trauerlieder, seitdem stöhrt Wehmuth jede meiner Freuden.
Bald hätt' ich meine Liebe besiegt, nur selten kam sie in mein
Herze zurük. Aber ach! ich werde sie nicht wieder besiegen,
seit ich Chloen beym blühenden Schlehenbusch sah und ihren
Gesang hörte; muthwillige Zephirs schwermten im Busch
und rissen die weissen Blüthen weg, und streuten sie auf
Chloen hin, und ahmeten den besiegten Winter mit seinen
Floken nach.

M i l o n. Dort wo der schwarze Tannenwald steht, dort
rieselt ein Bach aus Stauden hervor, dorthin treibt Daphne
oft ihre Herde. Jüngst hab ich, als das Morgenroth kam, den
ganzen Ort mit Kränzen geschmükt, flatternd hiengen sie
von [36] einer Staude zur andern, und wanden sich um ihre
Stämme, da war es wie ein Heiligthum des Frühlings oder
der freundlichen Venus. Ich will izt noch unsere Namen in
diese Fichte schneiden, sprach ich, und dann will ich mich in
jenem Busch verbergen, und ihr Lächeln sehn, und ihre Worte
behorchen. So sprach ich und schnitt in die Rinde, als plöz-
lich ein Kranz um meine Schläfe sich wand, schnell sanft
erschroken sah ich zurük und Daphne stund lächelnd da, ich
habe dich behorcht, sprach sie, und drükte den zärtlichsten
Kuß auf meine Lippen.

L y c a s. Dort an dem Hügel steht meine beschattete Hütte,
dort an der blumichten Quelle stehn meine Bienen-Körbe in
zween Reihen; wirthschaftlich wohnen sie da im kühlen

Schatten der Ölbäume. Noch kein junger Flug hat sich zu-
weit von meinem Anger entfernt, sie sumsen frölich umher
im blumichten Anger, und sammeln mir Honig und Wachs
im Überfluß; Sieh [37] wie meine Kühe mit vollem Euter
gehn, und wie die jungen Kälber muthwillig sie umhüpfen,
und wie meine Ziegen und meine Schafe so zahlreich die
Stauden entblättern und das Gras mähen. Diß, Chloe! diß
gaben mir die Götter, und sie lieben mich weil ich tugendhaft bin; wilt du, o Chloe! wilt du mich nicht auch lieben
wie die Götter, weil ich tugendhaft bin?

So sangen die Hirten, und Menalkas sprach: Wem soll ich
den Preis zutheilen, ihr schönen Sänger? Eure Lieder sind
süß wie Honig, lieblich fliessen sie wie dieser Bach, so er-
muntert der Kuß von rosenfarbigten Lippen. Nimm du
Lycas das schwarzgeflekte Rind, und gieb dem Milon die
Ziege mit ihrem Jungen.

[38]   AMYNTAS.

Bey frühem Morgen kam der arme Amyntas aus dem dichten Hain, das Beil in seiner Rechten. Er hatte sich Stäbe geschnitten zu einem Zaun, und trug ihre Last gekrümmt auf
der Schulter. Da sah er einen jungen Eichbaum neben einem
hinrauschenden Bach, und der Bach hatte wild seine Wurzeln
von der Erd' entblösset, und der Baum stund da traurig,
und drohte zu sinken. Schade, sprach er, soltest du Baum in
diß wilde Wasser stürzen; nein, dein Wipfel soll nicht zum
Spiel seiner Wellen hingeworfen seyn. Izt nahm er die
schweren Stäbe von der Schulter; ich kan mir andre Stäbe
holen, sprach er, und hub an, einen starken Damm vor den
Baum hinzubauen und grub frische Erde; Izt war der Damm
gebaut, und die entblößten Wurzeln mit frischer Erde bedekt, und izt nahm er sein Beil auf die [39] Schulter, und
lächelte noch einmal zu frieden mit seiner Arbeit in den
Schatten des geretteten Baumes hin, und wollte in den Hain
zurük um andre Stäbe zu holen; aber die Dryas* rief ihm
mit lieblicher Stimme aus der Eiche zu: solt ich unbelohnet
dich weglassen? gütiger Hirt! sage mirs, was wünschest du
zur Belohnung, ich weiß daß du arm bist, und nur fünf
Schafe zur Weide führest. O wenn du mir zu bitten ver-
gönnst, Nymphe, so sprach der arme Hirt; mein Nachbar
Palemon ist seit der Ernde schon krank, laß ihn gesund
werden!
So bat der Redliche, und Palemon ward gesund; aber
Amyntas sah den mächtigen Segen in seiner Herde und bey
seinen Bäumen und Früchten, und ward ein reicher Hirt,
denn die Götter lassen die Redlichen nicht ungesegnet.

---

* Die Dryaden waren Schuz-Göttinnen der Eichen, sie entstunden und
starben auch wieder mit dem Baum.

[40]   DAMON. DAPHNE.

D a m o n. Es ist vorübergegangen, Daphne! das schwarze
Gewitter, die schrökende Stimme des Donners schweigt;
Zittre nicht, Daphne! die Blize schlängeln sich nicht mehr
durchs schwarze Gewölk; laß uns die Höle verlassen; die
Schafe, die sich ängstlich unter diesem Laubdach gesammelt,
schütteln den Regen von der triefenden Wolle, und zer-
streuen sich wieder auf der erfrischeten Weide; Laß uns
hervorgehn, und sehn, wie schön die Gegend im Sonnenschein
glänzt.

Izt traten sie Hand in Hand aus der schüzenden Grotte
hervor; Wie herrlich! rief Daphne, dem Hirt die Hand
drükend, wie herrlich glänzt die Gegend! Wie hell schimmert
das Blau des Himmels durch das zerrißne Gewölk! Sie fliehen, die Wolken; wie sie ihren Schatten in der Sonne-[41]be-
glänzten Gegend zerstreun! sieh Damon, dort liegt der Hügel mit seinen Hütten und Herden im Schatten, izt flieht der
Schatten und läßt ihn im Sonnen-Glanz; sieh wie er durchs
Thal hin über die blumichten Wiesen lauft.

Wie schimmert dort, Daphne! rief Damon, wie schimmert
dort der Bogen der Iris von einem glänzenden Hügel zum
andern ausgespannt; am Rüken das graue Gewölk verkün-
digt die freundliche Göttin von ihrem Bogen der Gegend die
Ruhe, und lächelt durchs unbeschädigte Thal hin.

Daphne antwortete, mit zartem Arm ihn umschlingend, sieh
die Zephir kommen zurück, und spielen froher mit den Blumen, die verjüngt mit den hellblizenden Regen-Tropfen
prangen, und die bunten Schmetterlinge und die beflügelten
Würmchens fliegen wieder froher im Sonnenschein, und der
nahe Teich — — wie die genezten Büsche und die Weiden
zitternd um ihn her glän-[42]zen! sieh er empfängt wieder ruhig das Bild des hellen Himmels und der Bäume umher.

D a m o n. Umarme mich Daphne, umarme mich! O was für
Freude durchströmt mich! wie herrlich ist alles um uns her!

Welche unerschöpfliche Quelle von Entzüken! Von der bele-
benden Sonne bis zur kleinesten Pflanze sind alles Wunder!
O wie reißt das Entzüken mich hin! wenn ich vom hohen
Hügel die weitausgebreitete Gegend übersehe, oder, wenn
ich ins Gras hingestrekt, die manigfaltigen Blumen und
Kräuter betrachte und ihre kleine Bewohner; oder wenn ich
in nächtlichen Stunden, bey gestirntem Himmel, den Wechsel
der Jahrszeiten, oder den Wachsthum der unzählbaren Gewächse – – wenn ich die Wunder betrachte, dann schwellt
mir die Brust, Gedanken drengen sich dann auf; ich kan sie
nicht entwikeln, dann wein' ich und sinke hin und stammle
mein Erstaunen dem der die Erde schuf! O Daphne, nichts
gleicht [43] dem Entzüken, es sey denn das Entzüken von
dir geliebt zu seyn.

D a p h n e. Ach Damon! auch mich, auch mich entzüken die
Wunder! O laß uns in zärtlicher Umarmung den kommenden Morgen, den Glanz des Abendroths und den sanften
Schimmer des Mondes, laß uns die Wunder betrachten, und
an die bebende Brust uns drüken, und unser Erstaunen stammeln; O welch unaussprechliche Freude! wenn diß Entzüken
zu dem Entzüken der zärtlichsten Liebe sich mischt.

[44]   DAMON. PHILLIS.

D a m o n. Izt hab ich sechszehn Frühlinge gesehn, doch
liebste Phillis! keiner, noch keiner war so schön wie der;
weißt du warum? – – Ich hüt' izt neben dir die Herde.
P h i l l i s. Und ich, ich hab izt dreizehn Frühlinge gesehn.
Ach liebster Damon! keiner, nein keiner war für mich so
schön wie der; weißt du warum? – – Izt drükte sie ihn seufzend an die Brust.
D a m o n. Sieh Phillis, wie der dichte Busch, bey dieser
Schleusse schattig sich wölbt, hör wie die Quelle rauscht;
dort wollen wir ins hohe Gras uns legen, und – – –

P h i l l i s. Ja, lieber Damon! denn bey dir nur bin ich froh.
Sieh her, mein Busen bebt voll Freude, denn – – denk ein-
mal, fünf lange Stunden, hab ich dich nicht gesehn.
[45] D a m o n. Hier, liebe Phillis! hier seze dich im Klee.
O könnt ich immer dich lächeln sehn, und deine Augen! – –
Nein, sieh mich nicht so an, sprach er, und drükte sanft des
Mädchens Augen zu; Glaube, wenn dein Blik so lächelnd
mir ins Auge sieht, ich weiß nicht wie mir dann geschieht,
ich zittre, ich seufze dann und meine Worte stoken.
P h i l l i s. Nimm Damon, nimm die Hand von meinen
Augen, denn, wenn du meine Hand in deine drükest, dann
gehts mir eben so, mich durchzittert dann etwas, ich weiß
nicht was es ist, dann pochet mir das Herz.
D a m o n. Sieh Phillis, sieh, was ist dort auf dem Baum?
zwo Dauben, – – sieh – – sieh wie sie freundlich sich mit den
Flügeln schlagen; höre wie sie girren; Izt, izt – – sie piken
sich den bunten Hals, und izt den kleinen Kopf, und um die
kleinen Augen. Komm, Phillis! komm, wir wollen mit den
Armen uns auch umschlagen, wie [46] sie mit den Flügeln;
Reiche deinen Hals mir her und deine Augen, daß ich dich
schnäbeln kan – –
P h i l l i s. Halt deine Lippen doch auf meine Lippen, dann
Damon, schnäbeln beyde.
D a m o n. Ach Phillis! ach! wie süß ist dieses Spiel! Habt
Dank, habt Dank, ihr kleinen Dauben! der Sperber töd'
euch nie – –
P h i l l i s. Habet Dank, ihr kleinen Dauben, habet Dank;
flieget her in meinen Schoos, kommt wohnet bey mir. Im
Feld und im Hain will ich die besten Speisen euch sammeln;
indeß daß Damon mich schnäbelt, könnt ihr dann auf mei-
nem Schoos euch schnäbeln; – – Sie kommen nicht – – sie
fliegen weg!
D a m o n. Höre Phillis! mir fällt was ein; Wenn dieses
Küsse wären, von denen jüngst Amyntas sang.
»Dem müden Schnitter ist ein frischer Trunk nicht halb so
süß, als Liebenden ein Kuß; viel lieblicher ist sein Geräusch,

als wann ein [47] kühler Bach, wenn uns der schwühle Mittag brennt, durch dunkle Schatten fließt.«

P h i l l i s. Ja gewiß! Bald wollt' ich wetten, daß es Küsse sind, komm, wir wollen gehn und Chloen fragen. – – Doch seze mir zuerst den Kranz zurecht. – – Du hast mein Haar zerzaußt!

[48]   DER ZERBROCHENE KRUG.

Ein ziegenfüssigter Faun lag unter einer Eiche in tiefem Schlaf ausgestrekt, und die jungen Hirten, sahen ihn, wir wollen, sprachen sie, ihn fest an den Baum binden, und dann soll er uns für die Loslassung ein Lied singen. Und sie banden ihn an dem Stamm der Eiche fest, und warfen mit der gefallenen Frucht des Baumes ihn wach. Wo bin ich? so sprach der Faun, und gähnte, und dähnte die Arme und die Ziegenfüsse weit aus, wo bin ich? Wo ist meine Flöte? Wo ist mein Krug? Ach! da liegen die Scherben vom schönsten Krug! Da ich gestern im Rausch hier sank, da hab ich ihn zerbrochen – – Aber wer hat mich festgebunden? so sprach er und sah rings umher, und hörte das zwitschernde Lachen der Hirten. Bindet mich los, ihr Knaben, rief er; [49] Wir binden dich nicht los, sprachen sie, du singest uns denn ein Lied. Was soll ich euch singen, ihr Hirten? sprach der Faun, von dem zerbrochenen Krug will ich singen, da sezet euch im Gras um mich her.

Und die Hirten sezten sich ins Gras um ihn her, und er hub an.

Er ist zerbrochen, er ist zerbrochen, der schönste Krug, da liegen die Scherben umher!

Schön war mein Krug, meiner Höle schönste Zierde, und gieng ein Wald-Gott vorüber, denn rief ich: Komm, trink' und siehe den schönsten Krug. Zeus selbst hat bey dem frohesten Fest nicht einen schönern Krug.

Er ist zerbrochen, ach! er ist zerbrochen! der schönste Krug!
Da liegen die Scherben umher.

Wenn bey mir die Brüder sich sammelten, dann sassen wir
rings um den Krug! Wir tranken, und jeder der trank, sang
die darauf gegrabene Geschichte, die seinen Lippen die nächste war. Izt [50] trinken wir nicht mehr, ihr Brüder! aus
dem Krug, izt singen wir nicht mehr die Geschichte, die
jedes Lippen die nächste ist;

Er ist zerbrochen, ach er ist zerbrochen, der schönste Krug!
Da liegen die Scherben umher.   1

Denn auf dem Krug war gegraben, wie Pan voll Entsezen
am Ufer sah, wie die schönste Nymphe, in den umschlingenden Armen, in lispelnden Schilf sich verwandelte; Er schnitt
da Flöten von Schilfrohr, von ungleicher Länge, und kleibte
mit Wachs sie zusammen, und blies dem Ufer ein trauriges   1
Lied. Die Echo horchte die neue Musik und sang sie dem erstaunten Hain und den Hügeln.

Aber er ist zerbrochen, er ist zerbrochen, der schönste Krug!
Da liegen die Scherben umher.

Dann stund auf dem Kruge, wie Zeus, als weisser Stier, auf   2
dem Rüken die Nymph' Europa auf Wellen entführte; Er
lekte mit schmeichelnder Zunge der Schönen entblössetes
Knie. Indeß [51] rang sie jammernd die Hände über dem
Haupt, mit dessen lokichtem Haare die gaukelnden Zephire
spielten, und vor ihm her ritten die Amors, lächelnd auf   2
dem willigen Delphin.

Aber er ist zerbrochen, er ist zerbrochen, der schönste Krug!
Da liegen die Scherben umher.

Auch war der schöne Bachus gegraben; Er saß in einer Laube
von Reben, und eine Nymphe lag ihm zur Seite. Ihr linker   3
Arm umschlang seine Hüften, den rechten hielt sie empor
und zog den Becher zurück, nach dem seine lächelnden Lippen
sich sehnten. Schmachtend sah sie ihn an und schien ihn um
Küsse zu flehen, und vor ihm spielten seine geflekten Tieger;
schmeichelnd assen sie Trauben, aus den kleinen Händen der   3
Amors;

Aber er ist zerbrochen, er ist zerbrochen, der schönste Krug!
Da liegen die Scherben umher. O klag es Echo dem Hain,
klag es dem Faun in den Hölen! er ist zerbrochen, da liegen
die Scherben umher.

[52] So sang der Faun, und die jungen Hirten banden ihn
los und besahen bewundernd die Scherben im Gras.

[53]   DAPHNIS. CHLOE.

Das Abendroth kam, als Chloe mit ihrem Daphnis zu dem
rieselnden Bach in das einsame Weiden-Gebüsche kamen;
Hand in Hand gedrükt kamen sie ins Gebüsche; aber schon
saß Alexis am rieselnden Bach, ein schöner Jüngling, aber
noch nie war die Liebe in seinem Busen erwachet; Sey mir
gegrüßt, du Liebe-leerer Jüngling, sprach Daphnis, vielleicht
zwar hat izt ein Mädchen dein Herz enthärtet, da du so einsame Schatten suchest, denn die Liebenden suchen gerne einsame Schatten. Ich komme mit meiner Chloe her, wir wollen
im stillen Busch das Glük unsrer Liebe singen. So sprach er,
und drükte des Mädchens Hånd an seine Brust. Wilt du zuhören, Alexis?

A l e x i s. Nein kein Mädchen hat mein Herz enthärtet. Ich
kam hieher zu sehn, wie schön der [54] Abend die Berge
röthet, aber gerne will ich euern Gesang hören, es ist lieblich
beym Abendroth einen schönen Gesang zu hören.

D a p h n i s. Komm Chloe, hier laß uns neben ihm ins Gras
uns sezen, wir wollen ein Lied singen, meine Flöte soll deinen Gesang begleiten, Chloe, und du Alexis, du bist ein guter
Flöten-Spieler, begleite du den meinen.

Ich will ihn begleiten, sprach Alexis, und izt sezten sie sich
ins Gras am Bach, und Daphnis hub an.

D a p h n i s. Du stilles Thal und ihr belaubte Hügel, kein
Hirt ist so glüklich wie ich, denn Chloe liebet mich! lieblich
ist sie wie der frühe Morgen, wenn die Sonne sanft vom

Berg heraufsteigt; dann, dann freut sich jede Blume, und die
Vögel singen ihr entgegen, und hüpfen froh auf schlanken
Ästen, daß der Thau vom Laube fällt.

C h l o e. Froh ist die kleine Schwalbe, wenn sie vom Win-
ter-Schlaf im Sumpf erwachet, und [55] den schönen Frühling sieht; sie hüpft dann auf den Weidenbaum und singet
ihr Entzüken, den Hügeln und dem Thal, und ruft, Gespielen, wachet auf! der Frühling ist izt da. Doch viel entzükter
bin ich noch, denn Daphnis liebet mich, und ich ruf euch
Gespielen zu, viel süsser ists als der kommende Frühling,
wenn uns ein tugendhafter Jüngling liebt.

D a p h n i s. Schön ist es, wenn auf fernen Hügeln, die
Herden in dunkeln Büschen irren; doch schöner ists, o Chloe!
wenn ein frischer Blumen-Kranz dein dunkles Haar durch-
irrt; schön ist des heitern Himmels Blau, doch schöner ist
dein blaues Auge, wenn es lächelnd mir winket. Ja liebe
Chloe, mehr lieb ich dich als schnelle Fische den klaren
Teich, mehr als die Lerche die Morgen-Luft.

C h l o e. Da als ich im stillen Teich mich besah, ach! seufzt'
ich, könnt ich dem Daphnis gefallen! dem besten Hirten. Indeß standst du ungesehn [56] mir am Rüken und warfest
Blumen über mein Haupt hin, daß mein Bild in hüpfenden
Kreisen verschwand; Erschroken sah ich zurük, und sah dich,
und seufzte, und da drüktest du mich an deine Brust. Ach!
riefst du, die Götter sind Zeugen, ich liebe dich! ach! sprach
ich, ich liebe dich, mehr als die Bienen die Blüthen, mehr als
die Blumen den Morgenthau.

D a p h n i s. O Chloe, wenn du mit thränendem Auge,
wenn du mit umschlingendem Arme mir sagst, Daphnis! ich
liebe dich! Ach dann seh ich durch den Schatten der Bäume
hinauf, in den glänzenden Himmel; ihr Götter! seufz ich
dann, ach wie kann ich mein Glük euch danken, daß ihr
Chloen mir schenkt? und dann sink ich an ihre Brust hin und
weine, und dann küßt sie die Thränen mir vom Aug.

C h l o e. Und dann küß ich die Thränen dir vom Aug, aber
häufigere Thränen fliessen dann mir vom Aug und mischen

sich zu deinen Thränen. [57] Daphnis, seufz ich dann, ach Chloe! seufzest du, und die Echo seufzet uns nach. Die Herd erquikt das junge Frühlings-Gras; Der kühle Schatten erquikt, bey schwühler Mittags-Hiz; mich, Daphnis! mich erquiket nichts so sehr, als wenn dein holder Mund mir sagt, daß du mich liebst.

So sangen Daphnis und Chloe. Glükliche Kinder, so sprach Alexis und seufzt'; ach! izt fühl ichs, daß die Lieb' ein Glük ist, euer Gesang und eure Blike und euer Entzüken habens mir gesagt.

[58]   LYCAS,
                ODER DIE ERFINDUNG DER GÄRTEN.

Izt schließt uns der stürmende Winter ins Zimmer, und Wirbelwinde durchwühlen den silbernen Regen der Floken; Izt soll mir die Einbildungskraft den Schaz von Bildern öfnen, die sie in dem blumichten Lenz und in dem schwülen Sommer und in dem bunten Herbst sich gesammelt; aus ihnen will ich izt die schönsten wählen, und für dich, schöne Daphne! in Gedichte sie ordnen. So wählt ein Hirt seinem Mädchen zum Kranz nur die schönsten Blumen. O daß es dir gefalle! wenn meine Muse dir singt, wie in der Jugend der Tage, ein Hirt der Gärten Kunst erfand.

Das ist der Ort, sprach Lycas, der schöne Hirt, hier unter diesem Ulmbaum ists, wo gestern, als [59] die Sonne wich, die schöne Chloe mir die ersten Küsse gab; hier standst du und seufztest, als meine zitternden Arme dich umschlangen, als meine stokende Stimme meine Liebe dir sagte, und mein pochendes Herz und meine Thränen im Aug. O da Chloe! da entsank dein Hirten-Stab der zitternden Hand, da sankst du an meine bebende Brust; Lycas! so stammeltest du, o Lycas! ich liebe dich! Ihr stillen Büsche, ihr einsamen Quellen seyd Zeugen, euch hab ich meine Liebe geklagt, und ihr, ihr Blumen, ihr tranket meine Thränen wie Thau!

O Chloe wie bin ich entzükt! welch unaussprechliches Glük
ist die Liebe! hier dieser Ort sey der Liebe geheiligt! Ich will
um die Ulme her Rosen-Stauden pflanzen, und die schlanke
Waldwinde soll sich an ihrem Stamm hoch hinauf schlingen,
mit den weissen Purpur-gestreiften Blumen geschmükt; ich
will hieher den ganzen Frühling sammeln; die schöne Saat-
Rose will [60] ich hier bey der Lilie pflanzen. Ich will auf
die Wiesen und auf die Hügel gehen, und will ihnen die blumichten Pflanzen rauben; die Viole und die Nelke, und die
blaue Gloken-Blume, und die braune Scabiose, alles, alles
will ich sammeln; dann soll es seyn wie ein Hain voll süsser
Gerüche, und dann will ich um den Blumen-Hain her die
nahe Quelle leiten, daß er zur kleinen Insul wird, und rings
umher will ich einen Zaun von Dornbüschen pflanzen, daß
die Ziegen und die Schafe ihn nicht verwüsten. O dann
kommet, ihr, die ihr der Liebe lebt, seufzende Turteldauben,
kommt dann im Wipfel der Ulme zu klagen, und ihr, ihr
Sperlinge, verfolgt euch durchs Rosen-Gebüsch, und singt
von wiegenden Ästen, und ihr, ihr bunten Schmetterlinge,
haschet euch im Blumen-Hain, und paart euch auf wankenden Lilien.
Dann sagt der Hirt, der vorüber geht, wenn ihm die Zephire
die Gerüche weit her entge-[61]gen tragen, welcher Gottheit
ist dieser Ort heilig? Gehört er der Venus, oder hat ihn
Diana so schön geschmükt, um müd von der Jagd hier zu
schlummern?

[62] PALEMON.

Wie lieblich glänzet das Morgenroth durch die Haselstaude
und die wilden Rosen am Fenster! Wie froh singet die
Schwalbe auf dem Balken unter meinem Dach! und die
kleine Lerche in der hohen Luft! Alles ist munter, und jede
Pflanze hat sich im Thau verjüngt; auch ich, auch ich scheine
verjüngt; mein Stab soll mich Greisen vor die Schwelle meiner Hütte führen, da will ich mich der kommenden Sonne
gegenüber sezen, und über die grünen Wiesen hinsehn. O wie
schön ist alles um mich her! Alles was ich höre sind Stimmen
der Freude und des Danks. Die Vögel in der Luft und der
Hirt auf dem Felde singen ihr Entzüken, auch die Herden
brüllen ihre Freude von den grasreichen Hügeln und aus
dem durchwässerten Thal. O wie lang, wie lang, ihr Götter!
soll ich noch eurer Gütigkeit Zeuge [63] seyn? Neunzig male
habe ich izt den Wechsel der Jahrszeiten gesehn, und wann
ich zurük denke, von izt bis zur Stunde meiner Geburt, eine
weite liebliche Aussicht, die sich am Ende, mir unübersehbar
in reiner Luft verliert, o wie wallet dann mein Herz auf!
Ist das Entzüken, das meine Zunge nicht stammeln kann,
sind meine Freuden-Thränen, ihr Götter! nicht ein zu schwacher Dank? Ach fließt ihr Thränen, fließt die Wangen herunter! wenn ich zurük sehe, dann ists, als hätt' ich nur einen
langen Frühling gelebt, und meine trüben Stunden waren
kurze Gewitter, sie erfrischen die Felder und beleben die
Pflanzen. Nie haben schädliche Seuchen unsre Herde ge-
mindert, nie hat ein Unfall unsre Bäume verderbt, und bey
dieser Hütte hat nie ein langwierig Unglük geruht. Entzükt
sah ich in die Zukunft hinaus, wenn meine Kinder lächelnd
auf meinem Arm spielten, oder wenn meine Hand des plap-
pernden Kindes wankenden Fußtritt leitete; Mit Freuden-
[64]Thränen sah ich in die Zukunft hinaus, wenn ich die
jungen Sprossen aufkeimen sah; ich will sie vor Unfall
schüzen, ich will ihres Wachsthums warten, sprach ich, die
Götter werden die Bemühung segnen; sie werden empor

wachsen, und herrliche Früchte tragen, und Bäume werden,
die mein schwaches Alter in erquikenden Schatten nehmen.
So sprach ich, und drükte sie an meine Brust, und izt sind sie
voll Segen empor gewachsen, und nehmen mein graues Alter
in erquikenden Schatten; so wuchsen die Apfel-Bäume, und   5
die Birnen-Bäume, und die hohen Nuß-Bäume, die ich als
Jüngling um die Hütte her gepflanzet habe, hoch empor; sie
tragen die alten Äste weit herum, und nehmen die kleine
Wohnung in erquikenden Schatten. Diß, diß war mein hef-
tigster Gram, o Mirta! da du an meiner bebenden Brust, in   10
meinen Armen sturbest. Zwölf male hat izt schon der Frühling dein Grab mit Blumen geschmükt; aber der Tag nahet,
ein froher [65] Tag! da meine Gebeine zu den deinen werden hingelegt werden; vielleicht führt ihn die kommende
Nacht herbey! O! ich seh es mit Lust, wie mein grauer Bart 15
schneeweiß über meine Brust herunter wallt; ein herrliches
Merkmal der Güte der Götter! Ja spiele mit dem weissen
Haar auf meiner Brust, du kleiner Zephir, der du mich
umhüpfest, er ist es so werth, als das goldne Haar des frohen
Jünglings und die braunen Loken am Naken des aufblüh-   20
henden Mädchens. O dieser Tag soll mir ein Tag der Freude
seyn! ich will meine Kinder um mich her sammeln, bis auf
den kleinen stammelnden Enkel, und will den Göttern
opfern; hier vor meiner Hütte sey der Altar; ich will mein
kahles Haupt umkränzen, und mein schwacher Arm soll die   25
Leyer nehmen, und dann wollen wir, ich und meine Kinder,
um den Altar her Loblieder singen; dann will ich Blumen
über meine Tafel streuen, und unter frohen Gesprächen das
Opferfleisch essen. So sprach Pale-[66]mon und hub sich   30
zitternd an seinem Stab auf, und rief die Kinder zusammen,
und hielt den Göttern ein frohes Fest.
Der stille Abend kam, und Palemon sprach, voll heiliger
Ahnung: laßt uns hinausgehen, Kinder, zu dem Grabe der
Mirta, da laßt uns Wein und Honig hingiessen, und das Fest 35
mit Gesängen enden. Und sie giengen hinaus auf das Grab;

umarmet mich, Kinder, sprach der Greis, voll heiligen Entzükens, und er ward aus ihren umschlingenden Armen zur
Cypresse verwandelt, die izt das Grab beschattet.

Der stille Mond war Zeuge der Geschichte, und hielt stille in
5 seinem Lauf, und wer in dem Schatten des Baumes ruht,
dem bebt ein heiliges Entzüken durch die Brust, und eine
fromme Thräne fällt ihm vom Aug.

[67]   MIRTIL. THYRSIS.

Mirtil hatte sich in einer kühlen nächtlichen Stunde auf einen
10 weitumsehenden Hügel begeben; gesammelte dürre Reiser
brannten vor ihm in hellen Flammen, indeß daß er einsam
ins Gras gestrekt mit irrenden Bliken den Himmel, mit
Sternen besäet, und die vom Mond beleuchtete Gegend
durchlief. Aber schüchtern sah er sich izt um, denn es rauschte
15 etwas im Dunkeln daher. Es war Thyrsis; Sey mir willkommen, sprach er; seze dich zum wärmenden Feuer, wie
kömmst du hieher, izt da die ganze Gegend schlummert?

T h y r s i s. Sey mir gegrüßt, hätt' ich dich zu finden geglaubt, ich hätte nicht so lange gezaudert den lodernden
20 Flammen zu folgen, die im Dunkeln so schön ins Thal glänzen. Aber höre Mirtil, izt, da des Mondes düstrer Schimmer
und die [68] einsame Nacht zu ernsten Gesängen uns lokt,
höre Mirtil, ich schenke dir eine schöne Lampe, die mein
künstlicher Vater aus Erde gebildet hat, eine Schlange mit
25 Flügeln und Füssen, die den Mund weit aufsperrt, aus dem
das kleine Licht brennt, den Schweif ringelt sie empor bequem zur Handhabe; diß schenk ich dir, wenn du mir die
Geschichte des Daphnis und der Chloe singest.

M i r t i l. Ich will dir die Geschichte des Daphnis und der
30 Chloe singen, izt da die Nacht zu ernsten Gesängen lokt.
Hier sind dürre Reiser, sieh du indeß, daß das wärmende
Feuer nicht erlöscht.

Klaget mir nach, ihr Felsenklüfte, traurig töne mein Lied
zurük, durch den Hain und vom Ufer!
Sanft glänzte der Mond, als Chloe am einsamen Ufer stund,
sehnlich wartend, denn ein Nachen sollte den Daphnis über
den Fluß bringen. Lange säumt mein Geliebter, so sprach sie; 5
die [69] Nachtigal schwieg und horchte die zärtlichen Ac-
cente. Lange säumt er; doch – – horche – – ich höre ein
plätschern, wie wenn Wellen wider einen Nachen schlagen.
Kömmst du? Ja! – doch nein; wollt ihr mich noch oft betrie-
gen ihr plätschernden Wellen? O! spottet nicht des ungedul- 10
tigen Wartens des zärtlichsten Mädchens! Wo bist du izt
Geliebter? beflügelt Ungeduld nicht deine Füsse? wandelst
du izt im Hain dem Ufer zu? O daß kein Dorn die eilenden
Füsse verleze, und keine schleichende Schlange deine Fersen!
Du keusche Göttin, Luna, oder Diana, mit dem nie-fehlen- 15
den Bogen, streue von deinem sanften Glanz auf seinen
Weg hin! O wenn du aus dem Nachen steigst, wie will ich
dich umarmen! – – Aber izt, gewiß izt, izt triegt ihr mich
doch nicht ihr Wellen! o schlaget sanft den Nachen! traget
ihn sorgfältig auf euerm Rüken! O ihr Nymphen, wenn ihr 20
je geliebt habet, wenn ihr je wißt was zärtliche Erwartung
ist – – ich seh [70] ihn, sey mir gegrüßt! – – Du antwortest
nicht? Götter! – – Izt sank Chloe ohnmächtig am Ufer hin.
Klaget mir nach, ihr Felsenklüfte, traurig töne mein Lied
zurük, durch den Hain und vom Ufer! 25
Ein umgestürzter Nachen schwamm daher, der Mond be-
schien die klägliche Geschichte. Am Ufer lag Chloe ohnmächtig, und eine schaudernde Stille herrschte umher, aber sie
erwachte wieder, ein schröckliches Erwachen! Sie saß am Ufer,
bebend und sprachlos, und der Mond verbarg sich hinter den 30
Wolken; ihre Brust bebte von schluchzen und seufzen, izt
schrie sie laut, und die Echo wiederholte der trauernden
Gegend ihr Geschrey, und ein banges Winseln rauschte durch
den Hain und durch die Gebüsche, sie schlug die ringenden
Hände auf die Brust, und riß die Loken vom Haupt; ach 35
Daphnis! Daphnis! o ihr treulosen Wellen! ihr Nymphen!

ach! ich elende! ich zaudre, ich säume, den Tod in den Wellen zu [71] suchen, die die Freude meines Lebens geraubt haben! So rief sie, und sprang vom Ufer in den Fluß.

Klaget mir nach, ihr Felsenklüfte, traurig töne mein Lied
5 zurük, durch den Hain und vom Ufer!

Aber die Nymphen hatten den Wellen befohlen, sorgfältig sie auf dem Rüken zu tragen. Grausame Nymphen! rief sie, ach! zögert nicht meinen Tod! ach, verschlinget mich Wellen! aber die Wellen verschlangen sie nicht, sie trugen sie sanft
10 auf dem Rüken, zum Ufer eines kleinen Eylandes. Daphnis hatte mit schwimmen sie ans Eyland gerettet; wie zärtlich sie ihm in die Arme sank und ihr Entzüken, o das kann ich nicht singen! zärtlicher als wenn die Nachtigall ihrem Gefängniß entfliegt, ihr Gatte hatte Nächte durch im Wipfel
15 kläglich geseufzet, sie fliegt izt entzükt dem schauernden Gatten zu, sie seufzen und schnäbeln und umschlagen sich mit ihren Flügeln, aber izt tönt ihr Entzüken in Freuden-Liedern die stille Nacht durch.

[72] Klaget izt nicht mehr, ihr Felsenklüfte, Freude töne izt
20 vom Hain zurük und vom Ufer. Und du gieb mir die Lampe, denn ich habe dir die Geschichte des Daphnis und der Chloe gesungen.

[73]   CHLOE.

Ihr freundlichen Nymphen, die ihr in diesem stillen Felsen
25 wohnet, ihr habt dichtes Gesträuch vor die kühle Öfnung hingepflanzt, daß stille Ruhe und sanfter Schatten euch erquike; die ihr diese klare Quelle aus euern Urnen gießt, wenn ihr nicht izt im dichten Hain mit den Waldgöttern euch freut, oder auf dem nahen Hügel, oder wenn ihr auf
30 euern Urnen schlummert, o dann stöhre meine Stimme nicht eure Ruhe! Aber höret meine Klagen, freundliche Nymphen, wenn ihr wachet! Ich liebe – – ach! – – ich liebe den Lycas mit dem gelben Haar! habt ihr den jungen Hirten nicht

gesehn, wenn er seine gefleketen Kühe und die hüpfenden
Kälber hier vorüber treibt, und hinter ihnen hergehend auf
seiner Flöte dem Wiederhall ruft? habt ihr seine blauen
Augen, sein sanftes Lächeln nicht gesehn? oder [74] habt ihr
seinen Gesang gehört, wenn er vom frohen Frühling singt,   5
oder von der frohen Ernde, oder vom bunten Herbst, oder
von der Pflege der Herde? Ach! ich liebe den schönsten Hirten, und er weiß es nicht, daß ich ihn liebe. O wie lang warest du, herber unfreundlicher Winter! der du von den Fluren uns scheuchest, wie lang ists, seit ich im Herbst ihn das   10
lezte mal sah! Ach! da lag er schlummernd im Busch, wie
schön lag er da! wie spielten die Winde mit seinen Loken!
und der Sonnenschein streute schwebende Schatten der Blätter auf ihn hin: O ich seh ihn noch, sie hüpften auf seinem
schönen Gesicht umher, die Schatten der Blätter, und er   15
lächelte wie im frohesten Traum. Schnell sammelt' ich da
Blumen, und wand sanft einen Kranz um des schlafenden
Haar und um seine Flöte, und da trat ich zurük; ich will izt
warten, sprach ich, bis er aufwachet; wie wird er lächeln,
wie wird er sich wundern, wenn er sein Haupt um-[75]kränzt 20
sieht, und seine Flöte; hier will ichs erwarten, er muß mich
wol sehen, wenn ich hier stehe, und wenn er mich nicht
sieht – – dann will ich laut lachen. So sprach ich, und stund
im nahen Busch, als meine Gespielen mich riefen; O wie war
ich böse, ich mußt' izt gehen, und konnte sein Lächeln izt   25
und seine Freude nicht sehen, als er sein Haar und seine
Flöte bekränzet sah. Wie froh bin ich! izt kömmt der Frühling zurük, izt werd ich ihn wieder auf den Fluren sehn! Ihr
Nymphen! hier will ich Kränze an die Äste der Gebüsche
hängen, die eure Höle beschatten, es sind die ersten Blumen, 30
frühe Violen, und May-Blumen, und gelbe Schlüssel-Blumen,
und röthlichte Maßlieben, und die ersten Blüthen; Seyd meiner Liebe gewogen; und wenn der Hirt an dieser Quelle
schlummert, dann sagt ihm im Traum, daß es Chloe ist, die
seine Flöte und sein Haar bekränzt hat, daß es Chloe ist   35
die ihn liebt.

[76] So sprach Chloe, und umhieng die noch unbelaubten
Gebüsche mit den ersten Blumen, und ein sanftes Geräusch
drang aus der Höle, wie wenn die Echo den fernen Gesang
einer Flöte nachsingt.

5 [77] MENALKAS und ÄSCHINES,
DER JÄGER.

Der junge Hirt Menalkas weidete auf dem hohen Gebürge,
und er gieng tief ins Gebürg, im wilden Hain ein Schaf zu
suchen, und im wilden Hain fand er einen Mann, der ab-
10 gemattet im Busch lag; Ach junger Hirt, so rief der Mann,
ich kam gestern auf diß wilde Gebürge die Rehe und die
wilden Schweine zu verfolgen, und ich habe mich verirrt,
und bis izt, keine Hütte und keine Quelle für meinen Durst,
und keine Speise für meinen Hunger gefunden. Der junge
15 Menalkas gab ihm izt Brod aus seiner Tasche, und frischen
Käs, und nahm seine Flasche von der Seite, erfrische dich,
so sprach er, hier ist frische Milch, und dann folge mir, daß
ich dich aus dem Gebürge führe; und der Mann erfrischte
sich und der Hirt führte ihn aus dem Gebürg.
20 [78] Äschines, der Jäger, sprach izt: du schöner Hirt, du
hast mein Leben gerettet, wie soll ich dich belohnen, komm
mit mir in die Stadt, dort wohnt man nicht in ströhernen
Hütten; Palläste von Marmor steigen dort hoch an die Wolken, und hohe Säulen stehen um sie her, du solt bey mir
25 wohnen, und aus Gold trinken, und die köstlichen Speisen
aus silbernen Platten essen.
Menalkas sprach: Was soll ich in der Stadt? Ich wohne sicher
in meiner niedern Hütte, sie schüzt mich vor Regen und rau-
hen Winden, und stehn nicht Säulen umher, so stehn doch
30 fruchtbare Bäume und Reben umher, dann hol ich aus der
nahen Quelle klares Wasser im irdenen Krug, auch hab ich
süssen Most, und dann eß ich was mir die Bäume und meine

Herde geben, und hab ich nicht Silber und Gold, so streu ich
wolriechende Blumen auf den Tisch.

Ä s c h i n e s. Komm mit mir Hirt, dort hat man auch
Bäume und Blumen, dort hat sie die Kunst [79] in gerade
Gänge gepflanzet, und in schön geordnete Beeten gesam-   5
melt; dort hat man auch Quellen, Männer und Nymphen
von Marmor giessen sie in grosse marmorne Beken.

M e n a l k a s. Schöner ist der ungekünstelte schattichte Hain
mit seinen gekrümmten Gängen, schöner sind die Wiesen mit
tausendfältigen Blumen geschmükt; ich hab auch Blumen um   10
die·Hütte gepflanzt, Majoran und Lilien und Rosen; und
o wie schön sind die Quellen wenn sie aus Klippen sprudeln,
oder aus dem Gebüsche von Hügeln fallen, und dann durch
blumichte Wiesen sich schlängeln! Nein, ich geh nicht in die
Stadt.   15

Ä s c h i n e s. Dort wirst du Mädchens sehen im seidenen
Gewand, von der Sonne unbeschädigt, weiß wie Milch, mit
Gold und köstlichen Perlen geschmükt, und die schönen Ge-
sänge künstlicher Saitenspieler entzüken dein Ohr.

M e n a l k a s. Mein braunes Mädchen ist schön, [80] du   20
solltest sie sehen, wenn sie mit frischen Rosen und einem
bunten Kranz sich schmükt; und o wie froh sind wir, wenn
wir bey einer rauschenden Quelle im schattichten Busch sizen! sie singt dann, o wie schön singt sie! und ich begleite
ihren Gesang mit der Flöte; unser Gesang tönt dann weit   25
umher, und die Echo singet uns nach; oder wir behorchen
den schönen Gesang der Vögel, die von den Wipfeln der
Bäume und aus den Gebüschen singen. Oder singen eure Saitenspieler besser als die Nachtigal oder die liebliche Gras-
müke? Nein, nein ich geh nicht mit dir in die Stadt.   30

Ä s c h i n e s. Was soll ich dir denn geben, Hirt? Hier nimm
die Hand voll Gold, und diß goldne Hüfthorn.

M e n a l k a s. Was soll mir das Gold? ich habe Überfluß;
soll ich mit dem Golde die Früchte von den Bäumen erkaufen, oder die Blumen von den Wiesen, oder soll ich von mei- 35
ner Herde die Milch erkaufen?

[81] Ä s c h i n e s. Was soll ich dir denn geben, glüklicher Hirt, womit soll ich deine Gutthat belohnen?

M e n a l k. Gieb mir die Kürbis-Flasche, die an deiner Seite hängt, mir deucht, der junge Bacchus ist darauf gegraben,
5 und die Liebes-Götter, wie sie Trauben in Körben sammeln. Und der Jäger gab ihm freundlich lächelnd die Flasche, und der junge Hirt hüpfte vor Freuden, wie ein junges Lamm hüpft.

[82]   PHILLIS. CHLOE.

10 P h i l l i s. Du Chloe, immer trägst du dein Körbchen am Arm.

C h l o e. Ja Phillis, ja! immer trag ich das Körbchen am Arm, ich würd es nicht um eine ganze Herde geben; nein ich würd' es nicht geben, sprach sie, und drükt' es lächelnd an
15 ihre Seite.

P h i l l i s. Warum Chloe, warum hältst du dein Körbchen so werth? soll ich rathen? Sieh, du wirst roth, soll ich rathen? – –

C h l o e. Hu – – roth?

20 P h i l l i s. Ja! wie wenn einem das Abendroth ins Angesicht scheint.

C h l o e. Hu! – – Phillis – – ich will dirs sagen; der junge Amyntas hat mirs geschenkt, der schönste Hirt; er hat es selbst geflochten. Ach! sieh wie nett, sieh wie schön die grü-
25 nen Blätter und [83] die rothen Blumen in das weisse Körbchen geflochten sind, und ich halt es werth, wo ich hingehe, da trag ichs am Arm; die Blumen dünken mich schöner, sie riechen lieblicher, die ich in meinem Körbchen trage, und die Früchte sind süsser, die ich aus dem Körbchen esse. Phillis – –
30 doch was soll ich alles sagen? – – Ich – – ich habs schon oft geküßt. Er ist doch der beste, der schönste Hirt.

P h i l l i s. Ich hab es ihn flechten gesehn; wüßtest du was er da zu dem Körbchen sprach! Aber Alexis mein Hirt ist

eben so schön, du solltest ihn singen hören, ich will das
Liedchen dir singen, das er gestern mir sang.

C h l o e. Aber, Phillis! Was hat Amyntas zum Körbchen
gesagt?

P h i l l i s. Ja, ich muß erst das Liedchen singen.   5

C h l o e. Ach! – – Ist es lang?

P h i l l i s. Höre nur. Froh bin ich, wenn das Abendroth,
am Hügel mich bescheint. Doch Phil-[84]lis, froher bin ich
noch, wenn ich dich lächeln seh. So froh geht nicht der
Schnitter heim, wenn er die letzte Garb', in seine volle   10
Scheune trägt, als ich, wenn ich von dir geküßt, in meine
Hütte geh. So hat er gesungen.

C h l o e. Ein schönes Lied! Aber Phillis, was sprach Alexis
zum Körbchen?

P h i l l i s. Ich muß lachen; Er saß am Sumpf im Weiden- 15
busch, und indeß daß seine Finger die grünen und die braunen und die weissen Ruthen flochten, indeß – – –

C h l o e. Nu denn, warum schweigst du?

Indeß, fuhr Phillis lachend fort, indeß, sprach er, du Körbchen, dich will ich Chloen schenken, der schönen Chloe, die   20
so lieblich lächelt; Da sie gestern die Herde bey mir vorbey
trieb, sey mir gegrüßt, Amyntas, sprach sie, und lächelte so
freundlich, so freundlich, daß mir das Herz pochte. Schmiegt
euch gehorsam, ihr bunten Ruthen, und zerbrechet nicht unter dem flech-[85]ten; Ihr sollt dann an der liebsten Chloe   25
Seite hangen. Ja! wenn sie es werth hält, o wenn sie es werth
hielte! wenn sie es oft an ihrer Seite trüge! So sprach er, und
indeß war das Körbchen gemacht, und da sprang er auf,
und hüpfte, daß es ihm so wohl gelungen war.

C h l o e. Ach! ich geh; dort hinter jenen Hügel treibt er   30
seine Herde, ich will bey ihm vorbey gehn, sieh, will ich sagen, sieh Amyntas, ich habe dein Körbchen am Arm.

[86]   TITYRUS. MENALKAS.

Auf einem Hügel lag der Greis Menalkas, am mildern Sonnenstral, und sah durch die herbstliche Gegend hin, sanft
staunend, als Tityrus, sein jüngster Sohn, unbemerkt schon
5 lang an seiner Seite stund; voll sanften Entzükens seufzte der
Greis, und der Sohn sah lang mit stiller Freude auf den
Vater herunter; Vater, sprach er izt mit sanften Worten:
Wie süß muß dein Entzüken seyn! Lange schon seh ichs, wie
dein Blik die herbstliche Gegend durchwandelt, und höre
10 dein Seufzen; Vater, gewähre mir izt eine Bitte.
M e n a l k a s. Sage deine Bitte, mein Lieber! und seze dich
an meine Seite, daß ich die Stirne dir küsse, und Tityrus
sezte sich an seine Seite, und der Greis küßte zärtlich des
Sohnes Stirne. Vater, so fuhr der Jüngling fort, mir erzelte
15 mein ältester Bruder; denn oft, wenn wir im Schatten [87] bey der Herde sizen, dann reden wir von dir, und
dann fliessen uns Thränen von den Augen, Freuden-Thränen. Er hat mir erzelt, dich habe vordem die Gegend den
besten Sänger genannt, und manche Ziege habest du im
20 Wett-Gesang gewonnen. O wolltest du es versuchen, mir izt
ein Lied zu singen, izt da die herbstliche Gegend dich entzükt; Gewähre mir Vater, gewähre mir diese Bitte.
Sanft lächelnd sprach izt Menalkas, ich will es versuchen, ob
mich die Musen noch lieben, die so oft den Preis mir ersingen
25 halfen, ich will ein Lied dir singen.
Izt durchlief sein Blik noch einmal die Gegend, und izt hub
er an.
Höret mich Musen, höret mein heischeres Ruffen; im Frühling meiner Tage, habt ihr an rauschenden Bächen und in
30 stillen Hainen nie unerhört mich gelassen; Laßt mir diß Lied
gelingen, mir grauen Greisen!
[88] Was für ein sanftes Entzüken fließt aus dir izt mir zu,
herbstliche Gegend? Wie schmükt sich das sterbende Jahr!
Gelb stehen die Sarbachen und die Weiden um die Teiche
35 her, gelb stehn die Apfel- und die Birnen-Bäume, auf bun-

ten Hügeln und auf der grünen Flur, vom feurigen Roth des
Kirschbaums durchmischt. Der herbstliche Hain ist bunt, wie
im Frühling die Wiese, wenn sie voll Blumen steht; Ein
röthlichtes Gemisch zieht von dem Berg sich ins Thal, von
immer grünen Tannen und Fichten geflekt. Schon rauscht   5
gesunkenes Laub unter des Wandelnden Füssen, ernsthaft
irren die Herden, auf welkem Blumen-losem Gras; nur steht
die röthlichte Zeitlose da, der einsame Botte des Winters. Izt
kommt die Ruhe des Winters, ihr Bäume, die ihr uns mild
eure reifen Früchte gegeben, und kühlenden Schatten, dem   10
Hirt und der Herde. O! so gehe keiner zur Ruhe des Grabes,
er habe denn süsse Früchte getragen, und erquikenden
[89] Schatten über den Nothleidenden gestreut. Denn, Sohn,
der Segen ruhet bey der Hütte des Redlichen und bey seiner
Scheune. O Sohn! wer redlich ist, und auf die Götter traut, 15
der wandelt nicht auf triegendem Sumpf. Wenn der Redliche
opfert, dann steigt der Opfer-Rauch hoch zum Olymp, und
die Götter hören segnend seinen Dank und sein Flehen. Ihm
singet die Eule nicht banges Unglük, und die traurig krächzende Nacht-Rabe; er wohnt sicher und ruhig unter seinem   20
friedlichen Dach, die freundlichen Haus-Götter sehen des
Redlichen Geschäfte, und hören seine freundlichen Reden
und segnen ihn. Zwar kommen trübe Tag' im Frühling, zwar
kommen donnernde Wolken im Segen-vollen Sommer; Aber,
Sohn, murre nicht, wenn Zeus unter deine Hand voll Tage,   25
auch trübe Stunden mischt. Vergiß nicht meine Lehren, Sohn,
ich gehe vor dir her zum Grabe. Schonet ihr Sturmwinde,
schonet des herbstlichen Schmukes, laßt sanftere Winde
[90] spielend das sterbende Laub langsam den Bäumen rauben, so kann mich die bunte Gegend noch oft entzüken;   30
vielleicht, wenn du wieder kömmst, schöner Herbst, vielleicht
seh ich dich dann nicht mehr; welchem Baum entsinkt dann
das sterbende Laub auf mein ruhiges Grab?
So sang der Greis, und Tityrus drükte weinend des Vaters
Hand an seine Wangen.   35

[91]   DIE ERFINDUNG
DES SAITENSPIELS UND DES GESANGES.

In der ersten Jugend der Tage, da die wenigen Bedürfniße
der Unschuld und die Natur unter den noch unverdorbenen
Menschen die jungen Künste erzeugten, da lebt' ein Mädchen: In denselben Tagen war keines so schön, keines war so
zärtlich gebildet, die Schönheiten der Natur zu empfinden;
Freuden-Thränen begrüßten das Morgenroth und die schöne
Gegend, und Entzüken das Abendroth und den Schimmer
des Monds. Damals war der Gesang noch ein Regel-loses
Jauchzen der Freude. So bald der frühe Hahn von der Hütte
rief, daß der Morgen da sey; denn da hatten sie sich zur
Freude schon gesellige Thiere mit Speise vor die Hütte ge-
wöhnet; dann gieng sie unter ihrem schüzenden Dach hervor, ein Dach [92] von Schilf und Tann-Ästen, an den Stämmen nahe stehender Bäume befestigt, da wohnte sie im
Schatten, und über ihr, in den dicht-belaubten Ästen, die
singenden Vögel. Sie gieng dann hinaus, die Gegend zu sehn,
wie sie im Thau glänzt, und den Gesang der Vögel im nahen
Hain zu behorchen. Entzükt saß sie dann da und horchte,
und suchte ihren Gesang nachzulallen. Harmonischere Töne
flossen izt von ihren Lippen, harmonischer, als noch kein
Mädchen gesungen hatte; was ihre liebliche Stimme von
eines jeden Gesang nachahmen konnte, ordnete sie verschie-
den zusammen. Ihr kleinen frohen Sänger, so sprach sie mit
singenden Worten, wie lieblich tönt euer Lied, von hoher
Bäume Wipfeln und aus dem niedern Strauch! Könnt ich
dem glänzenden Morgen so lieblich wechselnde Tön' entgegen singen! O lehrt mich die wechselnden Töne, dann sing'
ich mein sanftes Entzüken, mit euch, dem frühen Sonnen-
Stral. So sang sie, und unvermerkt [93] schmiegten ihre
Worte sich harmonisch in süßtönendem Maaß nach ihrem
Gesang; voll Entzüken bemerkte sie die neue Harmonie ge-
messener Worte. Wie glänzt der Gesang-volle Hain! so fuhr
sie erstaunt fort, wie glänzt die Gegend umher im Thau! Wo

bist du, der diß alles schuf? Wie bin ich entzükt! izt kann
ich mit lieblichern Tönen dich loben, als meine Gespielen.
So sang sie, und die Gegend behorchte entzükt die neue
Harmonie, und die Vögel des Haines schwiegen und horch-
ten.   5
Alle Morgen gieng sie izt, die neue Kunst zu üben, in den
Hain; aber ein Jüngling hatte sie lange schon in dem Hain
behorcht; entzükt stund er dann im dekenden Busch und
seufzte und gieng tiefer in den Hain und sucht' ihr Lied
nachzuahmen. Einsmals saß er staunend unter seinem Schilf-   10
dach, auf seinen Bogen gelehnt, denn er hatte die Kunst den
Bogen zu führen erfunden, um die Raubvögel zu tödten, die
seine Dauben ihm raub-[94]ten, denen er auf dem nahen
Stamm ein Haus von schlanken Weiden-Ästen geflochten
hatte. Was ist das, so sprach er, das aus meinem Busen herauf   15
seufzt, das so bang in meinem Herzen sizt? Zwar wechselt es
ab, mit Entzüken und mit Freuden-Thränen, wenn ich das
Mädchen im Hain sehe, und seinen Gesang höre, aber wenn
sie weg ist, o dann, dann sizt Schwermuth in meinem Busen!
Ach! was ist es, das aus meinem Busen herauf seufzt? Indeß   20
spielte seine Hand mit der angespanneten Saite des Bogens,
und ein lieblicher Ton gieng von der Saite, und der Jüngling horchte und wiederholt' erstaunt den Ton. Dann staunt
er, und dacht' eine neue Erfindung zu entwikeln tief nach,
und dann spielt' er wieder mit der angespanneten Saite des   25
Bogens, von den Gedärmen der Raubvögel geflochten. Aber
izt sprang er auf, und fieng an Stäbe zu schneiden, zween
lange Stäbe und zween kürzere, und die zween kürzern
befestigt' er unten und oben gegen die [95] zween längern
Stäbe, und spannte zwischen den zween längern, Saiten an   30
die kürzern fest; izt hub seine Hand an zu spielen, und da
bemerkt' er die liebliche Verschiedenheit der Töne, der
schwächern und stärkern Saiten, dann band er sie wieder los
und ordnete verschiednere Saiten, in eine harmonischere
Reihe, und izt hub er an zu spielen und für Freude zu   35
hüpfen.

Izt gieng der Jüngling, so oft der Morgen kam, die neue
Kunst zu üben in den dichten Hain, und suchte zu den Liedern, die er von dem Mädchen im Hain gehorchet hatte,
harmonisch begleitende Töne auf seinen Saiten. Aber man
5 sagt, er habe lang umsonst gesucht, und viele Töne haben
den Gesang nicht begleiten wollen, aber ein Gott sey im
Hain ihm erschienen, und habe die Saiten der Leyer harmonisch geordnet und seine Lieder ihm vorgespielt. Bey jedem
Morgenroth sucht' er izt das Mädchen im Hain, und lernte
10 neue Lieder und gieng dann an die Quelle zurük, auf seiner
Leyer sie nachzuspielen.
[96] An einem schönen Morgen saß das Mädchen im Hain,
mit Blumen bekränzt saß es da und sang; Sey gegrüßt liebliche Sonne hinter dem Berg hervor, schon beglänzen deine
15 Stralen der Bäume Wipfel auf den hohen Hügeln, und der
frohen Lerche hoch schwebendes Gefieder. Dir singen die
Vögel des Hains entgegen, und – – Izt schwieg sie, und sah
aufmerksam umher, welche liebliche Stimme mischet sich in
meinen Gesang? So rief sie erstaunt, sie begleitet jeden Ton
20 meines Gesanges! Wo bist du? – – Warum schweigest du
Lied? Singe, liebliche Stimme! Bist du ein gefiederter Bewohner dieses Hains, o so schwinge die Flügel hieher auf
diesen Fichtenbaum, daß ich dich sehe und deinen Gesang
höre! so sprach sie, und sah weit in den Wipfeln umher;
25 Bist du schüchtern weggeflogen? Oder – – diese Stimme hab
ich noch nie im Hain gehört, wenn ich mich betrogen hätte?
Mich täuscht doch kein Traum? Ich will noch ein Lied singen.
[97] Seyd willkommen, liebliche Blümchens umher; gestern
waret ihr Knospen, izt stehet ihr offen da; euch grüssen die
30 lieblichen Morgenlüfte, und die summenden Bienchen, und
der bunte Schmetterling, er flattert froh um euch her, und
trinket euern Thau? So sang sie, oft unterbrochen, rund
umherspähend, denn die Stimme hatte den Gesang wieder
begleitet.
35 Izt stund sie schüchtern auf; nein, ich habe mich nicht betrogen, jeden Ton hat die Stimme begleitet. So sprach sie, als

der Jüngling aus dem Gebüsche hervor trat, mit Blumen
bekränzt, die Leyer unter dem Arm. Lächelnd nahm er des
schüchtern Mädchens Hand; O du schönes Mädchen! sprach
sein sanftlächelnder Mund mit lieblicher Stimme, kein be-
flügelter Bewohner des Hains hat deinen Gesang nachge- 5
sungen; Ich war es, der deinen Gesang mit diesen Saiten
begleitete. Alle Morgen gieng ich in den Hain, deinen Gesang
zu hören, und dann gieng ich einsam tief in [98] den Hain,
die Lieder auf den Saiten zu singen, und glaube Mädchen,
mich hats ein Gott im Hain gelehrt. Der flüchtige Blik des 10
Mädchens streifte oft schüchtern über den Jüngling hin und
ruhete dann auf den Saiten. O schönes Mädchen! fuhr der
Jüngling fort, indem sein Auge schmachtend sie anblikte,
wie wär ich entzükt, wenn du mir vergönntest, mit dir in
den Hain zu gehn, an deiner Seite sizend, deinen Gesang mit 15
diesen Saiten zu folgen! Izt sah das Mädchen auf. Jüngling,
so sprach es, froh bin ich, wenn dein Saitenspiel meine Lieder
begleitet; lieblicher wird es seyn als der Widerhall, und izt
komm mit mir unter mein schattichtes Dach, denn die Mittags-Sonne brennet schon, ich will in meinem düsternen 20
Schatten süsse Früchte zum Mittagmahl dir auftischen, und
frische süsse Milch.

Izt gieng der Jüngling mit dem Mädchen unter das Dach,
und sie lehrten die Jünglinge und die Mädchens den Gesang
und das Saitenspiel. Erst lange [99] hernach ward es von der 25
Flöte begleitet, denn Marsyas brachte die Flöte unter die
Waldgötter, die die Erfinderin Minerva im gerechten Zorn
über den Spott der Göttinen in den Sand warf.* Man
pflanzte da zween Bäume auf einem hohen Hügel, dem
Mädchen und dem Jüngling, und die späten Enkel erzehlten 30
den Kindern in ihrem Schatten die Erfindung des Saitenspiels und des Gesanges.

---

* Minerva war die Erfinderin der Flöte. Einmal blies sie selbige vor
den Göttinnen, aber sie lachten und spotteten, daß sie im Spielen den
Mund so übel verzöge. Welche Schöne hätte den Schimpf nicht empfunden? Sie warf zornig die Flöte weg.

[100]   DER FAUN.

Nein, für mich kein froher Tag! so rief der Faun, als er
beym Morgenroth aus seinem Felsen taumelte. Seit mir die
schönste Nymph' entfloh, haß' ich den Schein der Sonne; bis
ich sie wieder finde, soll kein Epheu-Kranz um meine Hörner sich winden, soll keine Blume rings um meine Höle
stehn; mein Fuß soll sie, noch ehe sie blühen, zertretten, und
meine Flöte soll – – und diesen Krug soll er zertretten.
Izt zertrat sein Fuß, da kam ein andrer Faun, er hub den
schweren Schlauch von seiner Schulter; Du rasest du, rief er,
und lachte; heut, an dem frohen Tag, Lyeens Fest! Schnell
wind' einen Epheu-Kranz um deine Hörner, und komme zu
dem Fest, dem besten Tag im Jahr!
Nein für mich kein froher Tag, so sprach der Faun, ich
schwöre! bis ich sie finde, soll kein [101] Epheu-Kranz um
meine Hörner sich winden. O! schwarze Stunde, da mir die
Nymph entflohe! sie flohe bis an den Fluß, der ihren Lauf
izt hemmte; unentschlossen stund sie da, ich bebte schon vor
Freude, schon glaubt' ich das sträubende Mädchen mit starken Armen zu umfassen, als die Tritonen, o die verfluchten
Räuber! sich aus dem Fluß erhoben, und die Nymph um
ihre Hüften faßten, und dann, in die Hörner blasend, schnell
mit ihr an das andere Ufer schwammen. Ich schwöre beym
Stix! bis ich sie wieder finde, soll kein Kranz von Epheu um
meine Hörner sich winden.
Und eine spröde Nymphe macht dir, so sagt der andre Faun,
o ich muß lachen! und eine spröde Nymphe macht dir so
trübe Tage! Mir, Faun, mir soll die Liebe nicht eine trübe
Stunde machen, nein, keine trübe Stunde! versagt mir diese
den Kuß, dann hüpf' ich zu der andern hin; ich schwör es
dir, Faun! meine Lippen sollen keine [102] Nymphe mehr
küssen, wenn mich eine nur eine Stunde in ihren Armen
behält, heut an dem frohen Fest; ich will sie alle lieben, alle
will ich küssen. Kränke dich nicht, Faun! du bist noch jung
und schön; schön ist dein braunes Gesicht, und wild dein

grosses schwarzes Aug, und dein Haar kräußt sich schön um
die krummen Hörner her; sie stehn aus den Loken empor,
wie zwo Eichen aus dem wildesten Busch. Laß dich kränzen
Faun, hier ist das schönste Schoß, laß dich kränzen! Ich höre
schon fernher ein wildes Geräusche von Tyrsus-Stäben und
Trommeln und Flöten, büke dich her, das Geschrey kommt
schon nahe; schon kommen sie hinter dem Hügel hervor;
laß dich kränzen! Wie stolz die Tiger den Wagen ziehn! o
Lyeus! sieh die Faunen, die Nymphen, wie sie hüpfen! welch
ein Getöse von Tyrsus-Stäben und Klapper-Schaalen und
Flöten! O Evan Evoe! du bist bekränzt, schnell hebe den
Schlauch mir auf die Schulter; o Evan Evoe!

[103]   DER VESTE VORSAZ.

Wohin irret mein verwundeter Fuß, durch Dornen und dicht
verwebete Sträuche? Himmel, welch schauerndes Entzüken!
Die röthlichten Stämme der Fichten, und die schlanken
Stämme der Eichen steigen aus wildem Gebüsche hervor,
und tragen ein trauriges Gewölb über mir; Welche Dunkelheit, welche Schwermuth zittert ihr von schwarzen Ästen
auf mich! Hier will ich mich hinsezen, an den holen vermo-
derten Eichstamm, den ein Nez von Epheu umwikelt; hier
will ich mich hinsezen, wo kein menschlicher Fußtritt noch
hingedrungen ist, wo niemand mich findt, als ein einsamer
Vogel, oder die summenden Bienen, die im nahen Stamm
ihr Honig sammeln, oder ein Zephir, der in der Wildniß erzogen, noch an keinem Busen geflattert hat. Oder du, spru-
delnder Bach, wohin rauschest du, an den [104] unterhöhlten
Wurzeln und durch das wilde Gewebe von Gesträuchen? Ich
will deinen Wellen folgen, vielleicht führest du mich ödern
Gegenden zu; Himmel! welche Aussicht breitet sich vor meinem Aug aus! hier steh ich an dem Saum einer Felsenwand
und seh ins niedere Thal; hier will ich mich auf das zerrissene

überhangende Felsen-Stük sezen, wo der Bach stäubend in den dunkeln Tannenwald herunter sich stürzt, und rauschet, wie wenn es fernher donnert. Dürres Gesträuch hängt von dem Felsen-Stük traurig herunter, wie das wilde Haar über die Menschen-feindliche Stirne des Timons hängt, der noch kein Mädchen geküßt hat. Ich will in das Thal hinunter steigen, und mit traurig irrendem Fuß da wandeln, ich will an dem Fluß wandeln, der durch das Thal schleicht. Sey mir gegrüßt einsames Thal, und du Fluß, und du schwarzer Wald; hier auf deinem Sand, o Ufer, will ich izt irren; einsiedlerisch will ich in deinem Schatten ruhen, me-[105]lancholischer Wald; Leb izt wohl Amor, dein Pfeil wird mich hier nicht finden, ich will nicht mehr lieben, und in einsamer Gegend weise seyn; Lebe wohl, du braunes Mädchen, das mit schwarzen Augen mir das Gift der Liebe in mein bisher unverwahrtes Herze geblizet hat; Lebe wohl, noch gestern hüpftest du froh im weissen Sommer-Kleid um mich her, wie die Wellen hier im Sonnen-Licht hüpfen; und du blondes Mädchen lebe wohl! dein schmachtender Blik – – ach! zu sehr, zu sehr hast du mein Herze bemeistert, und dein schwellender Busen – – ach! ich förchte, ich werd ihn hier oft in einsamen traurigen Betrachtungen sehen und seufzen! Lebe wohl, majestätische Melinde, mit dem ernsten Gesicht wie Pallas und mit dem majestätischen Gang, und du kleine Chloe, die du muthwillig nach meinen Lippen aufhüpftest und mich küßtest; in diese Gegenden will ich izt fliehen, und in ernsten Betrachtungen unter diesen Fichten mich lagern, und die Liebe verlachen; [106] in melancholischen Gängen von Laub will ich irren, und – – Aber – – Himmel! was entdeket mein Aug am Ufer im Sand! ich zittre, ach – – der Fußtritt eines Mädchens; ach, wie klein, wie nett ist der Fuß! – – ernste Betrachtung! Melancholie! ach wo seyd ihr? – – wie schön war ihr Gang! ich folg ihr – – Ach Mädchen, ich eile ich folge deiner Spur! ach! wenn ich dich fände, in meinen Arm würd ich dich drüken, und dich küssen! Flieh

nicht mein Kind, will ich sagen, oder flieh wie die Rose
flieht, wenn ein Zephir sie küßt, sie biegt sich vor ihm weg,
und kömmt lächelnder zu seinen Küssen zurük.

[107]   DER FRÜHLING.

Welche Symphonie, welch heilig Entzüken, jagt mir den
gaukelnden Morgen-Traum weg? Ich seh! o himmlische
Freude, ich seh dich lachenden Jüngling, dich Lenzen! Aurora
im Purpur-Gewand, führt dich im Osten herauf, der frohe
Scherz, das laute Gelächter, und Amor, schon lächelt er hin
nach den Büschen und Fluren, den künftigen Siegen entgegen, und schwinget den scharfgespanneten Bogen, und
schüttelt den Köcher; auch die Gratien mit umschlungenen
Armen begleiten dich, frölicher Lenz. Auf den röthlichsten
Stralen der Morgen-Sonne kömmt ihr daher, die Vögel
schwärmen froh in dem röthlichten Sonnen-Stral, euch mit
Gesängen einzuholen. Voll Ungeduld drängen sich die jungen Rosen aus der Knospe, jede will die erste mit offener
Schoos und lieblichen Gerüchen dir ent-[108]gegen lachen.
Die Zephirs verkündigen euch gaukelnd, sie hüpfen vom
Hügel ins Thal, und schwärmen durch Büsche und Wälder,
und lachen schalkhaft, wenn sie die Örter vorbeyhüpfen,
wo sie dem liebenden Schäfer die horchende Spröde im
Busche verrathen, oder schalkhaft beym Reihen-Tanz die
hüpfenden Mädchens schamroth gemacht. Sie hüpfen zer-
streut durch Gebüsche und Wälder, und lispeln den schlafenden Nymphen und den Faunen in den Grotten eure An-
kunft zu, sie springen taumelnd hervor, die geißfüssigten
Satyren und die Faunen, und rufen den frölichen Nymphen
mit frohem Geschrey, und mit der vielröhrichten Pfeiffe.
Die Nymphen der Bäche öfnen ihre Krüge wieder, die sie im
Winter verschlossen, und giessen sprudelnde Bäche zwischen
Bäumen unter grünen Gewölben von Ästen hervor, oder von

büschichten Hügeln herunter, in manchem rauschenden Fall;
sie schlängeln sich durch Fluren, und sammeln sich in Büschen
und Hainen [109] zu glatten Seen, und umfassen da oft die
zarten Glieder badender Mädchen.

Komm Lenz, komm Stifter der Freude! Du herrschetest
Lenz, als unser wankendes Schiff, ihr Brüder, die glatte See
durchschwamm; eine Schaar silberner Wellen umhüpfte uns,
frohe Zephirs gaukelten mit ihnen, und jagten sie um das
Schiff her, wenn sie muthwillig an selbigem aufhüpften und
klatschten; sie jagten sie vom Schiff ans schattichte Ufer, wo
der Wiederhall uns nachlachte; sie flohen in den winkenden
Schilf, und hüpften dann wieder ans Schiff; da krönet ihr
mich, Brüder, mit Rebschossen am Ufer zum König, da war
Freud und Entzüken in unsrer Mitte. Auch da herrschte der
Lenz, ihr Brüder, als wir auf jenes Berges erhabenem Rüken,
eine Hütte von grünen Zweigen uns bauten, in deren Schatten wir, ins Grüne gestreket, tranken und uns umarmend
frohe Lieder sangen; die Waldgötter behorchten uns, und
sangen leise die Lieder uns [110] nach. Izt singen sie die Lieder in den Hainen und Klüften des Bergs, beym Tanz und
beym vollen Krug.

Eile, o Lenz! beblüme die Triften, und belaube den Wald,
das Gebüsch und die Lauben. Bacchus und Silen und sein
Gefolge lachen dir entgegen, denn wo lachet man froher als
im grünen Schatten der Lauben? Amor besucht ihn oft den
frölichen Bacchus, im kühlen Schatten der Lauben, auch die
Musen besuchen ihn, denn er liebet Gesänge. Bacchus singt
dann und erzehlt, und lacht, daß das Reblaub, das umkrän-
zend sein halbes Gesichte beschattet, aufhüpft. Er erzehlt
bey voller Schaale seine Reisen durch das entfernte Indien,
und wie er die braunen Nationen besiegt, und wie er im
Raub-Schiff als Kind die Räuber in Delphine verwandelt,
und Reben und Epheu um Mastbaum und Ruder sich winden
und süssen Wein habe sprizen lassen; dann leert er die
Schaale, und lacht und erzehlet wieder, [111] wie er die Rosen geschaffen. Ich wollt eine junge Nymphe umfassen, so

sagt er, das Mädchen flog mit leichten Füssen über die Blumen weg, und lachte schalkhaft zurück, wenn es mit unsicherm Fuß mich hinter sich her taumeln sah; ich hätte beym Stix das Mädchen nicht erreicht, wenn nicht ein zakichter Dornbusch sich in sein fliegend Gewand gewikelt hätte, ich lief froh zu dem Mädchen hin, und klatscht ihm freundlich die Wangen, und sagte, Mädchen sey nicht so blöde, ich bin Bacchus, der Gott des Weins und der Freude, der ewige Jüngling; da ließ sich das Mädchen voll Ehrfurcht küssen. Da belohnt ich den Dornbusch, ich berührt ihn mit meinem Stab, und hieß Blumen wachsen, so lieblich roth, als des Mädchens Wangen da es sich schämte; da wuchsen die Rosen.

Pan lähnt sich auf das mosichte Polster, und legt aufmerksam sein Haupt, mit Tannreisern bekränzt, auf den unterstüzenden Arm; du warst [112] glüklicher, Bacchus, als ich, da ich die Sirinx verfolgte; da hast du mich heftig verwundet, so sagt er zum Amor, der jezt des Streiches noch lacht, sie ward in Rohre verwandelt; dann sieht er traurig nach der siebenröhrichten Pfeife, dann nach dem Becher, und trinkt den Gram weit von sich. Auch Amor erzehlt seine Siege, und wie er die Spröden gebändigt. Ach wie entzükt werd ich seyn, braunes Mädchen, wenn er einst von dir ein Sieges-Lied singt!

[113]   ALS ICH DAPHNEN
      AUF DEM SPAZIERGANG ERWARTETE.

Sie kömmt noch nicht, die schöne Daphne! hier will ich ins
Gras mich hinlegen und sie erwarten, hier an der Quelle. Indeß will ich die Gegend umher betrachten, und mein Verlangen täuschen. Du hoher schwarzer Tannen-Hain, der du
die Pfeil-geraden röthlichen Stämme dicht und hoch durch
deinen dunkeln Schatten empor hebst, hohe schlanke Eichen,
und du Fluß, der du mit majestätischem Silberglanz hinter
jenen grauen Bergen hervor rauschest, ihr euch will ich izt
sehen, izt sey das Gras um mich her meine Gegend. Wie sanft
rieselst du vorüber, kleine Quelle, durch die Wasser-Kressen,
und durch die Bachbungen, die ihre blauen Blumen empor
tragen; du schwingest kleine funkelnde Ringe um ihre
Stämme her [114] und machest sie wanken; von beyden
Ufern steht das fette Gras mit Blumen vermischt, sie biegen
sich herüber, und dein klares Wasser fließt durch ihr buntes
Gewölb und glänzet im vielfärbichten Wiederschein. Ich
will izt durch den kleinen Hain des wankenden Grases hinsehn; wie glänzet das manigfaltige Grün, von der Sonne
beschienen! sie streuen schwebende Schatten eins auf das
andere hin; schlanke Kräuter durchirren das Gras mit zarten
Ästen und manigfaltigem Laub, oder sie steigen darüber
empor, und tragen wankende Blumen. Aber du blaue Viole,
du Bild des Weisen, du stehst bescheiden niedrig im Gras,
und streust Gerüche umher, indeß daß Geruchlose Blumen
hoch über das Gras empor stehn, und pralerisch winken.
Fliegende Würmchens verfolgen sich unten im Gras, bald
verliert sie mein Aug im grünen Schatten, dann schwärmen
sie wieder im Sonnenschein, oder sie fliegen zu Schaaren empor und tanzen höher in der glänzenden Luft.
[115] Welch eine bunte Blume wieget sich dort an der Quelle?
So schön und glänzend von Farbe – – doch nein! angenehmer
Betrug! ein Schmetterling flieget empor, und läßt das wankende Gräschen zurük. Izt rauscht ein Würmchen, schwarz

beharnischt auf glänzend rothen Flügeln vorbey, und sezt
sich, zu seinem Gatten vielleicht, auf die nahe Gloken-Blume.
Rausche sanft, du rieselnde Quelle, erschüttert nicht die Blumen und das Gras ihr Zephirs! Trieg ich mich? oder hör ich
den zärtesten Gesang? Ja sie singen, aber unser Ohr ist zu
stumpf, das feine Concert zu vernehmen, so wie unser Auge,
die zarten Züge der Bildung zu sehn. Was für ein liebliches
Sumsen schwärmt um mich her? Warum wanken die Blumen
so? Ein Schwarm kleiner Bienen ists; sie flogen frölich aus,
aus ihrer fernen Wohnstadt, und zerstreuten sich auf den
Fluren und in den fernen Gärten; aufmerksam wählend
sammeln sie die gelbe Beute, und kehren zurück ihren Staat
zu mehren, [116] jede mit dem gleichen Bestreben, da ist kein
müssiger Bürger; sie schwärmen umher, von Blume zu Blume,
und verbergen nachsuchend die kleinen haarichten Häupter
in den Kelchen der Blumen, oder sie graben sich mühsam
hinein, in die noch nicht offenen Blumen, die Blume schliesset
sich wieder, und verbirgt den kleinen Räuber, der die Schäze
ihr raubt, die sie vielleicht erst Morgen, der kommenden
Sonne und dem glänzenden Thau entfaltet hätte.

Dort auf die hohe Klee-Blume sezt sich ein kleiner Schmetterling, er schwingt seine bunten Flügel; auf ihrem glänzenden Silber stehn kleine purpurne Fleken, und ein goldner
Saum verliert sich am End der Flügel ins Grüne; Da sizt er
prächtig und puzt den kleinen Busch der silbernen Federn
auf seinem kleinen Haupt. Schöner Schmetterling! biege die
Blume zum Bach hin, und sieh da deine schöne Gestalt; dann
gleichst du der schönen Belinde, die beym Spiegel vergißt,
daß [117] sie mehr als Schmetterling seyn sollte; ihr Kleid
ist nicht so schön wie deine Flügel, aber Gedanken-los ist sie
wie du.

Was vor ein wildes Spiel hebt ihr izt an, kleine Zephirs?
Sich haschend wälzen sie sich durch das Gras hin, wie ein
sanfter Wind auf einem Teich, Wellen vor sich her jagt, so
durchwühlen sie das rauschende Gras, die kleinen bunten
Bewohner fliegen empor und sehen in die Verwüstung hin-

unter, izt ruhen sie wieder die Zephirs, und das Gras und
die Blumen winken sie freundlich zurük.

Aber, o! könnt ich mich izt verbergen! Bedeket mich ihr
Blumen! Dort geht der junge Hyacinthus vorüber, im schönen goldnen Kleid; er eilt durchs verächtliche Gras, neben
der Natur hin, und pfeift; sie mag ihn anlächeln, für ihn ist
das eine zu alte Schöne; er eilt zu Fräulein Henrietten, wo
die schöne Welt beym Spiel-Tisch sich sammelt; da wird
sein Kleid Augen von feinerm Geschmak besser entzüken,
als ein glühen-[118]des Abendroth. Wie wird er lachen,
wenn er mich sieht, fern von der feinen Welt bey den Wür-
mern im Gras kriechen! Aber verzeihen sie, Hyacintus,
wenn ich so tumm bin, ihrem schönen Gang und dem Glanz
ihres Kleides nicht nachzusehn, denn hier an diesem Gräschen läuft ein Würmchen empor, seine Flügel sind grünlichtes
Gold, und wechseln prächtig die hellen Farben des Regen-
bogens. Verzeihen sie Hyacintus, verzeihen sie der Natur,
die einem Wurm ein schöner Kleid gab, als keine Kunst ihnen
liefern kan, ihnen der doch so ausnehmenden Wiz hat, Gewissen und Religion dem tummen Pöbel zu überlassen.

Aber izt kömmt sie, die schöne Daphne! ich eil izt an ihre
Seite, ihr Blumen, und ihr, ihr kleinen Bewohner; aber noch
oft sollt ihr mir das sanfte Entzüken gewähren, das Entzüken, auch in der kleinsten Verzierung der Natur die Harmonie mit der Schönheit und dem Nuzen ins Unendliche
hin in unauflöslicher Umarmung zusehn. [119] Sie kömmt,
sie ist schon nahe, die schöne Daphne; wie ihr leichtes grünes Gewand flattert! Wie lächelt ihr Mund, wie schön ist ihr
Aug! Aber sie würden für mich nicht schön seyn, verriethen
sie nicht die schöndenkende Seele und das edelste Herz.

[120]　　　　　　　　DER WUNSCH.

Dürft' ich vom Schiksal die Erfüllung meines einigen Wunsches hoffen; denn sonst sind meine Wünsche Träume, ich
wache auf und weiß nicht, daß ich geträumt habe, es sey
denn ein Wunsch für andrer Glük; dürft' ich vom Schiksal
dieses hoffen, dann wünscht ich mir nicht Überfluß, auch
nicht über Brüder zu herrschen, nicht daß entfernte Länder
meinen Namen nennen. O könnt' ich unbekannt und still,
fern vom Getümmel der Stadt, wo dem Redlichen unaus-
weichliche Fallstrike gewebt sind, wo Sitten und Verhältnisse
tausend Thorheiten adeln, könnt' ich in einsamer Gegend
mein Leben ruhig wandeln, im kleinen Landhaus, beym
ländlichen Garten, unbeneidet und unbemerkt!

Im grünen Schatten wölbender Nußbäume stünde dann mein
einsames Haus, vor dessen Fenstern [121] kühle Winde und
Schatten und sanfte Ruhe unter dem grünen Gewölbe der
Bäume wohnen; vor dem friedlichen Eingang einen kleinen
Plaz eingezäunt, in dem eine kühle Brunn-Quelle unter dem
Traubengeländer rauschet, an deren abfliessendem Wasser
die Ente mit ihren Jungen spielte, oder die sanften Dauben
vom beschatteten Dach herunter flögen, und nikend im Gras
wandelten, indeß daß der majestätische Hahn seine gluchzen-
den Hennen im Hof umher führt; sie würden dann auf mein
bekanntes Loken herbey flattern, als Fenster, und mit schmei-
chelndem Gewimmel Speise von ihrem Herren fordern.

Auf den nahen Schatten-reichen Bäumen, würden die Vögel
in ungestöhrter Freyheit wohnen, und von einem Baum zum
andern nachbarlich sich zurufen und singen. In der einen
Eke des kleinen Hofes sollen dann die geflochtenen Hütten
der Bienen stehn, denn ihr nüzlicher Staat ist ein liebliches
Schauspiel; gerne würden sie in meinem [122] Anger wohnen, wenn wahr ist, was der Landmann sagt, daß sie nur da
wohnen, wo Fried und Ruhe in der Wirthschaft herrsch.

Hinten am Hause sey mein geraumer Garten, wo einfältige
Kunst, den angenehmen Phantasien der Natur mit gehorsa-

mer Hülfe beysteht, nicht aufrührisch sie zum dienstbaren
Stoff sich macht, in groteske Bilder sie zu schaffen. Wände
von Nußstrauch umzäumen ihn, und in jeder Eke steht eine
grüne Hütte von wilden Rosinen; dahin würd ich oft den
Stralen der Sonn' entweichen, oder sehen, wie der braune
Gärtner die Beeten umgräbt, um schmakhafte Garten-Ge-
wächse zu säen; Oft würd ich die Schaufel aus der Hand
ihm nehmen, durch seinen Fleiß zur Arbeit gelokt, um selbst
umzugraben, indeß daß er neben mir stühnde, der wenigern
Kräfte lächelnd; oder ich hülf ihm die flatternden Gewächse
an Stäben aufbinden, oder der Rosen-Stauden warten und
der zerstreuten Nelken und Lilien.

[123] Aussen am Garten müßt' ein klarer Bach meine Gras-
reiche Wiese durchschlängeln; er schlängelte sich dann durch
den schattichten Hain fruchtbarer Bäume, von jungen zarten
Stämmen durchmischet, die mein sorgsamer Fleiß selbst bewachete. Ich würd ihn in der Mitte zu einem kleinen Teich
sich sammeln lassen, und in des Teiches Mitte baut' ich eine
Laube auf eine kleine aufgeworfene Insel; zöge sich dann
noch ein kleiner Reb-Berg an der Seite in die offene Gegend
hinaus, und ein kleines Feld mit winkenden Ähren, wäre der
reichste König dann gegen mir beneidens werth?

Aber fern sey meine Hütte von dem Landhaus, das Dorantes
bewohnt, ununterbrochen in Gesellschaft zu seyn. Bey ihm
lernt man, daß Frankreich gewiß nicht kriegen wird, und
was Mops thäte, wenn er König der Britten wäre, und bey
wohlbedekter Tafel werden die Wissenschaften beurtheilt,
und die Fehler unsers Staats, indeß [124] daß majestätischer
Anstand vor der leeren Stirne schwebt. Weit von Oronten
weg sey meine einsame Wohnung; fernher sammelt sich
Wein in seinen Keller, die Natur ist ihm nur schön, weil
niedliche Bissen für ihn in der Luft fliegen, oder den Hain
durchirren, oder in der Flut schwimmen. Er eilt auf das Land
um ungestöhrt rasen zu können; wie bang ist man in den
verfluchten Mauern, wo der tumme Nachbar jede That bemerkt! Dir begegne nie, daß ein einsamer Tag bey dir allein

dich lasse, eine unleidliche Gesellschaft für dich, vielleicht
entwischt dir ein schauernder Blik in dich selbst. Aber nein,
gepeinigte Pferde bringen dir schnaubend ihre unwürdigen
Lasten, sie springen fluchend von dem unschuldigen Thier;
Tumult und Unsinn und rasender Wiz begleiten die Gesellschaft zur Tafel, und ein ohnmächtiger Rausch endet die
tobende Scene. Noch weiter von dir, hagrer Harpax, dessen
Thüre hagre Hunde bewachen, die hungernd dem unge-
stühm ab-[125]gewiesenen Armen das bethränte Brod rauben. Weit umher ist der arme Landmann dein gepeinigter
Schuldner; nur selten steigt der dünne Rauch von deinem
umgestürzten Schorstein auf, denn solltest du nicht hungern,
da du deinen Reichthum dem weinenden Armen raubest!
Aber wohin reißt mich ungestümer Verdruß? Kommt zurük,
angenehme Bilder, kommt zurük und heitert mein Gemüth
auf; führet mich wieder dahin, wo mein kleines Landhaus
steht. Der fromme Landmann sey mein Nachbar, in seiner
braunen beschatteten Hütte; liebreiche Hülfe und freundschaftlicher Rath machen dann einen dem andern zum freundlich lächelnden Nachbar; denn, was ist seliger als geliebet zu
seyn, als der frohe Gruß des Manns, dem wir Gutes gethan?
Wenn den, der in der Stadt wohnet, unruhiges Getümmel
aus dem Schlummer wekt, wenn die nachbarliche Mauer der
Morgen-Sonne liebliche Blike verwehrt, und die schöne Scene
des [126] Morgens seinem eingekerkerten Blik nicht vergönnt
ist, dann würd' eine sanfte Morgen-Luft mich weken und
die frohen Concerte der Vögel. Dann flög' ich aus meiner
Ruhe, und gieng' Auroren entgegen, auf blumichte Wiesen,
oder auf die nahen Hügel, und säng' entzükt frohe Lieder
vom Hügel herunter. Denn, was entzüket mehr als die schöne
Natur, wenn sie in harmonischer Unordnung ihre unendlich
manigfaltigen Schönheiten verwindet? Zukühner Mensch!
was unterwindest du dich die Natur durch weither nach-
ahmende Künste zu schmüken? Baue Labyrinte von grünen
Wänden, und laß den gespizten Taxus in abgemessener
Weite empor stehn, die Gänge seyen reiner Sand, daß kein

Gesträuchgen den wandelnden Fußtritt verwirre; mir gefällt die ländliche Wiese und der verwilderte Hain, ihre
Manigfaltigkeit und Verwirrung hat die Natur nach gehei-
mern Regeln der Harmonie und der Schönheit geordnet, die
unsere Seele voll sanften Entzükens empfindt.
[127] Oft würd' ich bey sanftem Mondschein bis zur Mitternacht wandeln, in einsamen frohen Betrachtungen, über den
harmonischen Weltbau, wenn unzählbare Welten und Son-
nen über mir leuchten.

Auch besucht' ich den Landmann, wenn er beym Furchen-
ziehenden Pflug singt, oder die frohen Reihen der Schnitter,
wenn sie ihre ländlichen Lieder singen, und hörte ihre frohen
Geschichtchens und ihren muntern Scherz; oder wenn der
Herbst kommt, und die Bäume bunt färbet, dann würd' ich
die Gesang-vollen Wein-Hügel besuchen, wenn die Mädchens
und die Jünglinge im Rebenhain lachen, und die reifen
Trauben sammeln. Wenn der Reichthum des Herbstes gesammelt ist, dann gehen sie jauchzend zu der Hütte zurük,
wo der Kelter lautes Knarren weit umher tönt; sie sammeln
sich in der Hütte, wo ein frohes Mahl sie erwartet. Der erste
Hunger ist gestillet, izt kommt der ländliche Scherz [128] und
das laute Lachen, indeß daß der freundliche Wirth die Wein-
flaschen wieder auffüllt und zur Freude sie aufmahnet.
Kunz erzehlt izt, wie er grosse Reisen gethan hat, bis weit in
Schwaben hinaus, und wie er Häuser gesehen, noch grösser
und schöner als die Kirch im Dorf, und wie einen Herren
sechs schöne Rosse in einem gläsernen Wagen gezogen haben,
schöner als das beste das der Müller im Thal hat, und wie
die Bauern da mit grünen Spizen-Hüten gehn. So erzehlt' er
vieles, indeß daß der junge Knecht, aufmerksam den offenen
Mund auf die unterstüzende Hand gelehnet, bald vergessen
hätte, daß sein Mädchen an seiner Seite sizt, hätte sie ihn
nicht lachend in die Wange gekneipt. Dann erzehlt Hans,
wie seinen Nachbar ein Irrwisch verfolgt hat, und wie er
ihm auf den Korb gesessen, er hätt' ihn bis unter die Dach-
rinne verfolgt, wenn er nicht eins geschworen hätte. Aber izt

gehen sie aus der Hütte, um beym Mondschein zu tanzen,
bis die Mitternacht sie zur Ruhe ruft.

[129] Wenn aber trübe Tage mit frostigem Regen, oder der
herbe Winter, oder die schwüle Hize des Sommers den Spaziergang mir verböten, dann würd ich ins einsame Zimmer
mich schliessen; mich unterhielte da die edelste Gesellschaft,
der Stolz und die Ehr' eines jeden Jahrhunderts, die grossen
Geister, die ihre Weisheit in lehrende Bücher ausgegossen
haben; edle Gesellschaft, die unsre Seele zu ihrer Würd' er-
hebt! Der lehrte mich die Sitten ferner Nationen, und die
Wunder der Natur in fernen Welt-Theilen: Der dekt mir die
Geheimnisse der Natur auf, und führt mich in ihre geheime
Werkstatt, der würde mich die Öconomie ganzer Nationen
lehren und ihre Geschichte, die Schand und die Ehre des
Menschen-Geschlechts. Der lehrt mich die Grösse und die
Bestimmung unsrer Seele, und die Reiz-volle Tugend; um
mich her stünden die Weisen und die Sänger des Alterthums;
ihr Pfad ist der Pfad zum wahren Schönen, aber nur wenige
wagen sich [130] hin, das blöde Haupt macht tausende
schwindlicht zurük gehn, auf eine leichtere Bahn voll Flittergold und geruchloser Blumen. Soll ich die wenigen nennen?
Du schöpfrischer Klopstok, und du Bodmer, der du mit
Breitingern die Fakel der Critik aufgeteket hast, denen Irrlichtern entgegen, die in Sümpfe oder dürre Einöden ver-
führten. Und du Wieland, (oft besucht deine Muse ihre
Schwester, die ernste Welt-Weisheit, und holt erhabenen
Stoff, aus ihren geheimesten Kammern, und bildet ihn zu
reizenden Gratien,) oft sollen eure Lieder in heiliges Entzüken mich hinreissen; Auch du mahlerischer von Kleist,
sanft entzükt mich dein Lied, wie ein helles Abendroth, zu
frieden ist dann mein Herz, und still, wie die Gegend beym
Schimmer des Monds; auch du Gleim, wenn du die lächelnden Empfindungen unsers Herzens singest und unschuldigen
Scherz, – – Doch soll ich euch alle nennen ihr wenigen? die
verwöhnte Nation mißkennt euern [131] Werth, euch zu
schäzen ist einer bessern Nachwelt vorbehalten.

Auch ich schriebe dann oft die Lieder hin, die ich auf einsamen Spaziergängen gedacht, im dunkeln Hain, oder beym
rauschenden Wasserfall, oder im Trauben-Geländer beym
Schimmer des Monds. Oder ich sähe im Kupferstich, wie
grosse Künstler die Natur nachgeahmet haben, oder ich versucht' es selbst, ihre schönen Auftritte auf dem gespanneten
Tuch nachzuschaffen.

Zuweilen störte mich ein lautes Klopfen vor meiner Thüre,
wie entzükt wär ich, wenn ein Freund beym Eröfnen in die
offenen Arme mir eilte; oft fänd' ich sie auch, wenn ich vom
Spaziergang zurük, der einsamen Hütte mich näherte, ein-
zeln oder in Truppen mir entgegen grüssen; gesellschaftlich
würden wir dann die schönsten Gegenden durchirren, nicht
mürrisch ernsthafte Gespräche mit freundlichem Scherz gemischt, machten uns die Stunden vorbey hüpfen, Hunger
[132] würde die Kost uns würzen, die mein Garten mir gäbe,
und der Teich und mein belebter Hof; Wir fänden sie bey
der Rükkunft unter einem Trauben-Geländer, oder in der
schattichten Hütte im Garten aufgetischet; oft auch sässen
wir beym Mondschein in der Laube beym bescheidenen
Kelchglas, bey frohen Liedern und munterm Scherz, es wäre
denn, daß der Nachtigal melancholisches Lied uns aufmer-
ken hiesse.

Aber, was träum' ich? Zu lang, zu lang schon hat meine
Phantasie dich verfolget, dich, eitelen Traum! Eiteler
Wunsch! nie werd' ich deine Erfüllung sehen. Immer ist der
Mensch unzufrieden, wir sehen weit hinaus auf frömde Gefilde von Glük, aber Labyrinte versperren den Zugang, und
dann seufzen wir hin, und vergessen das Gute zu bemerken,
das jedem auf der angewiesenen Bahn des Lebens beschert
ist. Unser wahres Glük ist die Tugend. Der ist ein Weiser,
und glüklich, der willig die Stell' ausfüllt, die der Bau-
[133]meister, der den Plan des ganzen denkt, ihm bestimmt
hat. Ja du, göttliche Tugend, du bist unser Glük, du streust
Freud' und Seligkeit in jedem Stand auf unsre Tage. O wen
soll ich beneiden, wenn ich durch dich beglükt die Laufbahn

meines Lebens vollende? dann sterb' ich froh, von Edeln beweint, die mich um deinetwillen liebten, von euch beweint
ihr Freunde. Wenn ihr beym Hügel meines Grabes vorbey
geht, dann drüket euch die Hand, dann umarmet euch; Hier
ligt sein Staub, sagt ihr, des Redlichen, aber Gott belohnt
seine Bemühung glüklich zu seyn, izt mit ewigem Glük; bald
aber wird unser Staub auch da ligen, und dann geniessen wir
mit ihm das ewige Glük; und du, geliebte Freundin! wann
du beym Hügel meines Grabes vorüber gehest, wann die
Maaßlieben und die Ringelblumen von meinem Grabe dir
winken, dann steig eine Thräne dir ins Auge, und ists den
Seligen vergönnt, die Gegend, die [134] wir bewohnt, und
die stillen Haine zu besuchen, wo wir oft in seligen Stunden
unsrer Seele grosse Bestimmung dachten, und unsre Freunde
zu umduften, dann wird meine Seele dich oft umschweben,
oft, wenn du voll edler hoher Empfindung einsam nach-
denkest, wird ein sanftes Wehen deine Wangen berühren;
dann gehe ein sanftes Schauern durch deine Seele!

[Weitere Idyllen und Gedichte].

1762.

MIRTIL und DAPHNE.

Mirtil. Schon so fryhe, meine Schwester! Noch ist die Sonne nicht hinterm Berg hervor. Kaum hat die Schwalbe ihren Gesang angefangen, der fryhe Hahn hat kaum noch den Morgen gegryßt, und du bist schon in den Thau hinausgegangen. Was willst du heute fyr ein Fest bereiten, daß du so fryhe dein Kœrbgen voll Blumen sammelst?

Daphne. Sey mir gegryßt, geliebter Bruder! Woher am feuchten Morgen? Was beginnest du in der stillen Dæmmerung? Ich habe hier Veilchen gesucht und Majen-Blumen und Rosen, und will izt, da unser Vater und unsere Mutter noch schlafen, will ich sie auf ihr Beth hinstreuen, dann werden sie unter lieblichen Gery-[80]chen erwachen und sich freuen, wenn sie mit Blumen sich umstreuet sehn.

Mirtil. O du geliebte Schwester! Mein Leben lieb ich nicht so sehr, wie ich dich liebe! Und ich, du weissest es, Schwester! gestern, beym Abend-Roth, als unser Vater nach unserm Hygel hinsah, auf dem er oft ruhet; lieblich wær es, so sprach er, styhnd eine Laube dort, die uns in ihren Schatten nähme. Ich hœrt' es, und that als hætt' ichs nicht gehœrt; aber fryh vor der Morgen-Sonne gieng ich hin, und baute die Laube, und band die flatternden Hasel-Stauden an ihren

Seiten fest. O meine Schwester! sieh hin, die Arbeit ist vollendet; verrathe nichts, bis er es selber sieht; der Tag soll uns
voll Freude seyn!

[81] D a p h n e. O mein Bruder! wie angenehm wird er
erstaunen, wenn er die Laube von ferne sieht! Izt geh ich   5
hin, schleiche leise zu ihrem Beth mich hin, und streue diese
Blumen um sie her.

M i r t i l. Wenn sie unter den lieblichen Gerychen erwachen,
dann werden sie mit freundlichem Læcheln sich ansehn, und
sagen: Das hat Daphne gethan; wo ist sie? das beste Kind!   10
Sie hat fyr unsre Freude vor unserm Erwachen gesorgt.

D a p h n e. Und Bruder! Wenn er denn vom Fenster her
die Laube sieht. Wie trieg ich mich? so sagt er dann, eine
Laube steht dort auf dem Ryken des Hygels! Gewiß! die
hat mein Sohn gebaut. Gesegnet sey er! Ihn hælt' die Ruhe   15
der Nacht nicht ab, fyr unsers Alters Freude zu sorgen!
Dann, Bruder! dann ist uns [82] der ganze Tag voll Wonne.
Denn wer am Morgen was gutes beginnt, dem gelingt alles
besser, und auf jeder Staude wæchßt ihm Freude.

[104]   MYLON.   20

Der junge Mylon fieng im Tannen-Hain schlau einen Vogel,
der von Federn schœn, doch schœner noch war sein Gesang;
er macht' in holen Hænden ihm ein luftig Nest, und bracht'
voll Freud' ihn dahin, wo sein Vieh im Schatten lag, und da
legt' er den holen Stroh-Hut auf den Boden hin, thut den   25
gefangnen drunter, und eilt schnell zu nahen Weiden, suchet
sich die schlanksten Äste, denn er will ein schœnes Keficht
bauen; wenn ich izt, so sprach der Hirt, das schœne Keficht
hab, dann trag ich, Vogel! dich zu Chloen hin. Fyr dies
Geschenk begehr' ich denn von ihr, ach! einen syssen Kuß;   30
sie ist nicht wunderlich; den giebt sie wol; und giebt sie
den, dann raub ich schlau zween, drey, wol viere noch dazu.

O wær der Bauer [105] nur schon izt gebaut! So sprach er,
und da lief er schnell, die Weiden-Schosse unter seinem Arm,
zu seinem Stroh-Hut hin. Allein wie stand er traurig da! Der
Hut lag umgekehrt durch einen bœsen Wind; und seine
5 Kysse waren mit dem Vogel weg.

[110]   DIE YBEL BELOHNTE LIEBE.

Im Jagd-Neze verwikelt lag der Satyr bis zu dem Morgen-
Roth im Schilf des Sumpfes; sein einer Ziegen-Fuß stak
ybersich aus dem Neze hervor, ermattet lag er da, unver-
10 mœgend, ein einziges Glied los zu wikeln. Die Vœgel, die um
den Schilf flatterten, flogen herbey, und die quakenden
Frœschen hypften furchtsam næher, yber den wunderbaren
Fang erstaunt. Izt will ich heulen, sprach er, was meine
Kæhle vermag, will ich heulen, bis jemand herbeykœmmt.
15 Und er heulte, daß es rings umher von Hygeln zu Hygeln
durch Haine und Thæler durchs weite Land nachheulte. Fynf
male heult er, und fynf mal umsonst; da kam ein Faun aus
dem Hain hervor; woher kœmmt dies [111] hæßliche Geschrey, so rief er, laß die scheußliche Stimme noch einmal
20 hœren, daß ich den Ort deines Aufenthalts finde. Und der
Satyr heulte noch einmal, und der Faun lief zum Sumpf,
und fand den læcherlich Gefangenen. Um aller Gœtter willen! rief der [Satyr]! Freund! wikle mich los aus dem verfluchten Neze. Schon seit dem fryhen Mond-Schein lig ich
25 hier im Sumpf. Aber der Faun stand da, beyde vor Lachen
erschytterte Hyften unterstyzt, da er die læcherlich zusammengewikelte Gestalt im Neze sah, sein eines Bein unbeweg-
lich empor gestrekt, mit halbem Leib im Sumpfe versunken.
Izt hub er an, das Nez los zu wikeln, und stellt ihn auf die
30 Fysse. So schlæft sichs gut, sprach er, nicht wahr? Sag, um
aller Gœtter willen! sag mir, durch was fyr ein Schiksal hast
du die wunderbare Schlaf-Stætte gefunden? [112] O ihr

Gœtter! so sprach der Losgewikelte, so wird die feurigste
Liebe belohnt. O! verflucht sey die Stunde, da ich sie zum
ersten mal sah! Aber laß uns dort auf die schief yberhan-
gende Weide uns sezen; mich schmerzt mein eines Bein. Sie
sezten sich auf die Weide, und da hub er die traurige Ge-   5
schicht' an. Ein ganzes Jahr schon lieb ich die Nymphe jenes
Baches, der dort aus dem Gestræuche unter jenem Felsen her-
vorquillt. Dort, wo die Tanne auf dem Felsen steht. Unerhœrt, immer unerhœrt, ein Jahr lang stand ich halbe
Næchte durch vor ihrer Hœle, und klagt ihr meine Pein,   10
stand unerhœrt da, und seufzte, und jammerte, oder blies
ihr zur Lust auf meiner Quærpfeife, oder sang ihr ein be-
wegliches Lied von meiner Liebe, daß die Felsen hætten
weinen mœgen, aber immer unerhœrt.
[113] Das Lied mœcht' ich wol hœren, sprach der Faun.   15
Sollt' ichs dir nicht singen? sprach der Satyr; es ist das beste,
das ich in meinem Leben gemacht habe. Da hub er an, sein
Lied zu singen:
O du! schœnste Gœttin! denn gegen dir ist Venus ein gemei-
nes Weib. Willst du meine Liebe immer unerhœrt lassen? Im-   20
mer taub seyn bey meinen Klagen, wie der Stein hier, auf
dem ich size? O ich Elender! Soll ich immer umsonst vor
deiner Hœle pfeifen, und singen, und winseln und klagen,
am heissen Mittag und in der kalten Nacht? Wißtest du, wie
syß es ist, einen jungen Gatten zu haben; frage jene stille   25
Eule, die hinter deinem Felsen in holem Stamm wohnt, und
die des Nachts vor Freude jauchzt wie ich in meinen
[114] guten Tagen jauchzte, wenn ich trunken nach meiner
Hœle gieng. O wißtest du es! du wyrdest hervorhypfen, mit
deinen weissen Armen meinen braunen Ryken umschlingen,   30
und mich freundlich in deine Wohnung fyhren, dann wyrd'
ich vor Freude hoch aufhypfen, wie ein junges Kalb hypft.
O du Grausame! Wie oft hab ich deine Hœle mit Tann-
Ästen geschmykt, an denen die stark-riechende Frucht hieng,
und mit Ästen von Eichen, damit wenn du vom Tanz oder   35
von den Spielen (ach mit andern!) nach Hause kommest,

yber de[r] schœnen Pracht erstaunest. Wie oft hab ich, du unempfindliche! im jungen Fryhling die ersten Brombeeren in
grossen Kœrben vor deine Hœle gestellt, oder was jede Jah-
res-Zeit gab, Hasel-Nyssen und die besten Wurzeln. Hab
5 ich dir nicht im Herbst in mei-[115]nem grœssesten Gefæsse
gestossene Trauben gebracht, die in ihrem schæumenden Most
schwammen, und frischen Ziegen-Kæs? Schon lange unterricht ich einen schwarzen Ziegen-Bok fyr dich, und lern ihn
Kynste, die dich erfreuen sollen. Er steht, wenn ich ihn rufe,
10 an mir auf, und kyßt mich; und wenn ich auf meiner Quærpfeife blase, dann steht er, das solltest du sehen, auf seine
hintern Fysse, und danzet, wie ich danze. O du Grausame!
Seit meine Liebe mich so heftig plagt, seitdem schmekt mir
weder Speise noch der Trank, und mein Wein-Schlauch ligt
15 des Tages oft eine ganze Stunde unerœfnet da. Ehedem war
mein Gesicht rund, wie eine Kyrbis-Flasche; izt bin ich ha-
ger und entstellt; auch ist der sysse Schlaf von mir gewichen.
O wie syß schlief ich sonst, bis die heisse Mittags-Sonne in
meiner [116] Hœle mich brannte, oder der Durst mich wekte!
20 O Nymphe! quæle, ach quæle mich nicht længer! Viel lieber
wolt ich in Nessel-Stauden mich wælzen, lieber ohne einen
Tropfen Wein eine Stunde lang im heissen Sand an der brennenden Sonne ligen. O komm, komm, du Milch-weiße
Nymphe! komm aus deiner Einsamkeit mit mir in meine
25 Hœle; sie ist die schœnste im ganzen Hain. Ich habe weiche
Ziegen-Fælle fyr dich und mich ausgebreitet; an ihren beyden Seiten hængen und stehen meine Trink-Gefæsse, groß
und klein in zierlicher Ordnung, und ein herrlicher Geruch
von Most und Wein kœmmt dir von aussenher entgegen. O
30 denke, denke, wie syß es ist, wenn einst die muntern Kinder
um unsre Wein-Kryge her sich jagen, oder auf dem Wein-
Schlauch sizen und lallen! Vor meiner Hœle steht eine [117]
hohe Eiche, und in ihrem Schatten das Bildniß des Pan; ich
hab ihn selbst kynstlich aus Eichen-Holz geschnitten; er weint
35 yber die Nymphe, die ihm in Schilf verwandelt ward. Sein
Mund ist weit offen; du kœnntest einen ganzen Apfel drein

legen; so stark hab ich seinen Schmerz ausgedrykt; ja selbst
die Thrænen, die Thrænen selbst hab ich ins Holz geschnitten.
Aber ach! du kœmmst nicht, du kœmmst nicht, ich muß meine
Verzweiflung wieder nach meiner einsamen Hœle nehmen.

Izt schwieg der Satyr, und erstaunte yber das spœttische
Gelæchter seines Retters; aber sag mir, sprach der Faun, wie
kamst du in das Nez?

Gestern, wie gewohnt, so sprach der Verliebte, stand ich der
Hœle nahe, und [118] sang mein Lied in den beweglichsten
Accenten, wol drey mal, mit lauten Seufzen unterbrochen;
und da ich traurig zurykgieng, stak mein eines Bein in einem
Nez, das schnell yber mich geworfen ward; ich sank zu Boden; und da ich mich los machen wollte, verwikelt' ich mich
immer mehr; ein lautes Gelæchter entstand um mich her; die
Nymphe mit ihren Gespielen standen um mich her, und
schlepten mich immer mehr verwikelt in den Sumpf. Hier
bin ich, sprach die Grausame, und stand mit ihren Gespielen
laut lachend am Sumpf; und du kœmmst nicht, daß ich
deinen braunen Ryken umarme, und du hypfest nicht wie
ein junges Kalb, du Grausamer; so schlafe denn hier, und ich
trage meine Verzweiflung in meine einsame Hœle zuryk. Izt
giengen sie zuryk; weither hœrt' ich noch ihr spœttisches
[119] Gelæchter; mich sollen die wilden Thiere zerreissen,
wenn ich je zu ihrer Hœle zurykgeh.

Geh, sprach der Faun, ich hætte fyr deine beschwerliche
Liebe dich fryher gestraft; geh, danze mit deinem Ziegen-
Bok, und vergiß deiner Liebe, oder schneide dein Abentheuer
in Eichen-Holz.

[125]   MORGENLIED.

>   Willkommen, fryhe Morgen-Sonn;
>   Willkommen, junger Tag!
>   Dort aus des Berges dunkelm Wald
>   Blizt schon dein Stral hervor.

Schon blinket er im Wasser-Fall,
　　Im Thau auf jedem Laub;
Und Munterkeit und Wonne kœmmt
　　Mit deinem Glanz daher.

5　　　Der Zephir, der in Blumen schlief,
　　Verlæßt sein Beth, und schwermt
Von Blum zu Blum, und schyttelt die,
　　Die izt noch schlafen, wach.

Der bunt-gemengten Træume Schaar
10　　Entflieht izt jeder Stirn;
Wie Liebes-Gœtter schwermten sie
　　Um Chloens Wangen her.

[126]　　Eilt, Zephir! raubet jeder Blum
　　Den lieblichsten Geruch;
15　Und eilet, eilt zu Chloen hin,
　　Izt da sie bald erwacht.

Da flatert um ihr weiches Beth,
　　Und wekt das schœnste Kind,
Mit sanftem Spiel auf ihrer Brust,
20　　Und ihrem syssen Mund.

Wann sie erwacht, dann flystert ihr,
　　Schon vor der Morgen-Sonn,
Hab’ ich Einsamer ihren Nam
　　Am Wasser-Fall geseufzt.

25　[127]　　　　　　AN CHLOEN.

Gestern, als ein Rosen-Blatt durch die Luft schwamm, Chloe,
da als ein sysser Geruch uns umduftete, ich will dir sagen,
was ich da sah, das du nicht sehen konntest; da ich an deiner
Seite mit umschlingendem Arme saß, da als mein entzykter

Blik und meine Seufzer beredter waren, als mein stammeln-
der Mund; da sah ich, (denn uns Dichtern ist vieles zu sehen
vergœnnt) da sah ich den kleinen Amor auf dem Rosen-
Blatt; er stand da, wie der Gott der Meere auf seiner Mu-
schel steht, und Zephirs, kleiner noch als Bienen, waren vor   5
den leichten Wagen gespannt. Der kleine Gott war reizend,
wie einer deiner Blike, und lieblich, wie dein Læcheln. Er
lenkte den Wagen gerade nach [128] deinem Busen hin, und
hielt auf dem Rand deiner Schnyrbrust still; die Zephirs
schlypften da in den Schatten des Blumen-Strauses, der spie-   10
lende Schatten auf deinen Busen warf. Der kleine Gott stieg
aus, und flatterte den athmenden Busen hinauf; recht in der
Mitte, ô wie wollystig legt' er sich da hin! – – – Mæchtiger
Gott der Liebe! so seufzt' ich leise ihm zu; Mæchtigster der
Gœtter! ô hœre mein Flehen! Noch kein Sterblicher hat deine   15
Macht empfunden, wie ich; belohne meine Unruhe, meine
Schmerzen; belohne sie dem Dichter, der immer deine Macht
verehrte! Laß, ô laß Chloens Liebe, die izt aus ihren Augen
so mæchtig zu mir redt, laß sie doch nie in ihrem Herzen er-
lœschen! Wie leicht, ach! wie leicht muß es der seyn, ungetreu   20
zu werden! schwarzer tœdender Gedanke! der [129] jedes
Herz entgegen wallet, wo sie mit unyberwindlichen Reizen
erscheint! O hœre, hœre mich, Mæchtigster der Gœtter!
Amor læhnte den einen Arm an deinen Busen hin, oben am
Lilien-weissen Hals, und in der Rechten hielt er den sieg-   25
reichen Bogen empor. – – – Sie haben unsichtbar die Gratien
erzogen, (so redt er, mir nur hœrbar,) und jeden ihrer Reize
haben die Liebes-Gœtter zur Vollkommenheit gepflegt. Ihr
Blik und ihr Læcheln sind siegreich wie ich, ihr muntrer
Scherz ist wie die Pfeile meines Kœchers; wer sie hœrt, ist   30
entzykt, und wer sie sieht, muß sie lieben. Sie liebt dich, aus
allen Sterblichen hat sie dich gewehlt; sie soll dich lieben,
das schwœr ich bey jedem meiner siegreichen Pfeile! Sie, die
jeden Lieb-Reiz vereint besizt, die sonst [130] im ganzen
Gefolge der Venus zerstreut entzyken, Glyklichster unter   35
den Sterblichen!

So sprach Amor, und flatterte den schœnsten Busen hinunter,
stieg in den Rosen-Wagen. – – – Izt eil ich nach Gnidus, so
sprach er, Chloens Bild soll in glænzendem Marmor neben
dem Bild meiner Mutter stehn; sie soll das Bildniß getreuer
5 Liebe seyn, und wer getreue Flammen in seinem Busen nehrt,
soll Blumen-Krænze an ihrem Altar ihr opfern.
Izt schwamm das Rosen-Blatt wieder in die Luft empor;
du sahst mein stummes Erstaunen, aber mein Entzyken
konnt' ich dir nicht sagen, nur an meine Brust dich dryken,
10 an deinen Hals mich schmiegen und seufzen.

[138]   AN DEN WASSERFALL.

Ist das der Ort, wo sonst Entzyken
    Im sanften Schatten auf mich kam?
Bist du es, Fels! wo aus den Stræuchen
15   Die Quelle hoch herunterstyrzt?

Da wo sonst deine klare Quelle
    Auf Schaum und Moos herab sich styrzt,
Da blinkt von Eis izt eine Sæule
    Vom unterhœlten Fels herab.

20 Wie œd, wie nakt sind die Gestræuche,
    Wo sonst im dunkeln Laub-Gewœlb
Die Zephir mit den Blythen spielten,
    Und mit dem sanft-bewegten Laub,

Daß schnell-verschwundne Sonnen-Stralen
25   Auf Wellen, Schaum und weichem Moos,
Wie Lichter durch den Schatten blizten,
    Wie œd, wie nakt hængt ihr herab!

[139]   Doch bald, bald kœmmt der Fryhling wieder,
    Hængt yber dich ein frisch Gewœlb,

Und œfnet die verschloßne Quelle,
　　Daß Kyhlung mit den Wellen fließt.

O dann nihm mich in deine Schatten,
　　Wo keine bange Sorg mich findt,
Du Wasser-Fall und du Gebysche,　　　　　5
　　Du Lager von dem weichsten Moos!

Dann kœmmt vom Thal und von den Hygeln,
　　Vom dunkeln Wald und von der Flur,
Mir kœmmt von jeder Fryhlings-Blume
　　Ein froh Entzyken in die Brust.　　　　10

Und, kœnnt' ich einen Fyrst beneiden,
　　Wenn neben mir im kalten Bach
Die Wellen mit der Flasche spielen,
　　Von altem Wein hoch aufgefyllt,

Und wenn in deinem kyhlen Schatten　　　15
　　Mir oft ein frohes Lied gelingt,
Das noch mit Unschuld-voller Freude
　　Des spæten Enkels Brust erfyllt?

Neue Idyllen.

1772.

DAPHNE. CHLOE.

D a p h n e. Sieh, schon steigt der Mond hinter dem schwarzen Berg herauf, schon glänzt er durch die obersten Bäume.
Hier dünkt es mich so anmuthsvoll, laß uns hier noch verweilen; indeß wird mein Bruder die Heerde wohlbesorgt
nach Hause führen.

C h l o e. Lieblich ist diese Gegend, lieblich des Abends
Kühlung; laß uns hier verweilen.

[6] D a p h n e. Sieh, da an der Seite des Felsen, das ist der
Garten des jungen Alexis. Komm, laß uns über den Zaun
sehn. Im Land ist dies der lieblichste Garten; keiner so
niedlich geordnet; keiner ist so gut gepflegt.

C h l o e. Seys denn, wir wollen.

D a p h n e. Kein Hirt weiß die Pflege der Pflanzen wie er.
Ists nicht so?

C h l o e. O ja!

D a p h n e. Sieh, wie alles mit gesundem Wuchse aufblühet,
was an der Erde wächst, und was an Stäben sich emporhält.
Dort rieselt Wasser vom Fels; sieh wie es, ein Bächgen,
durch die Schatten des Gartens fließt. Sieh, auf dem Felsen,
wo die Quelle sich stürzt, hat er von Geißblatt eine Laube

gepflanzt; da muß man wol ganz die weite schöne Gegend
sehn.

C h l o e. Mädgen, du lobest mit Hitze. [7] Lieblich ist alles.
Lieblicher der Garten des braunen Alexis, als alle Gärten des
Landes; schöner seine Blumen, als alle Blumen; so angenehm,　5
wie diese, rieselt keine Quelle; kein Wasser ist so kühl; kein
Wasser ist so süß.

D a p h n e. Aber du lachest Chloe!

C h l o e. Ey nicht doch. Sieh, ich breche diese Rose; sage
mir, ist ihr Geruch nicht süsser als aller andern Rosen? Lieb-　10
lich als hätte Amor selbst sie gepflegt.

D a p h n e. A[c]h! Sey nicht schalkhaft.

C h l o e. Nun, aber – – – Verdrücke den Seufzer nicht, der
deinen Busen hinaufdringt.

D a p h n e. Ach! Du bist boshaft; komm laß uns gehn.　15

C h l o e. So plötzlich? Mir gefällts hier so wohl, so wohl.
Doch horche – – Ich höre rauschen. Da unter dem Hollun-
dergesträuch [8] sieht man uns nicht. Ha! Sieh, er ist es
selbst. Still, sage mir ins Ohr, er ist doch wol auch schöner
als jeder andre Hirt?　20

D a p h n e. Ach! Ich gehe.

C h l o e. Ich lasse dich nicht: Sieh, er staunt, er seufzt; gewiß ein Mädchen sizt ihm tief im Busen. Kind, deine Hand
zittert. Fürchte dich nicht, es ist ja kein Wolf da.

D a p h n e. Laß mich, ach laß mich!　25
C h l o e. Still! Horche – –

Im Schatten des Hollundergesträuches standen die Mädgen
verborgen. Indeß hob Alexis, unbewußt daß er behorcht ist,
mit lieblicher Stimme diesen Gesang an:

Du blasser stiller Mond, sey Zeuge meiner Seufzer; und ihr,　30
ihr stillen Schatten, wie oft habt ihr Daphne, Daphne, mir
nachgeseufzt! Ihr Blümgen, die ihr mich umduftet, Thau
blinkt auf euern Blättern, wie der Liebe Thräne auf meinen
Wangen [9] blinkt. O dürft ich, dürft ichs ihr sagen, daß ich
sie liebe, mehr als die Biene den Frühling liebt! Jüngst fand　35
ich am Brunnen sie; einen schweren Krug hatte sie mit Was-

ser gefüllt. Laß mich die dir zu schwere Last des Kruges
nach deiner Hütte tragen. So stammelt ich: Wie bist du gütig, so sprach sie. Zitternd nahm ich den Krug, und blöde,
und seufzend, den Blick zur Erde geschlagen, gieng ich an
Daphnens Seite, und durft ihr nicht sagen, daß ich sie liebe,
mehr als die Biene den Frühling liebt. Wie hängst du traurig
da, an meiner Seite, kleine Narzisse; diesen Mittag noch in
frischer Blühte, izt verwelkt! Ach so, so werd ich junger
Hirte verwelken, wenn Daphne meine Liebe verschmäht!
Ach, wenn sie meine Liebe verschmäht, dann werdet ihr, ihr
Blumen, ihr mannigfaltigen Pflanzen, bisher meine Freude,
[10] meine süsseste Sorge, dann werdet ihr ungepflegt alle
verwelken; denn für mich blüht keine Freude mehr. Wildes
Unkraut wird euch dann ersticken; und verwachsne Dorn-
büsche werden mit ungesundem Schatten euch decken. Ihr
Bäume, die ihr die süssesten Früchte truget, von meiner
Hand hier gepflanzt; von Laub und Früchten entblößt,
werden eure todten Stämme traurig aus der Wildniß empor-
stehn, und hier, hier werd ich mein übriges Leben verseufzen.
Mögest du dann, indeß meine Asche hier ruhet, mögest du in
den Armen eines liebenswürdigern Gatten jedes süsseste
Glück in vollem Maasse geniessen! Doch nein, was plagt ihr
mich, ihr Bilder schwarzer Verzweiflung? Noch blühet meine
Hoffnung. Lächelt sie doch freundlich, wenn ich zögernd
neben ihr vorübergehe. Jüngst blies ich am Hügel auf meinem Rohr, als sie durch die na-[11]he Wiese gieng; sie stand
stille. Kaum hatt ich sie erblickt, so zitterten meine Lippen
und jeder meiner Finger; und blies ich gleich so schlecht, doch
blieb sie stehn und horchte. O wenn ich einst sie als Braut
in eure Schatten führe, dann sollen eure Farben höher glü-
hen, ihr Blumen; dann düftet ihr jeden Wolgeruch zu! Dann
bieget, ihr Bäume bieget, die schattigten Äste zu ihr herunter, mit süssen Früchten behangen!
So sang Alexis. Daphne seufzte, und ihre Hand zitterte in
ihrer Freundin Hand. Aber Chloe rief ihm: Alexis sie liebt
dich! Hier steht sie unter dem Hollunderbaum; komm küsse

die Thränen von ihren Wangen, die sie vor Liebe weint.
Schüchtern trat er hin; aber sein Entzücken kann ich nicht
sagen, als Daphne, schamhaft an Chloens Busen geschmiegt,
ihm gestand daß sie ihn liebe.

[12]   DER BLUMENSTRAUS.

Daphnen sah ich: Vielleicht, ach vielleicht würds mein Glück
seyn, hätt' ich sie nicht gesehn! So reitzend sah ich sie nie. An
der heissen Mittagssonne, lag ich im dunkeln Weidenbusch,
am kühlen Bache, da wo er sanft rieselnd durch Steine fällt.
Schatten wölbte sich über mir, und über dem kühlen Bache;
da saß ich ruhig: Aber seitdem, ach! ist für mich keine Ruhe
mehr. Nicht weit von mir rauschte das Gesträuche, und Daphne, Daphne kam, durch des Bordes Schatten, herunter an
den Bach. Reinlich zog sie ihr blaues Gewand von den kleinen weissen Füßen herauf, und trat in die helle Flut. Sie
bückte sich, und wusch mit der rechten Hand ihr reizvolles
Gesicht; mit [13] der linken hielt sie ihr Gewand, daß nicht
das Wasser es netze. Aber nun stand sie still, und wartete
bis kein Tropfe von ihrer Hand mehr das Wasser bewegte.
Still wars, und jeder ihrer Reitze schien ungefälscht ihr entgegen. Itzt lächelte sie ihre eigene Schönheit an, und drückte
das Geflechte der goldnen Haare zurechte, die sich in einen
reitzvollen Knoten verbanden. Für wen, so seufzt' ich, ach
für wen diese Sorgfalt; wem, ach wem will sie gefallen! Wer
ist der glückliche, um deswillen sie mit zufriednem Lächeln
sieht, daß sie so reitzend ist. Indeß sie gebückt so über dem
Bache stand, fiel der Blumenstrauß von ihrem Busen ins
Wasser, und schwamm, indeß sie weggieng, zu mir herunter.
Ich fieng ihn, ich küßt' ihn; für eine ganze Heerde hätt' ich
ihn nicht gegeben. Aber ach der Blumenstrauß welkt, ach er
welkt, der, nur zween [14] Tage sinds, mit der Quelle zu
mir floß! Ach wie ich ihn pflegte! In meiner Trinkschale

stand er, die ich im Frühling mit Gesang gewann. Amor sitzt
künstlich drauf geschnitten, in einer Laube von Geißblatt;
lächelnd versucht er die Schärfe seiner Pfeile mit der Spitze
der Finger, und vor ihm schnäbeln sich zwoo Tauben. Dreymal des Tages goß ich ihm frisch Wasser zu, und des Nachts
stellt' ich ihn am Gitter meines Fensters in den Thau. Dann
stand ich vor ihm, und athmete seine süssen Gerüche. Süsser
waren die Gerüche, glühender waren die Farben, als aller
Blumen des Frühlings; denn ach, an ihrem Busen haben sie
geblüht! Staunend stand ich dann vor der Schale. Ja Amor,
so seufzt' ich, sie sind scharf, deine Pfeile; wie sehr, wie sehr
muß ichs fühlen! Laß, o laß Daphnen nur die Hälfte so für
mich empfinden; dann will ich diese Schale [15] dir weihn.
Auf einem kleinen Altar soll sie stehn, und alle Morgen
umwind ich sie mit einem frischen Blumenkranz, und, ist es
Winter, mit einem Myrtenschoß. O mögtet ihr, kleine Tauben, mögtet ihr ein Bild meines künftigen Glückes seyn!
Aber ach, der Blumenstrauß welkt, so sehr ich ihn pflege;
traurig hängen die Blumen und blaß am Borde der Schale
herunter, hauchen keine Gerüche mehr, und ihre Blätter fallen. Ach Amor! Laß, ach laß ihr Welken für meine Liebe
nicht von übler Deutung seyn.

[16]　　　　　　　DAPHNE. MICON.

D a p h n e. Sage mir mein Geliebter, was soll dieser kleine
Altar hier? Welcher Gottheit ist er wol heilig?
M i c o n. Dem Amor, meine Geliebte, dem Amor ist er heilig. Ach wie süß ists mir, an dieser Quelle zu ruhen, wo wir,
du weissest es, kleine Kinder waren wir noch, nicht höher
als diese Aglaye, manche Stunde in süssen unschuldigen Spielen verkürzten. Ich selbst, ich habe dem Amor diesen Altar
geweiht: Denn da, süsses Andenken! da keimte die Liebe
schon in unsern Busen.

D a p h n e. Weissest du was? Ich will Myrthen und Rosen um diesen Altar pflanzen; dann soll sichs, schützet sie Pan, wie ein kleiner Tempel wölben; denn auch mir [17] auch mir, mein Geliebter, ist jenes Andenken süß.

M i c o n. Weissest du noch? Wir machten Schalen von Kürbis, legten Kirschen und Brombeeren drein, und liessen im Bach wie Schiffe sie schwimmen.

D a p h n e. Weissest du noch? Kleine Schälgen von Haselnüssen, und Schälgen von Eicheln und der gehölte Samenkopf der Feuerblume waren unser Hausgeräth: Wir tranken Tröpfgen Milch daraus, oder wir assen Brosamen und kleine Rosinen draus. Du warst da spielweise mein Mann, und ich dein Weib.

M i c o n. So ist es. Siehst du dieses Gesträuche? Noch wölbt sichs, aber nun ist es verwildert, das war unsre Wohnung; wir wölbtens so hoch wir reichen konnten. So klein wars, eine junge Ziege würde mit dem Hörngen das oberste des Gewölbes [18] zerrissen haben. Von Ästgen und Weidenruthen flochten wir die Wände umher, und vorne schloß ein Gittergen unser Haus. Ach wie süß, wie süß war jede Stunde, die wir rauben konnten, um als Mann und Weib hier zu wohnen?

D a p h n e. Ein Gärtgen pflanzt' ich vor dem Haus; weissest du noch? Von Schilf pflanzten wir einen Zaun umher[.] In einem Augenblick würds ein Schaf ganz abgemäht haben, so groß wars.

M i c o n. Noch weis ichs; die kleinsten Blümgen der Wiese und der Flur pflanztest du drein.

D a p h n e. Erfindsam warest du immer, mein Lieber! Aus der Quelle hast du einen Brunnen geleitet, inner unsern Zaun; durch holen Schilf führtest du das Wasser. In ein Beth fiels, das du von Holz höltest; ganz angefüllt wärs dem Durstigen ein gu-[19]ter Trunk gewesen. Doch sieh, da liegt es noch am Bache.

M i c o n. Ungesegnet ist das Haus, wo keine Kinder sind. Ein zerstümmelt Bildgen des Amor hattest du gefunden. Du

pflegtest ihn, und zogest ihn, als eine treue Mutter. Eine
Nußschale war sein Beth; da schlief er bey deinem Gesang
auf Rosenblättern und Blümgen.

D a p h n e. Ja, nun wird er uns die gute Pflege belohnen.

M i c o n. Einst macht ich von Binsen ein kleines Kefigt;
ein Heupferdgen that ich drein, und gab dir das Geschenke.
Du nahmst es heraus, mit ihm zu spielen. Du hieltest es;
aber gewaltsam wollt' es entfliehen, und ließ ein Beingen in
deinen Fingern zurück. Vor Schmerzen zitternd saß es da
auf einem Gräsgen. Sieh, o sieh das arme Thiergen! Sieh wie
es zittert; es schmerzt [20] dich; ach ich hab, ich habe dir
weh gethan. So sagtest du, und weintest voll Mitleid. Ach
wie entzückend war es mir, so gütig dich zu sehn.

D a p h n e. Noch gütiger warst du wol, mein Geliebter, da
als mein Bruder zwey junge Vögelgen aus dem Neste stahl!
Gieb mir die Vögelgen, so sagtest du; aber er gab sie nicht.
Diesen Stab will ich dir für die Vögelgen geben; sieh, mit
Müh und Fleiß hab ich die braune Rinde geschnitten, daß
Ästgen mit Laub um den sonst weissen Stab sich winden.
Der Tausch war gemacht, die Vögelgen dein. In deine Hir-
tentasche thatest du sie, klommest schnell den Baum hinauf,
und setztest sie in ihr Nest. Freudenthränen, mein Lieber,
netzten da meine Wangen. Hätt' ich dich vorher nicht ge-
liebt, so hätt' ich doch von da dich geliebt.

[21] M i c o n. So waren die Tage unsrer Kindheit honig-
süsse, da zum Spiel ich dein Mann war, du mein Weib.

D a p h n e. Auch mein graues Alter wird sie nicht vergessen.

M i c o n. Wie glücklich, meine Geliebte, werden unsre Tage
seyn, wenn den kommenden Mond, so hat es deine Mutter
geordnet, Hymen zum Ernst machet, was bisher nur süsses
Kinderspiel war.

D a p h n e. Segnen die gütigen Götter uns, dann, mein Geliebter, war Mann und Weib nie glücklicher als wir.

[22]   DIE SCHIFFAHRT.

>   Es flieht, das Schiff, das Daphnen weg
>   Zu fernem Ufer führt!
>   Zwar dich umflattre Zephir nur,
>   Nur Liebesgötter dich!

>   Ihr Wellen, hüpfet sanft ums Schiff!
>   Wenn nun ihr süsser Blick
>   Auf euern sanften Spielen ruht,
>   Ach, dann denkt sie an mich.

>   Ins Ufers Schatten singe dir
>   Jetzt jeder Vogel zu;
>   Und Schilf und Sträuche winket ihr
>   Von sanftem Wind bewegt.

>   Du glatte See bleib immer sanft!
>   Du trägst das schönste Kind
>   Das je den Fluten sich vertraut;
>   Rein, wie der Sonne Bild

[23] Das dort auf deinem Spiegel stralt,
>   Schön wie die Venus einst
>   Als sie, aus weissem Schaum hervor,
>   Auf ihre Muschel stieg.

>   Die Wassergötter, die sie sahn,
>   Vergassen da entzückt
>   Ihr plätschernd Spiel, vergassen da
>   Die schilfbekränzte Nymph.

>   Sie sahn der Eifersüchtgen Blick
>   Und lächelnd Winken nicht;
>   Die süsse Göttin sahn sie nur,
>   Bis sie ans Ufer stieg.

[24]   DER HERBSTMORGEN.

Die frühe Morgensonne flimmerte schon hinter dem Berg
herauf, und verkündigte den schönsten Herbsttag, als Micon
ans Gitterfenster seiner Hütte trat. Schon glänzte die Sonne
durch das purpurgestreifte, grün und gelb gemischete Reblaub, das, von sanften Morgenwinden bewegt, am Fenster
sich wölbte. Hell war der Himmel, Nebel lag wie ein See
im Thal, und die höhesten Hügel standen, Inseln gleich,
draus empor, mit ihren rauchenden Hütten, und ihrem bunten herbstlichen Schmuck, im Sonnenglanz; gelb und pur-
purn, wenige noch grün, standen die Bäume, mit reifen
Früchten überhangen, im schönsten Gemische. In frohem
Entzücken übersah er die weit ausgebreitete Gegend, hörte
das frohe Gebrüll der Heerden, und die Flöten der Hirten,
[25] nah und fern, und den Gesang der muntern Vögel, die
bald hoch in heller Luft sich jagten, bald tiefer im Nebel des
Thals sich verloren. Staunend stand er lange so; aber in
frommer Begeistrung nahm er izt die Leyer von der Wand,
und sang:
Möcht ich, ihr Götter! Möcht ich mein Entzücken, meinen
Dank euch würdig singen. Alles, alles glänzt in reifer Schönheit, alles überströmt in vollem Segen; Anmuth herrschet
überall und Freude, und von Bäumen und vom Weinstock
lächelt des Jahres Segen. Schön, schön ist die ganze Gegend,
in des Herbstes feyerlichstem Schmucke.
Glücklich ist der, dessen unbeflecktes Gemüth keine began-
gene Bosheit nagt; der seinen Segen zufrieden genießt, und,
wo er kann, Gutes thut. Ihn weckt zur Freude der helle
Morgen; der ganze Tag ist [26] ihm voll Wonne, und sanft
umfängt die Nacht ihn mit süssem Schlummer. Jede Schönheit, jede Freude, genießt sein frohes Gemüthe; ihn entzückt jede Schönheit des wechselnden Jahres, jeder Segen der
Natur.
Aber gedoppelt glücklich ist, der sein Glück mit einer Gattin
theilt, die Schönheit und jede Tugend schmückt; einer Gat-

tin, wie du bist, geliebte Daphne! Seit Hymen uns verband,
ist jedes Glück mir süsser. Ja, seit Hymen uns verband, war
unser Leben wie zwo wohlgestimmte Flöten, die in sanften
Tönen das gleiche Lied spielen; kein Mißton stört die süsse
Harmonie, und wer es hört wird mit Freud' erfüllt. War je
ein Wunsch, den mein Auge verrieth, den du nicht erfülltest?
War je eine Freude die ich genoß, die du nicht durch deine
Freude versüßest? Hat [27] ein Unmuth je mich bis in deine
Arme verfolgt, der nicht, wie ein Frühlingsnebel vor der
Sonne, verschwand? Ja, da ich als Braut dich in meine Hütte
führte, folgte dir jede Anmuth des Lebens. Zu unsern
freundlichen Hausgöttern setzten sie sich, um nimmer von
uns zu weichen: Wirthschaftliche Ordnung und Reinlichkeit,
und Muth und Freude bey jedem Unternehmen; und alles,
was du vollführest, ist von den Göttern gesegnet.

Seit du, o seit du der Segen meiner Hütte bist, seitdem ist
mir alles mit gedoppelter Anmuth geschmückt; gesegnet ist
meine Hütte; gesegnet meine Heerde, und alles was ich
pflanze, und alles was ich sammle. Freudig ist jeden Tages
Arbeit; und, komm ich müde zurück unter mein ruhiges
Dach, o wie entzücket mich da deine holde Geschäftigkeit
mich zu erqui-[28]cken! Schöner ist mir der Frühling, schöner
der Sommer und der Herbst; und, wenn der Winter um
unsre Hütte stürmet; dann, beym Feuerheerde, an deiner
Seite, unter Geschäften und sanftem Gespräche, fühl ich
ganz die Anmuth häuslicher Sicherheit. Bey dir eingeschlossen mögen Winde wüten, und Schneegestöber die ganze Aussicht rauben: Dann erst fühl ichs, wie du mir alles bist.

Die Fülle meines Glückes seyd ihr, ihr anmuthsvolle Kinder,
mit jedem Liebreitz der Mutter geschmückt; was für Segen
blüht in euch uns auf! Die erste Silbe, die sie euch stammeln
lehrte, wars, mir zu sagen, daß ihr mich liebet. Gesundheit
und Freude blühen in euch auf, und sanfte Gefälligkeit
herrschet schon in jedem eurer Spiele. Die Freude seyd ihr
unsrer Jugend, und euer Glück wird [29] einst des Alters
Freude seyn. Wenn ihr, komm ich vom Felde oder von der

Heerde zurück, an der Schwelle mit frohem Gewimmel mich
ruffet; an meinen Knien hangend, mit kindischer Freude
die kleinen Geschenke empfanget, süsse Früchte, oder was
ich bey der Wartung der Heerde kleines Feld- oder Garten-
geräthe euch schnizte, eure kleine Geschäftigkeit zu üben; o
wie erquickt mich dann jede eurer unschuldvollen Freuden!
Mit Entzüken eil ich dann, o Daphne, in deine offnen Arme,
und mit holder Anmuth küssest du die Thränen meiner
Freude von meinen Wangen.

Aber izt kam Daphne, ein anmuthsvolles Kind auf jedem
Arm; schön war sie, wie der thaubenezte Morgen, mit Freudenthränen auf den Wangen. O mein Geliebter, so schluchzte
sie, o wie bin ich glück-[30]lich! Wir kommen, o wir kommen dir zu danken daß du so uns liebst.

Izt schließt er alle drey in seine Arme. Sie redeten nicht, sie
empfanden nur ihr ganzes Glück: Und wer sie da gesehen
hätte, würde, durch die ganze Seele gerührt, empfunden haben, daß Tugendhafte glücklich sind.

[31]   DIE NELKE.

Ein Nelkenstock ist in Daphnens Garten, am Zaun. Im Garten gieng sie, trat zum Nelkenstock; eine Nelke, rothge-
streift, blühte da frisch auf. Jezt bog sie lächelnd die Blume
zu ihrem schönen Gesicht, und freute sich des süssen Geru-
ches; die Blume schmiegte sich an ihre Lippen. Warme Röthe
stieg auf meine Wangen; denn ich dachte: Könnt, o könnt
ich so die süssen Lippen berühren! Weg gieng jezt Daphne;
da trat ich an den Zaun. Soll ich, soll ich die Nelke brechen,
die ihre Lippen berührten? Mehr würd ihr Geruch mich erquicken, als Thau die Blumen erquickt. Begierig langt’ ich
nach ihr: Nein, so sprach ich, sollt ich die Nelke rauben die
sie liebt? Nein, an ihren Busen wird Da-[32]phne sie pflanzen; dann werden ihre süssen Gerüche zum schönen Gesicht
aufdüften, wie ein süsser Geruch zum Olymp aufsteigt wenn
man der Göttin der Schönheit opfert.

[33]   DAS GELÜBD.

Laßt, Nymphen, o laßt das Wasser eurer Quelle an mir
gesegnet seyn, wenn von der Hüft’ ich mein Blut wasche, das
aus der Wunde floß! Laßt, o laßt mirs heilsam seyn, ihr
Nymphen dieser Quelle: Nicht Zank, nicht Feindschaft ist
die Schuld von diesem Blut. Amyntens Knabe schrie im
Hain, von einem Wolf ergriffen; er schrie, und schnell, den
Göttern seys gedankt, war ich zur Rettung da. Als unter
meinen Streichen der Wolf noch rang, hat er mit scharfer
Klaue die Hüfte mir verwundet. Ihr Nymphen seyd nicht
böse, wenn ich die reine Quelle trübe, mit Blut das aus der
Wunde floß! Ein junges Böckgen will ich morgen früh euch
hier am Ufer opfern, weiß wie der Schnee der eben fiel.

[34]   DIE ZEPHYRE. *Dialog*

Erster Zephyr. Was flatterst du so müssig hier im Rosenbusch? Komm, fliege mit mir ins schattigte Thal; dort baden Nymphen sich im Teich.

Zweyter Zephyr. Nein, ich fliege nicht mit dir. Fliege du zum Teich, umflattre deine Nymphen; ein süsseres Geschäft will ich verrichten. Hier kühl' ich meine Flügel im Rosenthau, und sammle liebliche Gerüche.

Erster Zephyr. Was ist denn dein Geschäft, das süsser ist, als in die Spiele froher Nymphen sich zu mischen?

[35] Zweyter Zephyr. Bald wird ein Mädgen hier den Pfad vorübergehn, schön wie die jüngste der Grazien. Mit einem vollen Korb geht sie bey jedem Morgenroth zu jener Hütte, die dort am Hügel steht: Sieh, die Morgensonne glänzt an ihr bemoostes Dach; dort reichet sie der Armuth Trost, und jeden Tages Nahrung; dort wohnt ein Weib, fromm, krank und arm; zwey unschuldvolle Kinder würden hungernd an ihrem Bethe weinen, wäre Daphne nicht ihr Trost. Bald wird sie wieder kommen, die schönen Wangen glühend, und Thränen im unschuldvollen Auge; Thränen des Mitleids, und der süssen Freude, der Armuth Trost zu seyn. Hier wart' ich, hier im Rosenbusch, bis ich sie kommen sehe: Mit dem Geruche der Rosen, und mit kühlen Schwingen flieg' ich ihr dann ent-[36]gegen; dann kühl' ich ihre Wangen, und küsse Thränen von ihren Augen. Sieh das ist mein Geschäft.

Erster Zephyr. Du rührest mich: Wie süß ist dein Geschäft! Mit dir will ich meine Flügel kühlen, mit dir Gerüche sammeln, mit dir will ich fliegen wenn sie kömmt. Doch – – – sieh, am Weidenbusch herauf kömmt sie daher; schön ist sie wie der Morgen; Unschuld lächelt sanft auf ihren Wangen, voll Anmuth ist jede Gebehrde. Auf, da ist sie, schwinge deine Flügel; so schöne Wangen hab ich noch nie gekühlt!

[37]   DAPHNIS. CHLOE.

Früh am Morgen trat Daphnis aus der Hütte, und fand
Chloen, seine kleinere Schwester, beschäftigt aus Blumen
Kränze zu winden. Thau glänzte auf allen, und zu dem
Thau fielen ihre Thränen.

D a p h n i s. Liebe Chloe, was sollen diese Kränze? Du weinest, ach!

C h l o e. Weinst du doch selbst, mein Lieber! Aber ach!
Sollten wir nicht weinen? Sahst du es, wie traurig unsere
Mutter bey uns vorübergieng; wie sie uns die Hände drückte
und schluchzte, und ihr thränenvolles Aug verbarg.

D a p h n i s. Ich sah es. Ach unser Vater! Er muß wohl
mehr krank seyn als er gestern war.

C h l o e. Ach, mein Bruder, mein Bru-[38]der! Wenn er
stirbt! – – Ach wie er uns lieb hat, wie er uns küßt, wie er
uns herzt, wenn wir thun was er gerne hat, und was den
Göttern gefällt!

D a p h n i s. Ach liebe liebe Schwester! Wie traurig alles ist!
Umsonst liebkoset mich mein kleines Schaf; fast, ach fast
vergeß ichs, ihm seine Speise zu geben. Umsonst flattert
meine Taube auf meine Schulter, und schnäbelt mich um
meine Lippen um mein Kinn; nichts, nichts macht mir
Freude! Ach unser Vater! Sollt er sterben, ich stürbe auch.

C h l o e. Ach, unser Vater! Weissest du noch? Fünf Tage
sinds nun, seit er uns beyde auf seinem Schoosse hielt und
weinte – – –

D a p h n i s. Ach Chloe! Wie er uns auf die Erde stellte,
wie er erblaßte! Ich kann euch nicht mehr halten, geliebte
[39] Kinder! Mir ist übel, sehr übel; und da wankt er zu
seinem Bethe: Seitdem ist er krank.

C h l o e. Ach immer kränker! Sieh was ich vorhabe, Bruder. Früh gieng ich aus der Hütte, um frische Blumen zu
brechen, und diese Kränze zu machen; dann gehe ich zu der
Bildsäule des Pan; denn, immer sagen unser Vater und unsre
Mutter, die Götter sind gütig, und hören gerne fromme Ge-

bete. Ich will gehn, und diese Kränze ihm opfern; und, sieh
du es hier im Kefigt, das liebste was ich habe, mein Vögelgen, will ich ihm auch opfern.

D a p h n i s. Ach, meine liebe Schwester! Ich will mitgehn;
warte, nur zween Augenblicke warte: Ich will mein Körbgen
voll der schönsten Früchte holen; und meine Taube, die will
ich auch zum Opfer bringen.

[40] Er lief, und kam bald zurücke; und sie giengen zu der
Säule des Pan, die nicht weit unter Fichten auf einem Hügel
stand. Jezt knieten sie vor ihm hin; und so fleheten sie zu
dem Gotte:

D a p h n i s. Pan, du gütiger Schützer unsrer Triften, höre,
höre unser Flehn! Wir sind die Kinder des kranken Menalkas; höre, o höre unser Flehn!

C h l o e. Höre, o höre unser Flehn, guter Pan! Nimm an
unser kleines Opfer wie Kinder es geben können: Diese
Kränze leg' ich vor dir hin; möcht' ichs erreichen, um deine
Schläfe und deine Schultern würd' ich sie winden. Rette, o
rette, gütiger Pan, unsern Vater, und schenke ihn uns armen
Kindern wieder – –

D a p h n i s. Diese Früchte bring ich dir, die süssesten die
ich habe; nimm, ach nimm sie gütig an! Die beste Ziege würd'
[41] ich dir geopfert haben, wäre sie nicht stärker als ich
Kind bin. Aber bin ich grösser, dann opfre ich dir alle Jahre
zwo, daß du unsern Vater uns schenktest. Laß unsern besten
Vater gesund werden!

C h l o e. Dieses Vögelgen will ich dir opfern, gütiger Pan;
es ist unter allem das ich habe das liebste. Sieh, es fliegt auf
meine Hand, um Speise zu haben; aber opfern will ichs dir,
guter Pan!

D a p h n e. Und diese Taube würg' ich dir. Sieh, sie will
spielen und freundlich thun; aber opfern will ich sie, guter
Pan, daß du den Vater uns schenkest: Höre, o höre unser
Flehn!

Die Kinder wollten izt würgen mit kleinen zitternden Händen; aber eine freundliche Stimme rief: Gerne hören die

Götter die Gebete der Unschuld; würget eure Freude nicht
Kindergen, euer Vater ist gesund! [42] Und er war gesund.
Entzückt über die Frömmigkeit der Kinder, giengen sie sel-
biges Tages noch alle, dem Pan zu opfern; und Menalkas
erlebte in vollem Segen seine Enkel.

[43]   ERYTHIA.

M y r s o n. Hier laß uns im Bache gehn, das Wasser kühlt
unsre Füsse; über uns wölben sich Weiden und schlanke
Eschen mit Schatten.

L y c i d a s. Seys denn; bey dieser schwülen Hitze sucht
jeder schmachtend die Kühlung.

M y r s o n. Laß uns gehn bis dahin wo der Bach herunter
sich stürzt; lieblich ists dort und kühl, als schwämmst du
beym Mondschein im Wasser.

L y c i d a s. Horche, schon hör ich des fallenden Wassers
Geräusche. Es ist, als sucht' jedes Geschöpf' in diesen Schatten seine Freude. Welch Gesumse, welch Schwirren, welch
Zwitschern, welch frohes buntes Gewimmel flattert da im
Schatten! Diese kleine Wasserstelze, will sie den [44] Weg
uns weisen? Sieh, wie sie vor uns her so munter von Stein
zu Steine hüpft. Ha! Sieh da, wie ein heller Sonnenstral in
diesen holen Weidenstamm fällt, mit Winden und Epheu behangen. Sieh doch, ein junges Böckgen schläft drinnen; wie
schlau hat sich das die angenehme Ruhstatt gewählt!

M y r s o n. Du siehst alles; nur nicht, daß wir da sind wo
wir seyn sollen.

L y c a s. Ha ja! Pan! Ihr Götter! Welch angenehmer Ort ist
das!

M y r s o n. Wie ein silberner Teppich, den ein sanfter Wind
bewegt, deckt der stürzende Bach die hinter ihm sich wölbende
Höle; ein Kranz von Gesträuchen umfaßt ihn. Komm, laß
uns hinter den Wasserfall in die Höle gehn.

L y c a s. Ha, mir schauerts von angenehmer Kühlung! Wie
der Bach vor uns [45] niederplätschert! Jeder stürzende
Tropfe flimmert am Sonnenstrahl wie Feuer.

M y r s o n. Laß hier auf die höhern mit Moos bedeckten
Steine uns sizen; unsre Füsse ruhen unbenetzt auf denen die
in dem Wasser liegen, indeß daß der Wasserfall uns in die
Höle verschließt.

L y c a s. So einen anmuthsvollen Ort hab ich noch nie gesehn.

M y r s o n. Ja anmuthsvoll ist er; auch ist er dem Pan heilig.
Am Mittag fliehn ihn die Hirten; man sagt, daß er dann oft
da ruhet. Auch wird von der Quelle eine Geschichte gesungen: Verlangest du das, so will ich sie singen.

L y c a s. Hier sizen wir bequem; auf diesem Polster von
Moos lehn ich mich an die Felsenwand hin, und höre mit
Entzüken deinen Gesang.

Schön, du Tochter des Eridanus, schö-[46]ner als alle von
Dianens Gefolge, warst du Erythia. War gleich ihre Schönheit noch im Aufblühn, halb Kind noch, war sie schon von
schlanker Grösse; kindische Unschuld lächelte noch im schönen Gesichte, und Schüchternheit im glänzend blauen Auge;
ihr junger Busen, nur sanft gewölbt, versprach erst noch den
vollern Wuchs. Bey der Sonnenhitze hatte mit ihren Gespielen sie auf den Gebürgen die Rehe verfolgt; und müde, und
von Durst schmachtend lief sie zu einer Quelle. Sie kühlte
die Hand, und wusch ihr schönes Gesicht; dann schöpfte sie
einen kühlen Trunk, und schlürft' ihn mit kleinen Lippen.
So beschäftigt, über den Bach gebückt, dachte sie an keine
Gefahr; aber Pan hatte aus nahen Gesträuchen sie betrachtet,
und Liebe flammete schnell in seinem Busen auf. Ihr unbemerkt schlich er herbey, bis das Ge-[47]räusche des nähesten
Grases an ihrem Rüken ihn verrieth. Erschrocken sprang
sie auf, entwischte seinen nervigten vor Verlangen zitternden Armen; schon fühlte seine Wärme sie an ihren Hüften;
ein Rosenblatt hätt' ausgefüllt, was zwischen ihr und seiner
Hand noch war. Schnell sprang sie über den Bach, leicht war

sie wie ein Reh, Schrecken machte sie schneller; so lief sie,
er lief ihr nach; so lief sie über die Trift hin, wie ein schneller Wind über des Grases Spitzen streift; aber plötzlich stand
sie vor Entsetzen still. Am äussersten Rand eines Felsen
stand sie, bebte zurück, und sah erblassend ins tiefe Thal.
Dann rief sie mit ängstlichem Geschrey: O Diana! Schüzerin
der Keuschheit, o rette, rette mich, daß kein unkeuscher Arm
meine Hüften umschlinge! Rette, o rette, Diana, [S]chützerin
der Keuschheit! Aber der Gott war an ihrer [48] Ferse schon;
schon fühlt sie seinen Athem, und jetzt seinen umschlingen-   1
den Arm. Doch die der Liebe ungewogne Göttin hört' ihr
angstvolles Flehn; Wasser trieft von seinen umschlingenden
Armen, und die an sie gedrückte Brust herunter: sie zer-
schmilzt in seiner Umarmung zur Quelle; schmilzt, wie
Frühlingsschnee an einem braunen Felsen; schmilzt, trieft   1
von seinen Armen, rieselt sein Knie herunter, rieselt durchs
Gras, stürzt von der Felsenwand, und rieselt schon unten im
Thal. Und so entstand Erythia, die reine Quelle.

[49]   MYCON.

Von Miletus kamen wir, Milon und ich, Apollen unser Op-   2
fer zu bringen. Schon sahn wir von ferne den Hügel, auf
dem der Tempel auf glänzenden Säulen aus dem Lorbeer-
hain hoch in die blaue Luft emporsteht; und weiter hinaus
flimmerte, dem Auge endlos, die Aussicht ins Meer. Mittag
wars, und der Sand brannte unsre Solen, und die Sonne die   2
Scheitel; so gerade stand sie über uns, daß die Locken an
der Stirne ihre Schatten das ganze Gesicht herunter warfen.
Die Eidexe schlich lächend im Farrenkraut am Weg, und
die Grille und die Heuschrecke zwitscherten unter dem
Schatten der Blätter im gesengten Grase. Von jedem Tritt   3
flog heisser Staub auf, und brannte die Augen, und saß auf
die [50] gedörreten Lippen. So giengen wir schmachtend:

Aber wir verlängerten die Schritte, denn vor uns sahn wir
am Wege dicht emporstehende Bäume; schwarz war der
Schatten unter ihnen wie Nacht. Mit schauerndem Entzücken
traten wir da in die lieblichste Kühlung. Entzückender Ort,
der so plötzlich mit jeder Erquickung uns übergoß! Die
Bäume umkränzten ein grosses Beth, worein die reinste, die
kühleste Quelle sich ergoß. Die Äste hiengen ringsum zu ihr
herunter, mit reifen Äpfeln und Birnen behangen, und zwischen den Stämmen der Bäume flatterten fruchtbare Gesträuche, Krauselbeeren und Brombeeren, und die Erbselstaude.
Aber die Quelle rauschte aus dem Fuß eines Grabmals
hervor, das Geißblatt und die schlanke Winde, und schlei-
chender Epheu umwanden. Götter, so rief ich, wie lieblich
ist dieser Ort der Erqui-[51]kung! Heilig und gesegnet sey
mir, der diese Schatten so gutthätig gepflanzt hat; vielleicht
ruht seine Asche hier. Hier, sprach Milon, hier an der Vor-
derseite des Grabmals sehe ich unter den Ranken von Geißblatt eingegrabene Züge; vielleicht sagen uns die, wer er ist,
der so für des Wandrers Erfrischung sorgt. Und jetzt hob er
die Ranken mit seinem Stab, und las:
Hier ruht die Asche des Mycon! Gutthätigkeit war sein
ganzes Leben. Lange nach seinem Tod wollt' er noch gutes
thun, und leitete diese Quelle hieher, und pflanzte diese
Bäume.
Gesegnet sey deine Asche, du Redlicher, so sprach ich; gesegnet die Deinen, die du zurückliessest! Und da kam jemand
unter den Bäumen hervor; ein schönes Weib wars, von
schlanker Gestalt und edlem Ansehn. Einen Wasserkrug trug
sie am Arm, und [52] so kam sie zu der Quelle. Seyd mir
gesegnet in diesen Schatten, so redte sie mit holder Freund-
lichkeit; ihr seyd Fremde; vielleicht, vielleicht hat ein zuweiter Weg bey der Sonnenhitze euch ermüdet. Sagt, kann zu
eurer Erfrischung noch etwas euch dienen, als was ihr hier
findet?
Sey uns gesegnet, so erwiederten wir, gutthätiges Weib. Wir
bedörfen keiner andern Erfrischung; süß hat uns diese

Quelle, süß diese Früchte und dieser Schatten erquickt. Ehrfurcht erfüllt uns für den Redlichen, dessen Asche hier ruhet, der so für die Bedürfnisse des Wandrers sorgte. Du bist von dieser Gegend, du kanntest den Mann; sag uns, indeß dieser heilige Schatten uns kühlt, sag uns wer er war?

Jetzt stellte die Frau ihren Wasserkrug auf den Fuß des Grabmals, lehnte sich drauf, und sprach mit freundlichem Lächeln:

[53] Mycon, so hieß er, der die Götter ehrte, dessen süsseste Wollust war, andern Gutes zu thun. In dieser ganzen Gegend wird kein Hirt seyn, der nicht mit Freundschaft und Dankbarkeit sein Andenken ehrt; keiner der nicht Geschichten seiner Redlichkeit und seiner Güte mit Freudenthränen erzählt. Ich selbst, ich danks ihm, daß ich das glücklichste Weib bin, – – hier glänzten Thränen in ihren Augen – – das Weib seines Sohns. – – Mein Vater war gestorben; in kummervoller Armuth ließ er ein redliches Weib und mich zurück. In häuslicher Stille, von unsrer Arbeit und frommer Gutthätigkeit genährt, lebten wir, und Tugend und Frömmigkeit war unser einziger Reichtum. Zwo Ziegen gaben uns ihre Milch, und ein kleiner Baumgarten seine Früchte. Nicht lange lebten wir in dieser Ruhe; auch meine Mutter starb, und hinterließ mich [54] trostloses Kind. Aber Mycon nahm mich in sein Haus, und übergab mir häusliche Geschäfte, und war mehr mein Vater als mein Herr. Sein Sohn, der beste und schönste Hirt der ganzen Gegend, sah meine redliche Geschäftigkeit, und meine aufmerksame Sorge meines Glükkes werth zu seyn; er sah es und liebte mich, und sagt' es mir, daß er mich liebte. Was in meinem Herzen ich empfand, wollt' ich mir selbst nicht gestehn. O Damon, Damon! Vergiß deine Liebe! Ich armes Mädchen bin glücklich genug, die Dienstmagd deines Hauses zu seyn. So fleht ich ihm immer, aber er vergaß seine Liebe nicht. Eines Morgens war eben im Vorhaus beschäftigt, die Wolle der Heerde zur Arbeit zu rüsten: Da trat Mycon herein, und setzte sich neben mir an die Morgensonne; lange sah er mit freundlichem Lä-

cheln mich an. [55] Kind, so sprach er jetzt, deine Frömmigkeit, deine Geschäftigkeit, dein ganzes Betragen gefallen mir
so wohl; du bist das beste Kind, und ich will, geben die Götter das Gedeyen, ich will dich glücklich sehn! Könnt' ich,
5 mein bester Herr, könnt' ich glücklicher seyn, als wenn ich
deiner Gutthaten würdig bin! So antwortete ich, und Thränen der Dankbarkeit flossen von meinen Augen. Kind,
sprach er, ich möchte das Andenken deines Vaters und deiner
Mutter ehren; ich möcht' in meinem Alter meinen Sohn
10 und dich glücklich sehn. Er liebt dich; kannst du, sage mirs,
kannst du durch seine Liebe glücklich seyn? Jetzt entsank
die Arbeit meiner Hand; zitternd, erröthend stand ich vor
ihm. Er nahm meine Hand; und, kannst du, so sagt er,
kannst du durch seine Liebe glücklich seyn? Ich fiel vor ihm
15 nieder, drückte im stummen Entzücken [56] seine Hand an
mein bethräntes Gesicht; und von selbigem Tag an bin ich
das glücklichste Weib. Jetzt trocknete sie ihre Augen. Das
war der Mann, der hier ruhet, so fuhr sie fort: Aber wie er
diese Quelle hieher geleitet, und diese Schatten gepflanzt
20 hat, das wünscht ihr noch zu wissen, und ich wills euch erzählen:
Gegen dem Ende seines Lebens gieng er oft, und setzte sich
hier an die Strasse, grüßte freundlich den Wandrer, und bot
dem Armen und dem Müden Erquickung. Wie, wenn ich
25 einen kühlen Schatten von fruchtbaren Bäumen hier pflanzte, und eine kühle Quelle in diesen Schatten leitete? Weither
ist keine Quelle und kein Schatten. So erquick ich, wenn ich
lange nicht mehr bin, den Müden, und den der an der Sonnenhitze schmachtet. So sprach er, und ließ vom Feld her die
30 kühleste Quelle lei-[57]ten, und pflanzte fruchtbare Bäume
umher, die früher und später reifen. Die Arbeit war vollendet; und jetzt gieng er zum Tempel des Apoll, opferte und
bat: Laß, was ich pflanzte, gedeyen; so kann der Fromme,
der fernher zu deinem Tempel geht, im kühlen Schatten sich
35 erfrischen.
Der Gott hatte seine Bitte gnädig erhört. Den folgenden

Morgen erwacht' er frühe, und sah aus seinem Fenster nach
der Strasse. Da sah er, wo er die Sprößlinge pflanzte, hoch-
aufgewachsene Bäume. Götter, so rief er, was seh ich! Kinder, sagt mirs, täuscht mich ein Traum? Ich sehe, was ich
gestern gepflanzt, zu Bäumen emporgewachsen. Voll heiligen   5
Erstaunens giengen wir jetzt unter den Schatten; in volle-
stem Wuchse standen die Bäume da, und streckten die starken Äste weit umher; die Last der reifen Früchte bog sie
herunter zum blumigten [58] Gras. O Wunder, so rief der
Greis, ich Alter soll selbst noch in diesen Schatten wandeln!   10
Und wir dankten und opferten dem Gotte, der so gnädig
noch mehr als seine Wünsche erfüllte. Aber ach! Er wandelte
nicht lange mehr in diesen Schatten; er starb, und wir begru-
ben ihn hier; daß der, welcher in diesen Schatten ruhet,
dankbar seine Asche segne.   15
So erzählte sie. Gerührt segneten wir die Asche des Redlichen. Süß hat uns die Quelle, süß der Schatten erquickt; aber
mehr noch, was du uns so freundlich erzähltest; sey uns gesegnet! So sprachen wir, und giengen voll frommer Empfindung zum Tempel des Apoll.   20

[59]   THYRSIS.

Umsonst, so klagte Thyrsis seine Qual, für mich umsonst, ihr
gütigen Nymphen, schwebt angenehme Kühlung in diesen
Schatten, wo ihr eure Quellen im wölbenden Geträuch aus-
giesset. Ich schmachte, ach, wie man an der Sommersonne   25
schmachtet! Unten am kleinen Hügel, auf dem die Hütte der
Chloe steht, saß ich, und blies der Echo ein sanftes Liedgen
vor. Oben beschattet den Hügel der Baumgarten, den sie
wartet und pflanzt, und neben mir plätscherte das Wasser
herunter, das ihn durchschlängelt, an dessen blumigtem Bord   30
sie oft schlummert, oft ihre Hände und Wangen kühlt.
Plötzlich hört ich das Knarren des Riegels, der des Gartens

Thüre schließt. Sie trat heraus; ein sanfter Wind flatterte
[60] in ihrem blonden Haar und im leichten Gewand. O wie
schön, wie schön war sie! Ein reinliches Körbgen voll glänzender Früchte trug sie an der einen Hand; und schamhaft,
5 auch da wo sie keinen Zeugen vermuthet, hielt sie mit der
andern das Gewand über den jungen Busen vest; denn ihn
würde der Wind in seinem Spiel entblösset haben; aber es
schmiegte sich um Hüften und Knie, und flatterte sanft rauschend rückwerts in die Luft. So gieng sie auf der Höhe des
10 Hügels vorüber. Aber zween Äpfel fielen vom Körbgen,
und hüpften den Hügel hinunter, gerade auf mich, auf mich
zu, als hätt' Amor selbst ihren Lauf gelenkt. Ich nahm sie
von der Erde, und drückt' an meine Lippen sie; und so trug
ich sie den Hügel hinauf und gab sie dem Mädchen wieder;
15 aber meine Hand zitterte, ich wollte reden, aber ich
[61] seufzte nur. Aber Chloe blickte nieder, sanfte Röthe
überhauchte ihre schönen Wangen; sanft lächelnd, und
röther, schenkte sie die schönen Äpfel mir. Jetzt standen wir,
ach was ich empfand! schüchtern beyde; jetzt gieng sie mit
20 sanftem Schritt der Hütte zu. Mein unverwandter Blick sah
ihr nach; da sie hineintrat, sah sie zögernd und freundlich
noch einmal zurücke; sah ich sie gleich nicht mehr, mein
Blick war doch an die Schwelle der Thüre geheftet. Jetzt
gieng ich, Zittern war in meinen Knien, den Hügel hinunter.
25 Ach, Stehe du mir bey, gütiger Amor! Was ich seither empfinde, wird nie wieder in meinem Busen erlöschen.

[62]   AN DEN AMOR.

> Ach Amor, lieber Amor!
> Schon an dem ersten May
> Baut in des Gartens Ecke
> Ich den Altar für dich,   5
> Und pflanzte Rosenhecken
> Und Myrthen drüber her:
> Und lag nicht jeden Morgen
> Thauvoll ein Blumenkranz
> Auf deines Altars Mitte?   10
> Ach alles war umsonst!
> Schon streifen Winterwinde
> Das Laub von Baum und Strauch,
> Und Phillis ist noch spröde,
> Spröd wie am ersten May.   15

[63]   DAPHNIS.

In stiller Nacht hatte Daphnis sich zu seines Mädgens Hütte
geschlichen; denn die Liebe macht schlaflos. Hell schimmerten
die Sterne durch den ganzen Himmel gesäet; sanft glänzte
der Mond durch die schwarzen Schatten der Bäume; still   20
und düstern war alles; jede Geschäftigkeit schlief, und jedes
Licht war erloschen. Nur Funken vom Mondschein hüpften
auf rieselndem Wasser, oder ein seltenes Würmgen leuchtete
im tiefesten Dunkel. Da saß er der Hütte gegenüber in
schwermüthiger Entzückung, und sah nur mit vestgeheftetem   25
Blick das Fenster der Kammer wo sein Mädgen schlief. Halb
geöffnet wars den kühlen Winden und des Mondes sanftem
Licht. Mit sanfter Stimme hub' er jetzt diesen Gesang an:
[64] Süß sey dein Schlummer, du meine Geliebte! Erquik-
kend wie der Morgenthau! Sanft und ruhig liege dort, wie   30
ein Tropfe Thau im Lilienblatt, wenn die Blumen kein

Hauch bewegt; denn sollte reine Unschuld nicht ruhig
schlummern? Nur süsse frohe Träume sollen um sie schwe-
ben. Steigt herunter süsse Träume, auf den Stralen des Mondes steigt zu ihr herunter! Nur frohe Triften soll sie sehn,
5 wo milchweisse Schafe weiden; oder ihr solls dünken, sie
höre den Gesang sanfter Flöten, schön wie Apoll sie spielt,
durchs einsame Thal tönen. Oder laßt ihr seyn, sie bade in
einer reinen Quelle sich, und Myrthen- und Rosenstauden
wölben sich um sie her; von niemandem gesehn, als den
10 kleinen Vögelgen, die ihr von jedem Ästgen singen. Oder ihr
dünke, als spielte sie mit den Huldgöttinnen; und sie nennen
sie Geliebte und [65] Schwester; und sie brechen Blumen in
der schönsten Flur; die Kränze, die sie flicht, gehören den
Huldgöttinnen; die jene flechten, gehören ihr. Oder laßt sie
15 im Schatten von Bäumen durch balsamdüftende Blumen
irren: Laßt kleine Liebesgötter wie Bienen schwärmen, sich
fliehn und sich haschen; zehn fliegen mit der Last eines
düftenden Apfels her; ein andrer Schwarm bringt eine reife
Traube; die andern schwärmen in Blumen und jagen ihr
20 Gerüche zu. Dann komme im Schatten ihr Amor entgegen,
doch ohne Bogen und Pfeile, daß sie nicht schüchtern wird;
aber mit jeder süssesten Anmuth des Liebreitzes geschmückt.
Auch laßt mein Bild ihr erscheinen, wie ich schmachtend
vor ihr steh, erröthend niederblicke, und mit Seufzen unter-
25 brochen ihr sage, daß ich vor Liebe verschmachte. Noch durft
ichs ihr nicht sagen. O möchte [66] bey diesem Traum ein
Seufzer ihren Busen schwellen! Möchte schlafend sie sanft
lächeln und erröthen! O möcht ich schön seyn, wie Apoll da
er die Heerden weidete; möchten meine Lieder süß tönen,
30 wie die Lieder der Nachtigall; möchte jede Tugend mich
schmücken, daß ichs werth wäre von ihr geliebt zu seyn!
So sang er; und dann gieng er im Mondschein nach seiner
Hütte zurück. Hoffnungsvolle Träume versüsseten ihm die
übrigen Stunden der Nacht. Früh am Morgen trieb er seine
35 Heerde den Hügel hinan, wo seines Mädgens Hütte am
Wege steht. Langsam giengen seine Schafe, und weideten zu

beyden Seiten des Bordes. Graset ihr Schafe, ihr Lämmer;
nirgend ist bessere Weide! Wo sie hinblickt blühet alles
schöner; wo sie wandelt wachsen Blumen. So sagt' er, als
sein Mädgen ans [67] Fenster stand. Die Morgensonne be-
schien ihr schönes Gesicht: Deutlich sah ers, daß sie lächelnd   5
ihn anblickte, und daß ein höheres Roth auf ihre Wangen
stieg. Langsam mit pochendem Herzen gieng er vorüber:
Holdselig grüßt sie ihn, und holdselig blickt sie ihm nach;
denn sie hatte seinen nächtlichen Gesang behorcht.

[68]   THYRSIS u[nd] MENALKAS.   10

T h y r s i s. Dem Amor hatt' ich ein Gelübde gebracht, im
kleinen marmornen Tempel. Ein reinliches, ganz neues Körbgen hieng ich im Myrtenwäldgen auf, und einen frischen
Kranz, und meine beste Flöte. O lieber Amor, sey, (so fleht'
ich) sey meiner Liebe gewogen! Heute gieng ich beym klei-   15
nen Tempel vorbey, trat in den Myrtenhain, und sah nach
meinem Körbgen. Und sieh, sieh, was ich da sah. Ein Vögelgen saß auf des Körbgens Rand und sang. Da trat ich näher,
da flog es weg; ich sah ins Körbgen, und sieh, ein wohlge-
bautes Nestgen war, und Eyergen waren drinnen; und das   20
Weibgen schmiegte sorgsam sich drüber, und blickte mich an,
als wollt es mich flehn: Zerstöre, junger [69] Hirt, o zerstöre
die kleine Wirthschaft nicht! Der andre flatterte um meine
Stirn und Haare. Ich gieng zurück, schnell war das Männgen
wieder auf des Körbgens Rand; mit frohem Zwitschern freu-   25
ten sie sich und sangen. Nun sage du mir, lieber Menalkas,
der du alle Deutungen weissest, sage mir, was bedeutet
das?
M e n a l k a s. Glücklich werdet ihr, dein Mädgen und du,
beysammen wohnen, und fruchtbar wird eure Liebe seyn!   30
T h y r s i s. Bey den Göttern! Das dacht ich auch; doch
wollt' ich deine Weisheit hören. Sieh, dieses junge Zickgen

schenk ich dir; und diese Flasche voll Honig, süß wie meines
Mädgens Lippen, und lauter wie die Luft. So sprach er, und
hüpfte vor Freude, wie eine junge Ziege im Mayenthau
hüpft.

5 [70]   DAPHNE.

Daphne war schön und arm; fromm erzogen, von einer
Mutter die ihr zu frühe starb. Jetzt war sie die Dienstmagd
des Mycon: Er baute das Landgut eines reichen Bürgers aus
Mitylene, und Daphne weidete seine Heerde. Einst gieng sie
10 mit Thränen in ihren Augen zum stillen Grabe der Mutter,
goß eine Schale voll Wasser aus, und hieng Kränze an die
Ranken der Stauden, die sie drüber her gepflanzt hatte. Da
setzte sie neben dem Grabe sich hin, weinte und sprach: O
theures Anden[k]en deiner Tugend, deiner Frömmigkeit, o
15 geliebteste Mutter! Du, du hast meine Unschuld gerettet.
Sollt' ich je deine Ermahnungen vergessen, die du mit ruhi-
gem Lächeln mir gabst, und da an meinen Bu-[71]sen hin-
sankest und starbst; sollt ich je vergessen, wie tugendhaft du
warest, dann, o dann mögen die gütigen Götter mich verges-
20 sen; dann mög' ich im Elend sterben, und dein heiliger
Schatte möge mich fliehn! Du Geliebte, du hast meine Unschuld gerettet. Alles, ach alles, will ich deinem Schatten
erzählen: Hab ich doch, ich Verlassene, hab ich doch sonst
niemand, dem ich mit frommem Vertrauen mein Herz öff-
25 nen dürfte. Nicias, der Herr des Mycon, dessen Heerde ich
weide, kam auf sein Gut, des Herbstes Freuden zu sehn. Er
sah mich, that freundlich mit mir; er lobte meine Heerde,
daß ich so gut sie pflege; sagte ich wär' ein süsses Mädgen,
und gab mir Geschenke. Götter! Ich ein[-]fältiges Mädgen,
30 was wissen wir doch auf dem Lande! Gütig, dacht ich, ist
unser Herr; ihn mögen die Götter darfür segnen; [72] zu
ihnen will ich für ihn beten, das ist alles, was ich kann.
Glücklich sind die Reichen und von den Göttern geliebt;

doch sie verdienens ja wol, sind sie gütig wie er. So dacht
ich, und ich litt es, wenn er meine Hand in die seine schloß,
und erröthete und durfte nicht aufblicken, da er einen Ring
von Gold an meinen Finger steckte! Sieh, auf diesem Steingen dies Kind mit Flügeln, das soll dich glücklich machen;   5
so sprach er, und streichelte meine erröthenden Wangen. Ist
er doch wie ein Vater gütig mit dir! Wie verdienst du so viel
Gnade von einem so reichen und mächtigen Herrn: So dacht
ich einfältiges Kind, aber ach, wie war ich betrogen! Heute
früh fand er im Garten mich; da faßt er mich freundlich   10
unter dem Kinne: Bringe, sprach er, mir frische Blumen, ich
möchte an ihrem Geruch mich erqui-[73]ken, dort in die
Laube von Myrthen. Geschäftig und freudig sucht' ich die
schönsten aus, und lief mit froher Eile nach der Laube. Leicht
bist du wie ein Zephir, und schöner als die Göttin der Blumen;   15
so sagt er, und – – Götter, Götter! Noch beb ich durch alle
Gebeine, er riß mich auf seinen Schooß hin, drückt' an seinen
Busen mich, und alle Verheissungen die verführen, und alles
was Liebe reitzendes sagen kann, das floß von seinen Lippen. Ich weinte, ich bebte und wäre der Verführung zu   20
schwach, ach! jetzt unglücklich, jetzt nicht mehr dein unschuldiges Kind. Hätte, so dacht ich, deine fromme Mutter
dich je unkeusche Umarmungen niederträchtig dulden gesehn! Ich dachts, und bebte zurück und entfloh. Jetzt komm
ich, Geliebte! Ich komm auf deinem Grabe zu weinen. Ach,   25
daß ich, junges armes [74] Kind, so früh dich verlor. Eine zu
zarte Pflanze bin ich, die den Stab verlor, an den sie sich
schmiegte. Diese Schale voll Wasser gieß ich deinem frommen Schatten aus; nimm diese Kränze, nimm meine Thränen! Möchten, o möchten sie bis zu deinen Gebeinen drin-   30
gen! Und höre, höre geliebte Mutter! Ach, deiner Asche, die
hier unter den bethränten Blümgen ruhet, deinem heiligen
Schatten wiederhole ich dies Gelübde. Tugend und Unschuld,
und die Furcht der Götter sollen das Glück meines Lebens
seyn. Sey ich nur arm und froh, und zufrieden, und thue   35
nichts das du nicht mit freundlichem Lächeln gebilliget hät-

test; dann werd' ich, wie du es warst, von Göttern und den
Menschen geliebt, weil ich fromm, redlich und dienstfertig
bin; und dann sterb ich einst lächelnd und mit Freudenthränen, wie du starbest.

5 [75] Und jetzt gieng sie. Frohe Empfindung der Tugend
strömte ganz durch sie hin, und glänzte in ihren thränen-
benezten Augen. Schön war sie wie ein Frühlingstag, wenn
ein sanfter Regen fällt, und doch die Sonne scheint. Froh
wollte sie zu ihren Geschäften; aber Nicias kam auf dem
10 Weg ihr entgegen. Mädgen, so sprach er, und Thränen flossen seine Wangen herunter; ich hab auf dem Grabe deiner
Mutter dich behorcht: Fürchte dich nicht tugendhaftes Mädgen! Dank sey den Göttern, Dank deiner Tugend, du hast
mich von dem Verbrechen gerettet, deine Unschuld verführt
15 zu haben! Verzeihe, keusches Mädgen, verzeihe, und fürchte
von mir kein neues Verbrechen: Auch meine Tugend siegt.
Sey fromm, sey tugendhaft; aber sey auch glücklich. Jene
baumreiche Wiese, bey deiner Mutter Grab, und die [76]
Hälfte der Heerde, die du gehütet hast, sey dein. Möge ein
20 würdiger Gatte, tugendhaft wie du, das Glück deines Lebens
seyn! Weine nicht, frommes Mädgen! Nimm das Geschenke,
das mein redliches Herz dir giebt, und laß mich ferner für
dein Glück sorgen; sonst wirds, daß ich deine Tugend be-
leidigte, mein ganzes Leben mich quälen. Vergiß, vergiß mein
25 Verbrechen! Du hast, wie eine gütige Gottheit, mich vom
Verderben gerettet.

[77]   DAPHNIS und MICON.

D a p h n i s. Sieh, der Bock dort wadet in den Sumpf, und
die Schafe folgen ihm. Ungesunde Kräuter wachsen da im
Schlamm, und Ungeziefer schlürfen sie mit dem Wasser.
Komm, wir wollen sie zurücktreiben.   5
M i c o n. Die Unsinnigen! Hier ist Klee und Rosmarin, und
Timian und Quendel, und an jedem Stamme schleicht das
Epheu; doch gehn sie zum Sumpf. Aber wir machens wol
selbst oft so; gehen beym Guten vorüber, und wählen was
uns schädlich ist!   10
D a p h n i s. Sieh wohin er wadet; die Frösche springen
weit vor ihm her aus dem Schilf. Heraus ihr Einfältigen, ans
grasigte Bord: Wie garstig ihr die weisse Wolle beflecket!
[78] **M i c o n.** Nun seyd ihr da: Hier sollet ihr weiden!
Aber sage mir, Daphnis, was ich da sehe. Marmorsäulen lie-   15
gen im Sumpfe, und Schilf und Unkraut schlägt sich drüber.
Sieh ein zerfallnes Gewölbe von Epheu über und überschlun-
gen, und Dornen wachsen aus jeder Ritze.
D a p h n i s. Ein Grabmal wars.
M i c o n. Das muß es wol gewesen seyn. Sieh da liegt die   20
Urne im Schlamm. Bilder scheinen aus ihren Seiten hervor-
zuspringen: Fürchterliche Krieger sinds und tobende Pferde;
sieh, mit ihren Hufen zertreten sie Männer die verwundet
zu Boden stürzen. Der muß wol kein Hirt gewesen seyn,
dessen verschüttete Asche so traurige Bilder einschlossen: 25
Der muß wol kein Liebling der Gegend gewesen seyn, dessen Grabmal ihr so zerfallen lasset: Die Nachkommen müssen wol wenig seinem An-[79]denken geopfert, wenig Blumen auf sein Grab gestreut haben.
D a p h n i s. Ein Unmensch war er. Fruchtbare Felder hat   30
er verwüstet, und freye Menschen zu Sclaven gemacht. Die
Hufen seiner Reuter stampften die Saaten zu Boden, und
mit den Leichen unsrer Vorältern hat er die öden Felder
übersäet. Wie wütende Wölfe die Heerden überfallen, so
überfiel er mit bewaffneten Schaaren die Unschuldigen, die   35

ihm kein Leid gethan. So däuchte er sich in seiner Bosheit groß, brüstete sich in marmornen Palästen, und schwelgte in dem Raub unglücklicher Länder; und da hat er dies Denkmal seiner Bosheit selbst hieher gebaut.

5 M i c o n. Götter! Ein Unmensch war der; aber wie einfältig! Seinen Greuelthaten baut er ein Denkmal, daß auch die späten Nachkommen sie nie vergessen; nie ver-[80]gessen, wenn sie hier vorübergehn, seinem Andenken zu fluchen. Zertrümmert liegt nun sein Grabmal, und seine Asche ist im
10 Sumpf verschüttet, indeß in der Urne Ungeziefer im Schlamm brütet. Lächerlich ists, wie da ein junger Frosch dem tobenden Held auf dem Helm sitzt, und eine Schnecke sein drohendes Schwert hinaufschleicht.

D a p h n i s. Was bleibt nun von seiner fürchterlichen
15 Grösse? Nichts als das schwarze Andenken seiner Bosheit, indeß die Furien seinen Schatten peinigen.

M i c o n. Und niemand, niemand thut einen frommen Wunsch für ihn. Götter! Wie unglücklich ist der, welcher sein Leben mit Lasterthaten befleckt! Auch nach seinem Tod ist
20 sein Andenken ein Abscheu. Nein, könnt ich mit einer Schandthat den Reichtum der ganzen Welt gewinnen, lieber, viel lieber wollt ich nur zwo Zie-[81]gen hüten, und redlich und keiner Bosheit mir bewußt seyn. Die eine wolt ich noch den Göttern opfern, und ihnen danken, daß ich glücklich
25 bin. Der Böses thut, gebt ihm alles, er ist nie glücklich.

D a p h n i s. Laß uns den Ort verlassen, der nur traurige, schwarze Bilder aufweckt. Komm mit mir, ein froheres Denkmal will ich dir weisen; das Denkmal, das ein redlicher Mann, mein Vater, sich errichtet hat. Du Alexis magst indeß
30 die Schafe und die Ziegen hüten.

M i c o n. Mit Freude geh ich mit dir, das Andenken deines Vaters zu feyern, dessen Redlichkeit auch jetzt noch weit umher geehret wird.

D a p h n i s. Hier Freund, gehe diesen Fußsteig durch die
35 Wiese, hier an dem mit Hopfen behangenen Gränzgott vorbey.

Und sie giengen. An der Rechten des [82] schmalen Weges
wuchs Gras, das an ihre Hüften reichte; zur Linken war ein
Kornfeld, dessen Ähren über ihren Häuptern winkten; und
der Weg führte sie in die stillen Schatten fruchtbarer Bäume,
in deren Mitte eine bequeme Hütte stand. In diesen an-   5
muthsvollen Schattenplatz stellte Daphnis einen kleinen
Tisch, und holte einen Korb voll Früchte, und einen Krug
voll kühlen Weins.

M i c o n. Sag mir, wo ist das Denkmal deines Vaters, daß
ich die erste Schale Wein dem Schatten des Redlichen aus-   10
giesse?

D a p h n i s. Hier, Freund, giesse sie in diesen friedsamen
Schatten aus. Was du hier siehest, ist sein rühmliches Denkmal. Die Gegend war öde; sein Fleiß hat diese Felder gebaut, und diese fruchtbaren Schatten hat seine eigne Hand   15
gepflanzt. Wir, [83] seine Kinder, und unsre späten Nachkommen werden sein Andenken segnen, und jeder dem wir
aus unserm Segen Gutes thun; denn der Segen des Redlichen
ruhet auf diesen Feldern und Triften, und in diesen stillen
Schatten und auf uns.   20

M i c o n. Du Redlicher! Diese Schale, die ich hingiesse, sey
deinem Andenken geweiht. Herrliches Denkmal, womit man
Segen und Nahrung auf würdige Nachkommen bringt, und
auch nach seinem Tode Gutes thut!

[84]   DAPHNE und CHLOE.   25

D a p h n e. Schwül ists noch, neigt sich gleich die Sonne
schon; noch schmachten alle Gewächse: Laß uns hier ans
Ufer heruntergehn, wo kleine Wellen das Bord schlagen.
Kühl ists da im überhangenden Gesträuche.

C h l o e. Geh Mädgen, ich folge dir; geh weiter voraus,   30
sonst schlagen die Ranken mir ins Gesicht.

D a p h n e. Wie klar dies Wasser hier ist! Jedes Steingen

siehst du am Grunde; wie sanft, wie sanft es fließt! Ha, bey
den Nymphen! Ich werfe mein Gewand hier ans Ufer, und
laufe bis an den Busen in diese angenehme Kühlung.

C h l o e. Wenn jemand kömmt, wenn jemand uns sieht!

5 [85] D a p h n e. Kein Fußsteig führt hier zum Ufer, ganz
umschließt uns dichtes Geträuch; und der Apfelbaum, der
vom Ufer über das Wasser hängt, deckt uns mit seinem grünen Gewölbe; in einer grünen Höle sind wir hier eingeschlossen, jedem Auge verborgen. Sieh, nur hier und da öffnet die
10 Belaubung sich einem kleinen Sonnenstral, und schließt sich
plötzlich wieder.

C h l o e. Seys denn, Daphne! Was du wagest, das wag ich
auch.

Jetzt legten die Mädgen ihr Gewand ans Ufer, und mit
15 sanftem Schauern traten sie in die kalte Flut; hüpfende
Wellen umschlangen ihre runden Kniee, und jetzt ihre weissen Hüften; denn sie setzten auf Steine sich, die unter den
Wellen am Ufer lagen.

D a p h n e. Munter und neubelebt bin [86] ich. Was fangen
20 wir an, wollen wir ein Liedgen singen?

C h l o e. Einfältiges Kind! Singen, daß man uns vom Ufer
hört.

D a p h n e. So wollen wir flüstern. Weissest du was? Erzähle mir ein Geschichtgen.

25 C h l o e. Ein Geschichtgen?

D a p h n e. Ja, ein geheimes artiges Geschichtgen; du er-
zählest mir zuerst, und dann erzähl ich dir.

C h l o e. Ich weiß wol eins, artig genug, aber – – –

D a p h n e. Verschwiegen bin ich, wie diese Gebüsche.

30 C h l o e. Seys denn. Jüngst trieb ich meine Heerde den
Hügel hinunter in die Trift, deren Ufer das Meer spült. Ein
grosser Kirschbaum steht, du weissest es, mitten auf dem
Hügel. Als ich – – – Doch, [87] bin ich nicht närrisch? Mein
Geheimstes erzähl ich dir[.]

35 D a p h n e. Aus dem Geheimsten meines Busens erzähl ich
dir dann wieder.

C h l o e. Nun: Als ich den Pfad einsam hinuntergieng, mit
einmal hört ich eine liebliche Stimme, die ein süsses Lied
sang. Schüchtern stand ich stille, sah rings um mich her, und
niemand, niemand konnt ich sehn. Ich gieng, und immer kam
ich der Stimme näher. Ich gieng, und jetzt war sie hinter   5
mir; denn ich war den Kirschbaum vorbey, in dessen Wipfel
die süsse Stimme sang: Aber was sie sang, das darf ich nicht
sagen, weiss ich gleich jede Silbe noch.
D a p h n e. Du must es mir sagen: Hier in diesen verschwie-
genen Schatten haben wir keine Geheimnisse; besonders sind   10
Mädgen im Bade vertraut.
[88] C h l o e. Seys denn. Unverschämt muß ich mein eigen
Lob wiederholen – – – Doch, junge Hirten schweifen immer
in unserm Lob aus – – Da ich den Hügel hereingieng – –
(Ich spüre es, Röthe steigt mir auf die Wangen): Wer ist sie,   15
die in so schlanker Länge den Hügel hereingeht; so hub das
Lied an; sagt mirs, [ihr] sanften Winde, die ihr mit ihren
Haaren und mit dem flatternden Gewande spielt. Wer ist
sie? Ists etwa der Huldgöttinnen eine? Ist es, so muß sie wol
die jüngste und die schönste seyn. Wolriechender Quendel   20
und die gelben Sträußgen des Schottenklee schmiegen sich
unter ihrem sanften Fußtritte. Wie die Wegwarte und die
Feuerblume, und die blauen Glockenblumen am Borde des
Weges sich neigen, und ihre kleinen Füsse küssen! Die deine
Füsse küßten, die deine Fersen traten, die will ich sammeln;   25
[89] zween Kränze will ich flechten, den einen für mein
Haar, den andern will ich dem Amor weihn. Wie sie mit
schwarzen Augen umhersieht! O sey nicht schüchtern; ich
bin kein Raubvogel, noch einer der Unglück bedeutet: Aber,
o mögt ich, um mit süssen Tönen dich zu halten, möcht ich   30
lieblich singen wie die Grasmücke, oder wie die Nachtigallen
in der hellen Frühlingsnacht; denn so entzückt die Nachtigall der Frühling nicht, wie deine Schönheit mich. Eile nicht
so schüchtern vorüber! Ihr Dornen bieget euch rückwärts,
verwundet ihre kleinen Füsse nicht! Bey ihrem Gewand   35
mögt ihr sie wol halten, daß das süsse Mädgen ein wenig

verzögre. Aber sie eilt; die kleinen Westwinde, für mich ge-
fällig; sie stemmen sich gegen ihr, aber ihr Gewand nur flattert rückwärts; dich selbst, schüchternes Mädgen, dich selbst,
vermö-[90]gen sie nicht zu halten. Die schönsten Früchte, die
5 dieser Baum mir giebt, die will ich in einem Körbgen beym
Mondschein an dein Fenster hängen. Nimmst du sie gütig
an, dann bin ich, ach dann bin ich der glücklichste der ganzen
Trift. Du eilest! Ach jetzt werden jene Bäume dich meinem
Auge verbergen! Noch seh ich die letzte Falte deines Ge-
10 wandes; aber jetzt, ach jetzt verschwindet sogar das Ende
deines Schattens!
So sang er: Mit niedergeschlagenem Auge gieng ich vorüber;
doch blickt' ich verstohlen nach des Baumes Wipfel, aber
niemand konnt ich in den dichtbelaubten Ästen sehn. Ob ich
15 schlief, sobald es Nacht war? Das dächt ich doch, nicht so?
Genug, ich sah, der Mond leuchtet' ihm, ich sah, ein junger
Hirt band ein Körbgen an meinem Gitter fest; der Mond
schien [91] hell, und warf seinen Schatten neben mir auf
mein Beth hin, daß ich erröthete: Und bald, da er weg-
20 geschlichen war – – ich mußte doch wissen, ob's bloß ein
Traum war – – – gieng ich ans Fenster, und band das Körbgen los; voll der schönsten Kirschen war's, süsser als ich sie
jemals aß; Rosenknospen und Mirthen hatt' er drunter gemischet. Aber wer der Hirt war, vorwitziges Mädchen, das
25 sag ich dir doch jetzt noch nicht.
D a p h n e. Verlang ichs doch nicht von dir zu wissen; ge-
heimnißreich bist du. Daß er mein Bruder war, magst du
mir ja verschweigen; war doch das Körbgen mein Geschenke,
das er ans Gitter hieng. Roth wie die Rosenknospen waren,
30 [wirst] du von da wo die Wellen am Busen spielen, bis in die
Locken deiner Stirn, und blickest seitwärts ins Wasser. Umarme mich, [92] und sey, sey meinem Bruder gut und mir.
C h l o e. Würd ich mein geheimstes Geschichtgen dir erzählen, liebt ich dich nicht wie mich?
35 D a p h n e. Daß deine Schwatzhaftigkeit dich nicht unruhig
mache, so mach ichs eben so, und erzähle dir, was tief in

meinem Busen liegt. Den letzten Neumond opferte mein
Vater dem Pan; zum Fest lud er den Menalkas, seinen
Freund; und Daphnis, sein Sohn, begleitete ihn. Der blies
beym Opfer auf zwo Flöten; und keiner, du weissest es,
bläst sie so gut. Goldhelle Locken flossen auf sein schneeweisses Gewand; festlich geschmükt, war er schön wie der
junge Apoll. Nach geendetem Opfer giengen wir, den Tag
mit Freude zu enden – – – Doch horche – – – es rauscht im
Gesträuch, es rauscht zum Ufer herunter.

[93] C h l o e. Horche; immer näher – – näher. Ihr Nymphen, schützet uns! Schnell, das Gewand um unsre Schultern, laß uns fliehn.

Und die schüchternen Mädchen flohen, wie Tauben fliehn,
wenn der Geyer aus der Luft sich stürzt. Und doch wars nur
ein junges Reh, das durstend an ihr Ufer kam.

[94]   MENALKAS und ALEXIS.

Ein Greis war Menalkas, achtzig Jahre waren schon über
sein Haupt hingeflogen; silbern war sein Haar auf seiner
Scheitel und um sein Kinn, und ein Stab sicherte seinen
wankenden Fußtritt. Und wie der, der nach den Arbeiten
eines schönen Sommertages vergnügt an der Kühlung des
Abends sitzt, den Göttern dankt und so den stillen Schlaf
erwartet, so waren seine übrigen Tage den Göttern und der
Ruhe heilig; denn er hatte gearbeitet und Gutes gethan, und
erwartete gelassen und froh den Schlummer in dem Grabe.
Er sah seine Kinder gesegnet; reiche Heerden und schöne
Triften hatt' er ihnen übergeben. Mit zärtlicher Sorgfalt
eiferten sie, wer mehr den frommen Alten erfreuen, mehr
[95] die Pflege der Jugend ihm vergelten könne; und das
lassen die Götter nicht ungesegnet. Vor seiner Hütte saß er
oft, oder im sonnenreichen Vorhaus, wo er den wohlbe-
pflanzten Garten übersah, oder in weit sich verlierender

Entfernung die Arbeiten und den Reichtum des Feldes; oder
er hielt den vorübergehenden mit freundlicher Schwatzhaftigkeit auf, und hörte die Geschichtgen der Nachbarschaft,
und von dem Fremdling die Neuigkeiten, und Sitten und
Gebräuche ferner Länder. Seine Kindeskinder, sein süssester
Zeitvertreib, gauckelten dann um ihn her. Er schlichtete ihre
kleinen Zwiste, und lehrte sie gütig seyn, und nachgebend,
und mitleidig gegen Menschen und gegen das kleinste Thier;
und unter die mannigfaltigen Spiele, die er sie lehrte,
mischet' er immer süsstreffenden Unterricht. Er selbst macht'
ihnen ihr [96] Spielgeräthe; immer kamen sie gelaufen, mach
uns dieß und mach uns das, und wenns fertig war, küßten
sie ihn, und hüpften mit frohem Gewühl um ihn her. Aus
Schilf lehrt' er sie Flöten machen und Hirtenpfeifen, und
blies ihnen vor, wie man den Schafen und den Ziegen zur
Weide und von der Weide bläst; lehrte sie viele Lieder; die
kleinen mußten sie singen, die grössern sie mit der Flöte begleiten; oder er erzählte ihnen lehrreiche Geschichtgen; dann
sassen sie aufmerksam am Boden oder auf der Thürschwelle
um ihn her.

Einst saß er so im Vorhaus an der Sonne, und Alexis sein
Enkel stand allein bey ihm. Ein schöner Jüngling, jetzt hatt'
er dreyzehn Frühlinge gesehn; der jugendlichen Gesundheit
Rosenfarbe glühte auf seinen Wangen, und in goldnen
Locken wallete [97] sein Haar. Und der Greis erzählte ihm
von dem Vergnügen, andern Gutes zu thun, und dem, der
in der Noth ist, beyzustehen; und daß kein Vergnügen dem
gleicht, das man fühlt, wenn man eine gute That gethan hat:
Die schön aufgehende Sonne, das Abendroth, der volle
Mond in einer hellen Nacht, schwellen unsern Busen vor
Vergnügen; aber süsser, mein Sohn, süsser ist jene Freude
noch. Dem schönen Knaben quollen Thränen die Wangen
herunter; mit Entzücken sah es der Greis: Du weinest mein
Sohn, so sagt' er, und sah mit freundlichem Blick ihm ins
Gesicht; aber gewiß, nicht meine Reden allein können dieß; in
deinem Busen muß etwas seyn, das ihnen diese Stärke giebt.

Alexis wischte die Thränen von der Röthe seiner Wangen,
aber neue quollen im-[98]mer nach. Ach! sagt' er, ich fühl' es,
ich fühl' es ganz; nichts ist süsser, als andern Gutes thun.

Menalkas drückte gerührt des Jünglings Hand in seine
Hände und sprach: Auf deiner Stirne, in deinen Augen seh
ich's, dich rührt etwas mehr, als das, was ich dir sagte.

Betroffen blickte der Jüngling seitwärts: Sind, so sprach er,
deine Reden nicht rührend genug, Thränen wie Thau auf die
Wangen zu giessen?

Ich sehe, mein Sohn, sagte Menalkas, ich sehe daß du mir
was verhelest, zum erstenmal vielleicht, das deinen Busen
schwellt, und schon auf deiner Zunge sitzt.

Alexis weinte und sprach: O so will ich dir alles erzählen,
was ich sonst in dem innersten des Busens verschwieg. Nur
halb [99] gut ist der, der mit dem Guten prahlt, so lehrtest
du uns; drum wollt ich verschweigen, was meinen Busen
schwellt, was mir's so süß empfinden läßt, daß Gutesthun
die süsseste Freud' unsers Lebens ist. Eins unsrer Schafe hatte
sich verirret, ich sucht' es in dem Gebürge; und ich hörte im
Gebürg' eine Stimme, die jammerte; da schlich ich mich hin,
und ein Mann stand da. Er nahm eine schwere Bürde von
der Schulter, und legte sie auf den dürren Boden hin. Weiter, so sprach er, vermag ich nicht zu gehen. Mühselig ist
mein Leben, und kümmerliche Nahrung mein ganzer Gewinn. Stundenlang irr' ich schon mit dieser Last in der Mit-
tagshitze, und keine Quelle find' ich, den brennenden Durst
zu löschen; und kein Baum, und keine Staude bietet eine
Frucht mir dar, daß sie mich erquicke. Ach Götter! um mich
her seh [100] ich nur Wildniß, keinen Fußsteig der mich zu
den meinen führe, und weiter mögen meine schwankenden
Kniee nicht. Doch ihr Götter! Ich murre nicht; denn immer
habt ihr geholfen! So sagt er, und kraftlos legt er sich auf
seine Bürde hin. Von ihm nicht gesehn, lief ich da so schnell
ich konnte zu unsrer Hütte, raffte einen Korb voll gedörrter
und frischer Früchte zusammen, nahm meine grössesste
Flasche voll Milch, und, so schnell ich konnte, lief ich ins

Gebürge zurück, und fand den Mann noch, den jetzt ein
sanfter Schlaf erquickte. Leise leise schlich ich mich zu ihm
hin, und stellte mein Körbgen neben ihn und die Flasche
voll Milch; und still schlich ich ins Gebüsche zurück. Aber
bald da erwachte der Mann. Er sah auf seine Bürde hin und
sprach: Wie süß ist die Erquickung des Schlafes! Nun will
ich's [101] versuchen dich weiter zu schleppen, hast du doch
so sanft mir zur Pfülbe gedient. Vielleicht leiten die gütigen
Götter meinen Schritt, daß ich bald das Rieseln einer Quelle
höre; vielleicht eine Hütte finde, wo der gutthätige Haus-
wirth mich unter sein Dach aufnimmt. Jetzt wollt' er die
Bürde auf die Schulter heben, da erblickt er die Flasche und
den Korb. Aus seinen Armen entfiel die Bürde. Götter, was
seh ich? so rief er. Ach! mir Hungrigen träumet von Speise;
und wenn ich erwache ist's nichts mehr. Doch nein, Götter!
Ich wache, ich wache! Jetzt langt' er nach den Früchten. Ich
wache! O welche Gottheit, welche gütige Gottheit thut dieses
Wunder? Das erste aus dieser Flasche giesse ich dir aus, und
diese beyden, die grössesten dieser Früchte weyh' ich dir.
Nimm, o nimm gnädig meinen Dank auf, [102] der meine
ganze Seele durchdringt! So sprach er, setzte sich hin, und
mit Entzüken und mit Freudenthränen genoß er da sein
Mahl. Erquickt stand er wieder auf, und dankte noch einmal
der Gottheit, die so gütig für ihn sorgte. Oder, so sagt' er,
haben vielleicht die Götter einen gutthätigen Sterblichen her-
geführt, o warum soll ich ihn nicht sehn, ihn nicht umarmen?
Wo bist du, daß ich dir danke, daß ich dich segne? Segnet
ihn ihr Götter! Segnet den Redlichen, die seinen; segnet, o
segnet alles was ihm zugehört! Satt bin ich, und diese Früchte
nehm ich mit; mein Weib und meine Kinder sollen davon
essen, und mit Freudenthränen mit mir den unbekannten
Gutthäter segnen. Jetzt gieng er: O ich weinte vor Freude!
Aber ich lief durchs Gebüsche den Weg ihm vor, und setzte
mich an ein Bord hin, wo er [103] vorbey mußte: Er kam, er
grüßte mich, und sprach: Höre mein Sohn; sage, hast du
niemanden auf diesem Gebürge gesehn, der eine Flasche trug

und einen Korb voll Früchte? – – Nein, niemand hab' ich in
diesem Gebüsche gesehn, der eine Flasche trug und einen
Korb voll Früchte. Aber sage mir, so fragt' ich, wie kömmst
du in diese Wildniß? Übel hast du gewiß dich verirret; denn
hier führt keine Strasse. Übel, so erwiedert er, übel hab' ich
mich verirret, mein Sohn; und hätte nicht eine gütige Gottheit, oder ein Sterblicher, den die Götter dafür segnen werden, mich gerettet, so wär' ich vor Hunger und vor Durst
im Gebürge gestorben. – – So laß mich nun den Weg dir
weisen; gieb deine Bürde mir zu tragen, so folgest du mir   1
leichter. Nach vielem Weigern gab er die Bürde mir; und so
führt' ich [104] ihn auf die Strasse. Und sieh, das ist es nun,
was jetzt noch mich vor Freude weinen macht. Gering und
mühelos war was ich that, und doch vergnügt es mich, wenn's
mir zu Sinne kömmt, wie sanfter Sonnenschein. O wie muß 1
der glücklich seyn, der viel Gutes gethan hat!
Und der Greis umarmte den schönen Knaben, voll der süssesten Freude. O, so sprach er, froh und ruhig geh ich ins
Grab, laß ich doch Tugend und Frömmigkeit in meiner
Hütte zurücke.   2

[105]   DER STURM.

Auf dem Vorgebürge, an dessen Seite der schilfreiche Tifer-
nus ins Meer fließt, sassen Lacon und Battus, die Hirten der
Rinder. Ein schwarzes Gewitter stieg fernher auf; ängstliche
Stille war in den Wipfeln der Bäume, und die Seevögel und 2
die Schwalben schwirreten in banger Unruhe hin und her:
Schon hatten sie die Heerden vom Gebürge nach ihrer Wohnung geschickt; sie aber blieben auf dem Gebürge zurück, die
fürchterliche Ankunft des Gewitters, und den Sturm auf
dem Meere zu sehn. Fürchterlich ist diese Stille, so sagte   3
Lacon: Sieh, die untergehende Sonne verbirgt sich in jenen
Wolken, die Gebürgen gleich am Saume des Meeres auf-
steigen.

[106] B a t t u s. Schwarz liegt das unabsehbare Meer vor uns. Noch ruhig; aber eine bange Stille, die bald mit fürchterlichem Tumulte wechseln wird. Ein dumpfes Geräusche tönt fernher, wie das Geheul der Angst und eines allgemeinen plötzlichen Unglücks etwa von ferne gehört wird.

L a c o n. Sieh, langsam steigen die Gebürge der Wolken; immer schwärzer, immer fürchterlicher heben sie ihre Schultern hinter dem Meer hinauf.

B a t t u s. Immer fürchterlicher wird das dumpfe Geräusche; Nacht liegt auf dem Meere; schon hat sie die Diomedischen Inseln verschlungen, du siehst sie nicht mehr. Nur flimmert noch die Flamme des Leuchtethurms von jenem Vorgebürge in der schauervollen Dunkelheit. Aber jetzt, jetzt fängt das Geheul der Winde [107] an; sieh, sie zerreissen die Wolken; treiben sie wütend empor; sie toben auf dem Meere, es schäumt – – –

L a c o n. Fürchterlich kömmt der Sturm daher. Doch gern will ich ihn wüten sehn: Mit Angst gemischte Wollust schwellt ganz meinen Busen. Wenn du willst, so bleiben wir; bald sind wir das Gebürge herunter in unsrer wohlverwahrten Hütte.

B a t t u s. Gut, ich bleibe mit dir. Schon ist das Gewitter da; schon toben die Wellen an unserm Ufer, und die Winde heulen durch die gebogenen Wipfel.

L a c o n. Ha sieh, wie die Wellen toben, ihren Schaum in die Wolken emporspritzen, fürchterlich wie Felsengebürge sich heben, und fürchterlich in den Abgrund sich stürzen. Die Blitze flammen an ihren Rücken, und erleuchten die schreckenvolle Scene.

[108] B a t t u s. Götter! Sieh, ein Schiff; wie ein Vogel auf einem Vorgebürge sitzt, sitzt es auf jener Welle. Ha! Sie stürzt. Wo ist's nun, wo sind die Elenden? Begraben, im Abgrund.

L a c o n. Trieg' ich mich nicht, so steigt's dort auf dem Rücken jener Welle wieder empor. Götter! Rettet, o rettet sie. Sieh, sieh, die näheste Welle stürzt mit ihrer ganzen Last

auf sie her. O was suchtet ihr, daß ihr so, euer väterliches
Ufer verlassend, auf ungeheuern Meeren schwebt! Hatte
euer Geburtsland nicht Nahrung genug euern Hunger zu
sättigen? Reichtum suchtet ihr, und fandet einen jammervol-
len Tod.

B a t t u s. Am väterlichen Ufer werden eure Väter und eure
Weiber und eure Kinder vergebens weinen; vergebens für
eure Rückkunft in den Tempeln Ge-[109]lübde thun. Leer
wird euer Grabmahl seyn; denn euch werden Raubvögel am
Ufer fressen, verschlingen die Ungeheuer des Meers euch
nicht. O Götter, laßt immer mich ruhig in armer Hütte wohnen! Zufrieden mit wenigem, nähre mein Anger mich, und
mein kleines Feld und meine Heerde.

L a c o n. Strafet mich Götter wie diese, wenn je Unzufrie-
denheit in meinem Busen seufzt; wenn ich je mehr wünsche,
als was ich habe: Ruhe und mässige Nahrung!

B a t t u s. Laß uns hinuntergehn; vielleicht das[s] die Wellen
von diesen Elenden ans Ufer werfen. Leben sie noch, so
haben wir den Trost sie zu retten; sind sie todt, so beruhigen
wir doch ihren Geist, und geben ihnen ein ruhiges Grab.

Sie giengen hinunter ans Ufer, und [110] fanden im Sand
ausgestrekt einen schönen Jüngling todt. Mit Thränen begru-
ben sie ihn am Ufer. Trümmer des Schiffes lagen im Sande
zerstreut; und sie fanden unter den Trümmern eine Kiste,
öffneten sie, und schwere Reichtümer von Gold waren drinnen. Was soll uns das, sagte Battus?

L a c o n. Behalten wollen wir's; nicht um reich zu seyn, da-
vor bewahren mich die Götter! Um's zurückzugeben, wenn's
ein Eigentümer sucht; oder einer der's mehr nöthig hat als
wir.

Ungenutzt, und ungesucht, lag der Schatz lange bey den
beyden; da liessen sie draus am Ufer einen kleinen Tempel
bauen. Sechs Säulen von weissem Marmor hielten den schattigten Vordergiebel empor, und in der Vertiefung stand die
Bildsäule des Pan. Der Zufriedenheit war dieser Tempel geweiht, und dir, gütiger Pan!

[111]   DIE EIFERSUCHT.

Die wütendste der Leidenschaften ist Eifersucht; die giftig-
ste der Schlangen, die Furien in unsern Busen werfen. Das
hat Alexis empfunden. Er liebte Daphnen, und Daphne
liebte ihn. Beyde waren schön; er männlich braun; sie weiß
und unschuldig, wie die Lilie wenn sie am Morgenroth sich
öffnet. Sie hatten sich ewige Liebe geschworen; Venus und
die Liebesgötter schienen jede Gutthat über sie auszugiessen.
Der Vater des Alexis hatte von einer schweren Krankheit
sich erholt. Sohn, so sprach er, ich hab' ein Gelübde gethan,
dem Gotte der Gesundheit sechs Schafe zu opfern: Geh hin,
und führe die Schafe zu seinem Tempel. Zwo lange Tag-
reisen weit war's zum Tempel des [112] Gottes. Mit Thränen nahm er Abschied vom Mädgen, als hätt' er ein weites
Meer zu befahren, und traurig trieb er die Schafe vor sich
her. Sich so entfernend seufzt' er, wie die Turteltaube seufzt,
den langen Weg hin; gieng durch die schönsten Fluren, und
sah sie nicht; die schönsten Aussichten verbreiteten sich, und
er fühlte ihre Schönheit nicht; er fühlte nur seine Liebe, er
sah nur sein Mädgen, sah sie in ihrer Hütte, sah sie bey den
Quellen im Schatten, hörte seinen Namen sie nennen, und
seufzte. So gieng er hinter seinen Schafen her, verdrüssig
daß sie nicht schnell sind wie Rehe, und kam zum Tempel.
Das Opfer ward gebracht, geschlachtet, und er eilt von Liebe
beflügelt nach seiner Heimath zurück. In einem Gebüsche
drang ein Dorn tief in seine Fußsole, und der Schmerz er-
laubte ihm kaum [113] zu einer nahen Hütte zu schleichen.
Ein gutthätiges Paar nahm ihn auf, und belegte mit heilen-
den Kräutern seine Wunde. Götter, wie bin ich unglücklich,
so seufzt er immer, und staunt und zählt jede Minute; jede
Stunde scheint ihm eine traurige Winternacht; und endlich
goß eine ungünstige Gottheit das Gift der Eifersucht in sein
Herz. Götter! Welch ein Gedanke! So murmelt er, und sah
wütend umher: Daphne könnte mir ungetreu seyn! Häßlicher Gedanke! Aber Mädgen sind Mädgen, und Daphne

ist schön; wer sieht sie ohne zu schmachten? Und schmachtet
nicht Daphnis schon lange? Schön ist er: Wen rührt nicht
sein Gesang; wer bläst die Flöte wie er? Seine Hütte steht
bey Daphnens Hütte, nur ein reitzender Schatten steht zwischen beyden. O flieh mich, flieh mich häßlicher Gedanke!
Immer gräbst du dich tiefer [114] in meinen Busen, und pei-
nigest mich Tag und Nacht. Oft zeigt ihm die kranke Ein-
bildung sein Mädgen, wie sie schüchtern im Schatten schleicht,
wo Daphnis an der Quelle ihr und dem Wiederhall die
Schmerzen seiner Liebe singt; er sieht ihr schmachtendes Aug;
er sieht's wie Seufzer ihren Busen schwellen. Oder er sieht
sein Mädgen in gewölbten Schatten schlummern: Daphnis
schleicht in die Schatten; sieht sie, schleicht näher; ungestört
heftet sein trunkener Blick sich auf jede Schönheit. Er bückt
sich, küßt ihre Hand, und sie erwachet nicht; er küßt ihre
Wangen; er küßt ihre Lippen – – Und sie erwachet nicht!
ruft er wütend. O ich Elender! Aber was für häßliche Bilder
schaff ich mir selber; warum bin ich so erfindsam, mich mit
der grausamsten Marter zu quälen; warum denk ich nur, ich
[115] Undankbarer, was ihre Unschuld beleidigt?
Der sechste quaalvolle Tag war's schon, und seine Wunde
noch nicht ganz geheilt. Er umarmte seine Gutthäter: Was
fromme Gutthätigkeit sagen kann, das sagten sie, ihn zu-
rückzuhalten. Umsonst, von Furien verfolgt eilt er, so schnell
er kann. Abend war's, und der volle Mond schien, da er von
ferne Daphnens Hütte sah. Ha! Jetzt, jetzt flieht mich, häßliche, martervolle Gedanken! Dort wohnt sie, die mich liebt;
und heute noch, heute noch wein' ich vor Freud' in ihren
Armen. Er sprach es, und eilte. Aber unter der Reblaube
hervor, die zu der Hütte führt, sah er sein Mädgen daher-
gehn. Sie ist's! Ha Daphne, du bist's; deine schlanke Länge,
dein sanfter Gang, dein schneeweisses Gewand! Sie ist's,
Götter! Aber wohin geht sie nächtlicher Weile? Gefährlich
ist es schwachen [116] Mädgen in der Nacht aufs freye Feld
sich zu wagen. Vielleicht will sie voll Sehnsucht auf meinen
Weg mir entgegen. Er sprach's: Aber ein Jüngling kömmt ihr

aus der Laube nach, schleicht sich an ihre Seite, und freundlich drückt sie ihre Hand in die seine. Ein Blumenkörbgen
gab er ihr; mit süsser Gebehrde nahm sie's an ihren Arm. So
giengen sie von der Hütte weg im Mondschein daher. Voll
Entsetzen stand Alexis in der Ferne, und bebt von der Sole
bis zum Haupt. Götter! Ha, was seh ich! Zuwahr, ach zuwahr ist's, was mich quälte! Eine mitleidige Gottheit hat's
vorhergesagt. Ach ich Elender! O wer bist du, Gott oder
Göttin, die mein Unglück mir vorher empfinden ließ? Räche,
o räche mich, strafe vor meinen Augen, strafe diese Treu-
losigkeit, und dann lasse mich Elenden sterben!

[117] Mit verschlungenen Armen giengen das Mädgen und
der Jüngling, mit huldreichen Gebehrden giengen sie am
Mondschein; dem Myrtenwäldgen zu, das den Tempel der
Venus umkränzt.

In die Schatten dieser Myrthen gehen sie! So sagte wütend
Alexis; in diese Schatten, wo sie oft mir die treueste Liebe
schwur! Jetzt sind sie im Wäldgen. Götter! Ich sehe sie nicht
mehr; verborgen im dichtesten Gesträuche, da werden sie in
den Schatten sich setzen. Doch nein, ich sehe sie wieder; am
Mondschein glänzt ihr weisses Gewand, durch die Ranken
und die schwarzen Stämme. Sie stehn still; hier ist ein schöner offner Platz und weiches Gras. Treulose! Hier setzet
euch hin; hier dem hellen Mond gegenüber, und schwört
euch bey seinem Schimmer eure lasterhafte Liebe zu. Möchten die [118] Furien euch verjagen! Aber nein, horche! Die
Nachtigallen singen ihre zärtlichsten Lieder, die Turteltau-
ben seufzen um sie her. Doch nein, auch hier bleiben sie
nicht; sie gehn zum Tempel der Göttin. Ha, ich will näher,
ich will sie sehn, ich will sie behorchen!

Er schlich in den Myrtenhain. Immer giengen sie dem Tempel näher, der auf weissen Marmorsäulen am Mondschein in
die nächtliche Luft emporglänzte. Wie! Sie wagen's die Stuffen des Tempels zu betreten! Sollte die Göttin der Liebe die
schwärzeste Untreue schützen? Er sprach's, und sah das
Mädgen die Stuffen des Tempels hinaufgehn; das Blumen-

körbgen am Arm, gieng sie unter die umzirkelnden Säulen,
und der Jüngling blieb an einer derselben stehn. Im Schatten
des Haynes trat Alexis näher. Schauernd und voll Ver-
[119]zweiflung schlich er in dem Schatten, den eine der Säulen warf, schmiegte sich an die Säule hin, und sah Daphne
zum Bilde der Venus gehn: Von milchweissem Marmor stand
sie im Mondschein, als schmiegte sie mit dem Anstand einer
Göttin vor den erstaunten Blicken anbetender Sterblicher
sich rückwärts, und blickte huldreich zu den Opfernden
von ihrem Fußgestell nieder. Daphne sank vor der Göt-   1
tin aufs Knie, legte die Blumenkränze vor sich hin, und mit
wehmüthiger Gebehrde und schluchzend flehte sie so: Höre,
o höre, süsse Göttin, du Schützerin treuer Liebe, höre mein
Flehn; nimm gütig an die Kränze die ich zum Opfer dir
bringe! Abendthau und meine Thränen glänzen drauf. Ach   1
schon ist's der sechste Tag seit Alexis mich verließ! O milde,
gute Göttin, laß ihn gesund in meine Arme zurückkommen!
[120] Schütze, o schütze ihn auf seinem Wege, und führ' ihn,
so gesund und so voll Liebe, wie er mich verließ, in meine
schmachtenden Arme zurücke.   2
Alexis hört's, sieht gegen sich über den Jüngling stehn, dem
jetzt der helle Mond ins Gesicht schien. Er war Daphnens
Bruder; denn furchtsam wollte sie nicht nächtlicher Weile
allein zum Tempel gehn.
Alexis trat hinter der Säule hervor. Daphne von dem frohe- 2
sten Entzücken überrascht, er voll Freude und voll Schaam,
sanken beyde mit umschlungenen Armen vor der Göttin hin.

[121]   DAS HÖLZERNE BEIN
         EINE SCHWEITZER IDYLLE.

Auf dem Gebürge, wo der Rautibach ins Thal rauschet, wei- 3
dete ein junger Hirte seine Ziegen. Seine Querpfeife rief den
siebenfachen Wiederhall aus den Felsklüften, und tönte

munter durchs Thal hin. Da sah er einen Mann von der
Seite des Gebürges heraufkommen, alt und von silber-
grauem Haar; und der Mann, langsam an seinem Stabe
gehend, denn sein eines Bein war von Holz, trat zu ihm,
5 und setzte sich an seiner Seite auf ein Felsenstück. Der junge
Hirte sah ihn erstaunt an, und blickt' auf sein hingestrecktes
hölzernes Bein. Kind, sagte der Alte mit Lachen, gewiß du
denkst, [122] mit so einem Bein blieb ich wol unten im Thal?
Diese Reise aus dem Thal mach' ich alle Jahr' einmal. Dieß
10 Bein, so wie du es da siehst, ist mir ehrenhafter als manchem
seine zwey guten; das sollst du wissen. Ehrenhaft, mein Vater, mag es wol seyn, erwiederte der Hirte; doch ich wette,
die andern sind bequemer. Aber müde must du doch seyn.
Willst du, so geb' ich dir einen frischen Trunk aus jener
15 Quelle, die dort am Fels rieselt.
Der Alte. Du bist ein guter Knabe; ein Trunk frisches
Wasser wird mich erquicken. Gehst du, und holest ihn, so
erzähl' ich dir dann die Geschichte von meinem hölzernen
Bein. Der junge Hirt lief, und schnell bracht er einen frischen
20 Trunk aus der Quelle zurücke.
Der Greis hatte sich erquickt. Daß mancher eurer Väter, so
sprach er, voll Nar-[123]ben und zerstümmelt ist, das sollt
ihr Gott und ihnen danken, ihr Jungen. Muthlos würdet ihr
den Kopf hängen, statt jetzt an der Sonne froh zu seyn, und
25 mit muntern Liedern den Wiederhall zu rufen. Munterkeit
und Freude tönt jetzt durchs Thal, und frohe Lieder hört
man von einem Berg zum andern; Freyheit, Freyheit be-
glückt das ganze Land. Was wir sehen, Berg und Thal, gehören uns; freudig bauen wir unser Eigentum, und was wir
30 sammeln das sammeln wir mit Jauchzen für uns.
Der junge Hirte. Der ist nicht werth ein freyer Mann
zu seyn, der je vergessen kann, daß unsre Väter es erfoch-
ten.
Der Alte. Und der's nicht eben so thun würde, mein
35 Sohn! Seit jenem blutigen Tag gieng ich alle Jahr' einmal
auf [124] diese Höhe aus dem Thal herauf; aber ich spür'

es, dieß wird wol das letz[t]emal seyn. Von hier seh' ich die
ganze Ordnung der Schlacht, die wir für unsre Freyheit ge-
wannen.* Sieh, hier an der Seite hervor kam die Schlachtordnung der Feinde; viele tausend Spiesse blitzten daher,
und wol zweyhundert Ritter in prächtiger Rüstung; Feder-
büsche schwankten auf ihren Helmen, und unter ihren Pfer-
den zitterte das Land. Schon einmal war unser kleine Haufe
zertrennt; nur wenig hunderte waren wir. Wehklagen war
weit umher, und der Rauch des brennenden Näfels erfüllte
das Thal, und schlich fürchterlich an den Gebürgen hin. Aber
am Fuß des Berges stand jetzt unser Hauptmann; dort stand
er, wo die beyden Weißtannen auf dem [125] Felse stehn;
nur wenige standen bey ihm. Mir ist's, ich seh' ihn noch
muthvoll dastehn, wie er die zerstreuten Haufen zusammen-
ruft; wie er das Panner hoch in die Luft schwingt, daß es
rauscht wie ein Sturmwind vor einem Gewitter; von allen
Seiten her liefen die Zerstreuten zu. Siehst du, vom Felsen
herunter, jene Quellen? Steine, Felsen und umgestürzte Bäume mögen sich ihnen entgegensetzen; sieh, sie dringen durch;
sie stürzen sich weiter und sammeln sich dort im Teiche: So
war's, so eilten die Zerstreuten herbey, und schlugen durch
die Feinde sich durch; standen um den Held her und schwu-
ren, wir kleiner Haufe, steht Gott uns bey, zu siegen oder
doch zu sterben! In gedrängter Schlachtordnung stürmte der
Feind auf uns ein. Eilfmal schon hatten wir ihn angegriffen,
und zogen dann wieder an den uns [126] schützenden Berg
zurück. Ein engeschlossener Haufe standen wir wieder da,
undurchdringlich wie der hinter uns stehende Fels: Aber
jetzt, jetzt fielen wir, durch dreyssig Tapfre von Schweitz
verstärkt, in die Feinde, wie ein Bergfall oder ein geborste-
ner Fels hoch hinunter in einen Wald sich wälzt und vor sich
her die Bäume zersplittert. Die Feinde vor und um uns her,
Ritter und Fußknechte, in fürchterliche Unordnung gemengt,

---

* Die Schlacht bey Näfels, im Canton Glarus, im Jahr 1388.

stürzten einander selbst, indem sie unsrer Wuth wichen. So
wüteten wir unter den Feinden, und drangen über Todte
und Zerstümmelte vorwärts, um weiter zu töden. Ich auch;
aber im Gewühl stürzt' ein feindlicher Reuter mich zu Boden, und sein Pferd zertrat mein eines Bein. Einer, der neben
mir focht, sah rückwärts, rafft' auf seine Schulter mich, und
lief mit mir aus [127] der Schlacht. Ein frommer Ordens-
mann betete nicht weit auf einem Fels um unsern Sieg:
Pflege diesen, Vater, er hat gefochten wie ein Mann! Er
sprach's, und lief in die Schlacht zurück. Sie ward gewonnen.
Kinder, sie ward gewonnen! Mancher der unsern lag da,
über einem Haufen Feinde ausgestreckt, sagte man nachher,
wie ein müder Schnitter auf der Garbe ruht, die er selbst geschnitten hat. Ich ward gepflegt, ich ward geheilt: Aber meinen Retter kannt' ich nicht; nie hab' ich's ihm danken können, daß ich lebe. Ich hab' ihn umsonst gesucht; umsonst
Gelübde, umsonst Wallfahrten gethan, daß irgend ein Heiliger oder ein Engel mir's offenbare. Ach umsonst! Ich soll
ihm in diesem Leben nicht dancken.

Der junge Hirte hatte mit Thränen im Aug' ihm zugehört,
und sprach: Vater, [128] du kannst's in diesem Leben ihm
nicht mehr danken[!] Erstaunt rief der Alte: Wie, was sagst
du, weissest du denn wer er war?

Der junge Hirte. Mich müßte alles trügen oder es
war mein Vater selbst. Oft hat er mir die Geschichte der
Schlacht erzählt, und dann gesagt: Lebt wol der Mann noch,
welcher so tapfer an meiner Seite focht, den ich aus dem
Schlachtfelde trug?

Der Alte. O Gott, und ihr Heiligen, der Redliche sollte
dein Vater seyn!

Der junge Hirte. Eine Narbe hatt' er hier; (er wies
auf die linke Wange) der Splitter eines Spiesses hatt' ihn
verwundet, vielleicht eh' er aus der Schlacht dich trug.

Der Alte. Seine Wange blutete, da er mich trug. O mein
Kind, mein Sohn!

[129] Der junge Hirte. Vor zwey Jahren starb er;

und jetzt hüt' ich, denn er war arm, um schlechten Lohn hier diese Ziegen.

Der Alte umarmt' ihn. O Gott sey's gedankt, so kann ich seine Gutthat in dir ihm wieder vergelten! Komm Sohn, komm in meine Wohnung; ein andrer kann diese Ziegen hüten. Und sie giengen hinunter ins Thal, nach seiner Wohnung: Reich war der Greis an Feld und an Heerden, und eine einzige schöne Tochter war seine Erbin. Kind, so sprach er, der mein Leben gerettet, war der Vater dieses Knaben. Könntest du ihm gut seyn, ich gäb ihm dich zum Weibe. 10 Schön und munter war der Knabe; gelbe Locken kräusten sich um sein schönes Gesicht, und feuervolle doch bescheidne Augen blinkten draus hervor. Aus jungfräulicher Zucht bedachte sie drey [130] Tage sich; der dritte war ihr schon zu lange. Sie gab dem Jüngling ihre Hand, und der Alte weinte 15 mit ihm Freudenthränen und sprach: Seyd mir gesegnet! Jetzt, jetzt bin ich der glücklichste Mann!

Ergänzende Texte Geßners

1. Frühe Gedichte[1]

a) aus der Zeit um 1746/47

[Fragment einer Satire[2]]

Verschwendung und Geitz

[231]   Die Sonn ist albereit von uns hinweg gewichen;
Es ist im Westen schon, das Abend-Roth verblichen.
Die Nacht hat jez mit schwarz, den Himmel übermahlet,
Aus dem ein zwitzernd Heer, zerstreuter Sternen strahlet.
Der Mond erhellt die Erd, mit seinem schwächern Licht,
Daß man die Gegen-Stänr, schwach und betrüglich sicht.

1. Die Kenntnis der heute so gut wie vergessenen, in den Geßnerschen Textausgaben nie erschienenen ›Frühen Gedichte‹, die uns zur rechten Beurteilung der späteren Idyllen unerläßlich scheint, verdanken wir mit drei Ausnahmen – das Gedicht *An den Frühling* findet sich in einem bei Heinrich Wölfflin (Salomon Geßner, 1889) mitgeteilten Brief Geßners von 1752 (s. S. 152 f.); das *Lied eines Schweizers an sein bewafnetes Mädchen* wurde nach dem Erstdruck im *Crito* von 1751 (s. S. 148–152) mitgeteilt; das Gedicht *Die Viole* stammt aus der Zeitschrift *Das Angenehme mit dem Nützlichen* von 1755 – der acht Jahre nach Geßners Tod erschienenen Biographie Johann Jakob Hottingers (Salomon Geßner, 1796), der als Freund der Familie Zugang zu den damals noch erhaltenen Manuskripten und Entwürfen Geßners hatte und im Anhang zu seinem Buch aus zwei frühen Handschriften Geßners diese Proben mitgeteilt hatte, die nun dafür aufkommen müssen, daß mit dem gesamten literarischen Nachlaß auch diese Manuskripte verloren sind. Wölfflin bemerkt in seinem Geßner-Buch (S. 9) bedauernd: »Schon Mörikofer konnte für seine schweiz. [!] Literatur des 18. Jahrhunderts (1861) das Manuskript nicht mehr auftreiben.« Aus den von Wölfflin mitgeteilten Briefen Geßners an J. G. Schultheß vom Jahre 1752 geht hervor, daß Geßner damals vorhatte, einen eigenen Band lyrischer Gedichte zu veröffentlichen, daß er aber darin auch ein Prosastück aufnehmen wollte, das sich allen Versuchen der Versifizierung widersetzt und das er dann auf Anraten seiner Zürcher Freunde eben in dieser Form veröffentlichen wollte. Es handelt sich um das Prosastück *Der Frühling*, das alsdann in die Sammlung der *Idyllen* von 1756 gelangte und dort somit das (wie auch immer revidierte) älteste Stück der Sammlung darstellt. Der Vorgang lehrt einiges in Hinsicht auf die immer wieder aufgeworfene Frage nach Geßners Übergang von der lyrischen Versdichtung zur rhythmischen Prosa der Idyllen, und man fragt sich, wie weit her es sein mag mit

Grillen, Wünsch, verliebte Stutzer, Eulen, Forcht und
                                        Nacht-Gespänster,
[232]   Schwermen jetz durch alle Gassen, und umflattern
                                        thür und Fenster;
Man hört nichts mehr, als wacher Hunde bällen etc.
[...]
So macht sich Harpax selbst, ein marterliches Leben,
Er hat sich seinem Geld, als einem Gott ergeben;
Was er zur Kinderzucht, nothwendig sollt verwenden,
Diß heißt der karge Filz, unnöthiges verschwenden:
Die um ein stückgen Brod, um Gottes willen flehen,
Läßt er mit einem Fluch, weil der nichts kostet gehen.

Ramlers Verdienst, Geßner im Jahre 1749/50 in Berlin zur Aufgabe der
unvollkommen beherrschten Versdichtung und zur Wahl der rhythmischen
Prosa bestimmt zu haben. Den Plan einer Veröffentlichung der frühen
Gedichte hat Geßner ausdrücklich erst im Herbst 1755 aufgegeben, als
die meisten der im Frühjahr 1756 erschienenen *Idyllen* schon geschrieben
waren (vgl. Geßner an Gleim, 20. Okt. 1756, Körte, S. 246). Bemerkenswert ist bei alledem auch, wie zwiespältig Geßner schon im Jahre 1752
zu der von ihm selbst noch geübten, jedoch bei anderen als überholt und
leer empfundenen (vgl. Wölfflin, S. 155 ff.) anakreontischen Lyrik
steht. Rückläufig betrachtet hatte er sein »Neues«, dessen Notwendigkeit
ihm damals immer mehr einleuchtete, schon in der geplanten Gedichtsammlung stehen – nämlich in Gestalt des scheinbar mißlungenen, in
Wahrheit zukunfttrtächtigen ersten Stückes zu den *Idyllen: Der Frühling*,
von dem eine direkte Linie zu dem noch im gleichen Sommer geschriebenen Stück *Die Nacht* führt.
2. nach Hottinger, S. 231–233. – Gemeinsam mit dem hier folgenden
Fragment einer Verserzählung im Gleimschen Geschmack stellt dieses
Fragment der Darstellung Hottingers zufolge ein typisches Beispiel dar
für die Art von Gedichten, die Geßner in der Zeit von 1746 an, 16- bis
17jährig, während des Landaufenthaltes in Berg bei Winterthur unter
dem Eindruck der Lektüre Brockes', Hagedorns und Gleims geschrieben
hatte: »Gedichte mit und ohne Reimen, Prose mit Versen untermischt,
Fabeln, [Vers-]Erzählungen, Satyren, und Anakreontische Lieder« (Hottinger, S. 40). In bezug auf den ersten Manuskriptkomplex, aus dem
Hottinger die beiden Fragmente zitiert hatte, schreibt er (ebd.): »In der
That scheint Berg die Wiege seiner Dichtung gewesen zu seyn. Eine nicht
unbeträchtliche Anzahl poetischer Versuche, welche nicht bloß nach den
weniger ausgebildeten Schriftzügen, und dem auffallenden Mangel an
Rechtschreibung, sondern nach dem Ton und Inhalte zu urtheilen, zu
den ersten gehören, fallen ohne allen Zweifel in diesen Zeitpunkt.«

Er hoffet nur auf Gott, wann Krankheit ihn befällt,
Warum auf ihn allein? die Ärzte fordern Geld.
[233]   Zur Predigt geht er nicht, vor jeder Kirchen-Thür,
Streckt man ihm ohnverschämt, den Armen-Seckel für etc.

[Fragment einer Verserzählung³]

[233]   Die Sonne war in Westen,
           schon von den hohen Bergen,
           das Gold der Abendröthe,
           erblaßte an dem Himmel[,]
           des Mondes schwächre strahlen,
           besilberten die Erde.

[234]   Alß Amor schon bewaffnet,
           in jennem düstern wäldchen,
           durch dunkle Schatten irrte,

3. nach Hottinger, S. 233–238. – Hottinger führt diese Verserzählung
als Beispiel der Art von Gedichten aus dem ersten Manuskript an, die
»sich an süsser Zärtlichkeit und naiver Schalkslaune mit den besten
Gleimischen Stücken vergleichen« lassen (S. 41). Unter anderem wäre
dabei wohl an das Gedicht *Amor im Garten* aus dem 1744 erschienenen
ersten Teil von Gleims *Versuch in Schertzhaften Liedern* (Ausg. von
A. Anger, Tübingen 1964. Neudrucke Dt. Literaturwerke. N. F. 13, S. 16
bis 17) zu denken, das vor allem in den Eingangsversen eine so auffallende Übereinstimmung mit Geßners Gedicht aufweist:

          Die Sonne sank nach Westen,
          Und machte noch im Sinken
          Die letzte Abendröte;
          Als mich ein kühler Zefir
          Aus meinem Zimmer lokkte.
          [. . .] etc.

In Hottingers Anhang wird die Geßnersche Verserzählung mit den folgenden Worten eingeführt:
»[233] Meine Leser mögen aus folgendem niedlichen Gedichtchen, welches
er, nach der in der Abschrift eines Freundes beygesezten Jahrzahl, vor
seinem achtzehnten Jahre verfertigt haben muß, urtheilen, ob ich zu viel
gesagt habe. Die erwähnte Abschrift des Freundes hat einige Varianten,
welche absichtliche Verbesserungen und Berichtigungen zu seyn scheinen.
Die meinige ist aus Geßners Handschrift gezogen.«

wo öfters zwey verliebte,
in grünen Schatten scherzen,
wo manches schönes Mädchen,
in Blumen ausgestreket,
den ihm getreuen Hirten,
mit Ungedult erwartet,
wo Kleiner Vögel Chöre,
der Liebe Lob besingen.

In mitte dieses wäldchens,
versameln alle Bäche,
die sich durchs wäldchen schlängeln,
in einem See die wellen
ihr feuchtes Uffer küssend

Hier, hier sah er ein Mädchen,
ein nakend badend Mädchen,
drum schlich er an das Uffer,
das Mädchen zubesehen.

Die weißgewölbte Stirne,
umkränzten schwarze Locken,
[235]   mit denen Zephir scherzte,
und sie um Halß und Brüste,
mit sanftem säuseln schwang,
Es glühte auf den Wangen,
der purpur junger Roßen,
die Kleinen zarten Lippen,
umflatterte die Anmuth,
der schwarzen Augen Feuer,
war reitzend und entzündend,
der Leib war schön und prächtig,
geschlank, und weiß wie Lilgen,
wie man die Venus bildet.

Die wällen hüpften freudig,
umschwangen ihre Knie

und stiegen in die Höhe,
– – – – – – –

und hüpfeten in Kreyßen,
in silberfarbnen Zirkeln.

Das Mädchen sah den Amor,
den es noch nie gekennt,
Es sprach, du kleines knäbgen,
Geh, oder, wann ich komme,
[236]   so spriz ich dich mit Wasser.
Doch Amor lächelt schalkhaft,
lähnt sich auf seinen bogen,
und bleibt am Uffer stehen;

Das Mädchen klatscht ins wasser,
biß Amor ganz betreufelt,
so, wie die Rose glänzte,
die ganz beperlet glänzet,
wenn sie bey hellem Morgen,
das frische Tau befeuchtet.

So wie die kleine Lerche,
wann sie die Regentropfen,
von bunten Federn schütelt,
so schütelte sich Amor
die Tropfen abzusprizen.

Drauf sagt er freundlich lächelnd,
Mein kind du kannst im sprizen,
gewiß sehr artlich treffen,
doch sieh, kann ich im schießen,
dich auch so artlich treffen.

[237]   Drauf langt er in den Köcher,
und legt auf seinen Bogen,
ein glänzend scharffes pfeilchen,
kaum zischt es durch die Lüfte,

so staks schon in dem Herzen;
des Schreken vollen Mädchens
das eilends aus dem wasser,
ans nahe Uffer flohe
und in dem düstern Wäldchen,
geheim den orth besah,
wo ihns der pfeil getroffen.

Was, sprach es, fühlt mein Herz,
Es ist kein rechter Schmerz,
Er schmerzt, doch ist er süß,
Ein plagendes vergnügen,
was ist nun dieses alles?

Ich hörte diese Worte,
Dann ich stak im Gebüsch,
wo dieses Mädchen klagte,
komm, sez dich auf die Blumen,
sprach ich mein schönstes Mädchen,
ich heil dir deine wunde.

[238]   Die Schaam mahlt seine Wangen,
mit reizend schönem purpur,
alß es mich reden hörte,
es wollte schüchtern fliehen,
allein ich hielts zurüke,
und fieng es an zuküssen,
da fieng es an zulächeln,
und foderte durch küsse,
von mir noch ville küsse,
wir küßten bis wir sinkend,
uns auf die blumen legten. etc.[4]

4. Der Text bricht bei Hottinger an dieser Stelle ab. Dafür folgt bei ihm
die Erklärung:
[238] »Einige Verse, welche den Beschluß machen, lasse ich mit Bedacht
weg. Kritisch erwogen, hätte er das Gedicht nicht erst da, wo ich es
abgebrochen habe, sondern schon früher, wo das Mädchen verwundet ist,

b) aus der Zeit von 1748 bis 1752[5]

[Dialog[6]]

Das Weib.
Du Mann, sieh diese Ros am Bach,
Wie lächelnd sie sich bückt,
Die nächste Welle küsset sie,
Sie küßt sie und verschwindt,

mit einem kleinen Zusatze schliessen sollen. – Wenn ich übrigens den ächt poetischen Werth dieses Liedchens betreffend mein Glaubensbekenntniß, frey und rund ablegen wollte, so könnte ich leicht Gefahr laufen, von vielen, welche sich auf ihre Kennerschaft etwas rechtes zu gute thun, mißverstanden, oder, was nicht viel besser ist, weder verstanden, noch begriffen zu werden. Poesie von diesem Ton und Gehalt ist, wie [239] die Philosophie, *paucis contenta judicibus:* und diesen wenigen habe ich nichts zu sagen.«

5. Hottinger nahm als Entstehungszeit der hier abgedruckten Gedichte – mit Ausnahme des letzten, aber einschließlich des 1751 im Druck erschienenen: *Lied eines Schweizers* – die Zeit von 1748 bis 1751 an: »Ein paar Bogen voll Gedichte, welche sich von den obenerwähnten abgesondert erhalten haben, müssen offenbar diesem Zeitpunkte zugesprochen werden. Dieß ist die zweyte Epoche seiner Poesie, welche sehr wahrscheinlich zwischen sein achtzehntes und ein und zwanzigstes Jahr fällt. Hier scheint seine Wahl sich schon mehr fixiert zu haben. Es sind, ein paar Stücke ausgenommen, alles erotische Lieder im Anakreontischen Versmaße« (Hottinger, S. 47). Diese Datierung ist nicht ganz unbezweifelt geblieben, u. a. hinsichtlich des Schwerpunktes dieser Periode, den Hottinger dadurch betont hatte, daß er in seinem Buch die hier zitierte Charakterisierung jener »zweyten Epoche« vor die Darstellung von Geßners Berlin-Aufenthalt von 1749/50 plazierte. Fritz Bergemann (S. 100) möchte den Schwerpunkt dieser Periode lieber in die Zeit nach der Berlin-Reise legen, und zwar auf Grund jener Briefe Geßners an Schultheß von 1752 (im Anhang zu Wölfflin, S. G.), in denen von der geplanten Veröffentlichung der Lieder und Gedichte die Rede ist und in denen u. a. das von Hottinger mitgeteilte und auch hier wiedergegebene Gedicht *Die Dauben* erwähnt ist. Da aber Geßner in jenem Brief (Wölfflin, S. 154) nicht zu erkennen gibt, ob das Gedicht neu ist oder schon länger vorliegend, besagt diese Erwähnung wenig für die Datierung der ganzen Periode. Zweifellos aber hat Bergemann recht, wenn er ganz allgemein sagt: »Übrigens fällt auch das Ende dieser Periode noch etwas später, erst ins 23. Lebensjahr Geßners, wo er der Anakreontik verschwört.«

6. nach Hottinger, S. 239.

Und weil die zweite Welle noch
    Froh nach dem Kusse hüpft,
So hebt die dritte schmachtend schon,
    Ihr silbern Haubt empor.
        D e r   M a n n.
Weib sieh der kleinen Welle nach,
    Wie sie am Ufer hin,
Von Blum zu Blumen ungetreu,
    Von Kuß zu Küssen hüpft.
Jezt küsset sie das Vielgen dort,
    Und sieht nicht schel zurück,
Wann eine andre Welle hier,
    Froh an der Rose hüpft.

            Das Gespräch[7].

            S t e f f e n.
O Bruder welch Entzücken,
Schaft mir mein guter Wein!
Bey eines Mädgens Blicken,
Da soll man froher seyn?
Freund glaub, ein jeder Tropfe Wein,
Stürzt neue Lust in mich hinein.
            K u n z.
O Bruder welch Entzücken,
Schaft mir mein muntres Weib!
Das Feuer in den Blicken,
Ihr schöngebauter Leib!
Bey dieser Lust, bey diesen Freuden,
Freund glaub, muß mich ein Fürst beneiden.
            S t e f f e n.
Ein schäumend Glas aufs andre leeren,
Und stets dabey den Kuß entbehren! – –

7. nach Hottinger, S. 240–241.

Ich glaub die Freude würd sich mehren,
Wann diese Ding beysamen wären.
[241]   K u n z.
Doch ja! Bey meinen Küssen,
Hab ich nicht einen Tropfen Wein,
Bald glaubt' ich, würd ich den nicht missen,
Ich würde noch entzückter seyn.
        S t e f f e n.
Freund wie! mir fällt ein Mittel ein,
Wir können unser Glück vermehren.
Du hast ein Weib, ich habe Wein,
Und die, die haben wir gemein,
Nicht wahr? diß läßt sich hören.

Die Dauben[8].

Sieh Mädchen sieh die Dauben,
Dort auf dem Ast in Blättern,
Sieh wie die Daube seufzend
Sich an den Däuber schmieget,

---

8. nach Hottinger, S. 241. – Geßner erwähnt das Gedicht *Die Dauben* in
seinem Brief an J. G. Schultheß vom 6. Juni 1752 (Wölfflin, S. 154),
in dem ebenso wie in anderen dieser Briefe aus dem Jahre 1752 von
der damals noch geplanten Veröffentlichung seiner anakreontischen Lieder und Gedichte die Rede ist (vgl. hierzu w. o. S. 140 f.): »Soll ich mein
Lied von den Dauben verwerfen, ich denk ja. Beßer [d. i. Johann von
Besser, 1654–1729, Schriften in 2. Bden 1732] hat ja den gleichen Gedanken gebraucht. Sag mirs doch auch gerade zu, hätt es Gleim nicht
verworfen, wenn er es gemacht hätte?«
Das Motiv des Gedichtes taucht – mit wörtlicher Wiederaufnahme der
Schlußzeile »Du sprödes böses Mädgen« einerseits, mit dem Bild der auf
den Ästen sich schnäbelnden Tauben bzw. Vögel andererseits – allerdings
verteilt auf die aufeinanderfolgenden Gesänge zweier Personen – wieder
auf in dem 1754 erschienenen Geßnerschen Hirtenroman *Daphnis*, und
zwar im 3. Buch, beim Wechselgesang während der Hochzeitsfeier des
Daphnis und der Phillis.
Eine weitere Entwicklung hat das Motiv dann in der Idylle *Damon.
Phillis* in der Sammlung der *Idyllen* von 1756 erfahren (s. S. 33–35).

Sieh wie der Däuber sanfte
Sie mit den Flügeln schläget.
Sieh Mädgen, ach! sie schnäbeln!
Und jezt, ach! sieh – – die Daube!
Du sprödes böses Mädgen.

Die Muthmassung[9].

Wo bin ich? wie! wo schlief ich dann,
Die dunkle Nacht hindurch?
Hier lieg ich unter diesem Baum,
Hier ich, mein Becher – – dort im Gras,
Dort liegt mein Kranz, die Flöte da,
Bald glaub ich, daß ich gestern hier,
Im starken Rausche sank.

[Lied eines Schweizers an sein bewafnetes Mädchen[10]]

[169]   Mein Herr[11].
Ich fühl ein Vergnügen nur halb, wann sie es nicht mit-
geniessen; werden sie hier nicht ein Lied mit Vergnügen
lesen, das ich vorgestern in einem Band von uralten, ohne

9. nach Hottinger, S. 242. – Vgl. die Wiederaufnahme und Entfaltung
des Motivs in der Idylle *Der zerbrochene Krug* in der Sammlung von
1756 (s. S. 35–37).
10. Entstehung: Zürich, um 1750.
Erstdruck: Crito. Eine Monatsschrift. Zürich: Geßner. 1. Bd. (1751),
V. Stück, S. 169–171.
Spätere Druckfassungen:
S₁ bis S₉ = Schriften ²1762 bis Schriften ⁸1788; G₁ und G₂ = Gedichte 1762
und ²1765. – Die wesentlichen Änderungen stehen in S₁ (Schriften 1762,
III. Teil, S. 140–141), einige andere noch in S₂ (Schriften ²1765,
III. Teil, S. 140–141) und S₇ (Schriften ⁷1777/78, I. Band (1777), S. 119
bis 120).
Es handelt sich bei diesem Gedicht um Geßners erste poetische Ver-
öffentlichung überhaupt, die ebenso wie die darauf folgenden Einzel-

sonderliche Wahl zusammen geschriebenen Geschichten und Liedern gefunden? Es schildert die Empfindungen, die vor etwa 400 Jahren ein junger Schweitzer gefühlt, da er sein Mädgen, oder seine Buhlschaft im Harnisch sahe. Sie müssen wissen, daß die Mädgen jener Zeiten, wann sich ein Feind an ihre Mauern wagte, Scherz und Spiel verliessen, sich mit Helm und Harnisch bedeckten, und bewafnet an der Männer Seite fochten. Be-[170]denken sie doch, wie schön diß muß gelassen haben, wann ein Heer von Mädgen unter blankem Harnisch den kleinen Fuß Glieder-weis durch die Stadt fortsetzte; wär ich Feind gewesen, ich hätte allemahl mein Leben gewagt, ein Paar von diesen Heldinnen zu meinen Kriegs-Gefangenen zu machen, oder ich hätte mich willig als ihr Gefangener hingegeben. Doch hier ist das Lied:

veröffentlichungen der *Nacht*, des *Daphnis* und der *Idyllen* anonym erfolgte, und zwar in der 1751–52 in Zürich erschienenen, von Johann Heinrich Schinz nach außen vertretenen, von Bodmer protegierten Zeitschrift *Crito*, die u. a. auch Johann Caspar Füßli und Hans Caspar Hirzel zu ihren Beiträgern zählte.

Hottinger (vgl. hier S. 145) fand das Gedicht im zweiten Manuskriptkomplex der Geßnerschen Lieder, die noch 1752 zur Veröffentlichung in einem eigenen Gedichtband vorgesehen waren. Da das *Lied eines Schweizers* von Geßner selbst zum Druck gegeben war, glaubte Hottinger auf die Wiedergabe der (somit verlorenen) handschriftlichen Fassung verzichten zu können.

Die hier mitgeteilte Crito-Fassung ist nie in einer Geßner-Ausgabe gedruckt worden. Zitiert wurde das Gedicht nach den verschiedenen Ausgaben der *Schriften*, wo die veränderte Fassung von 1762 mit weiteren Abweichungen tradiert wurde.

11. S₁,140 (bzw. 141): *Vor- und Schlußbemerkung gestrichen, dafür die von nun an für alle weiteren Ausgaben der »Schriften« verbindliche Überschrift:*

S₁,140: Lied eines Schweizers an sein bewafnetes [bewaffnetes *S₇,119*] Mädchen.

mit der ebenfalls von da an im Wortlaut gleichbleibenden Fußnote:

S₁,140: Als Kayser Albrecht Zyrich belagerte, haben die Weiber und Tœchtern [Töchter *S₇,119*] dieser Stadt Harnische angezogen, und ganz bewafnet [bewaffnet *S₇,119*] sich unter die Mænner gemischet; der Kayser erschrak [erschrack *S₇,119*] yber die zahlreiche Armee, und zog von der Stadt ab.

1.

Wie seh ich, seh ich nicht mein Kind![12]
> Was blendt mein zweifelnd Aug?
Ein zitterndes ein helles Licht,[13]
> Blitzt von dem blanken Helm.

2.

Ein weiß und rother Feder-Busch
> Fliegt rauschend in der Luft,[14]
Dein braunes Haar fließt aus dem Helm;
> Und flieget mit dem Busch.

3.

Ein Harnsch deckt deinen weissen Leib,[15]
> Und deine zarte Brust,
O böser Harnsch, jetzt seh ich nicht,[16]
> Wie sie sanft schmachtend steigt.[17]

4.

Doch froh! ich seh dein rundes Knie,
> Den wohlgemachten Fuß,[18]
Den sonst dem Aug ein langes Kleid
> Bis auf die Erd entzog.

[171]   ### 5.

Dem Engel der das Paradies
> Vor dem[19] bewachet hat,

---

12. S1,140: Wie! seh' ich – – seh' ich dich, mein Kind!
13. S1,140: Welch zitterndes, welch helles Licht
14. S1,140: Fliegt rauschend in die Luft;
15. S1,140: Ein Harnsch dekt deinen zarten Leib,] Ein Harn'sch dekt
[deckt *S1,119*] deinen zarten Leib, *S2,140*
16. S1,140: O bœser Harnsch! Izt seh' ich nicht,] O böser Harn'sch! Izt
seh' ich nicht, *S2,140*
17. S1,140: Wie sie sanft-schmachtend steigt.
18. S1,140: Ich seh den kleinen Fuß,
19. S2,141: Vordem

Dem gleichest du mein schönstes Kind[20]
In dieser blanken Tracht.

6.

Er drohte nur dem bösen Feind,
Und lacht dem Frommen zu.
Dein blaues Aug droht unserm Feind,
Und mir mir lacht es froh.[21]

7.

Des frechen Feindes scharffer[22] Pfeil
Zisch neben dir vorbey,[23]
Dich treffe nur der sanfte Pfeil
Vom kleinen Liebes-Gott.

20. S1,141: Dem gleichest du, mein schœnstes Kind!
21. S1,141: Und mir, mir lacht es zu.
22. S1,141: scharfer
23. S1,141: Zisch yber dir vorbey;
*In dem von Geßner selbst redigierten und verlegten »Helvetischen
Calender« erschien 1782 ein Aufsatz mit dem Titel »Die helvetischen
Schönen im vierzehnten Jahrhundert«, in dem von dem gleichen Vorfall
mit auffallendem Anklang an die Fußnote und an den Text des Gedichtes erzählt wird:*
»Indem die Helvezierinnen mit dem Reiz der Liebesgöttinn den Helden-
sinn des Kriegsgottes verbanden, sahen sie sich als Töchter dieser Gottheiten, als Priesterinnen der Tugend verehrt, Hier einige Züge zur
Beleuchtung ihres Charakters:
Im Jahr 1298. hatte sich Kaiser Albert [d. i. Albrecht, ältester Sohn
Rudolfs von Habsburg, Kaiser seit 1298, 1308 bei Königsfelden von
Johann von Schwaben (Parricida) ermordet] an der Anhöhe von Zürich
gelagert. In der Stadt ersezten die Weiber den Mangel an Mannschaft;
in kriegerischer Rüstung zogen sie über die Brücken auf den Hügel, mit
hohen Linden umkränzt. – – Anstatt der Spindel, schwingt nun das
Mädchen die blitzende Lanze; wild fliegt unter dem Helm die weibliche
Locke; ungestüm empört sich der Busen unter dem Panzer; Freundlich
lächelt das Aug dem Geliebten, und tödende Blitze schleuderts gegen
den Feind hin. Schon ist er von Ferne, beym Anblik des bewaffneten
Engelheeres, geschlagen. Er flieht. In frohen Reigen singen die siegreichen Mädchen mit den Heldenbrüdern Jubelgesänge« *(Helvet. Calender für das Jahr 1782, S. 233–234).*
*Diese Übereinstimmung hatte vor einigen Jahren Leo Weisz bewogen,
den Aufsatz aus dem »Helvetischen Calender« Geßner zuzuschreiben*

Ich hab es in unsre Sprach übersetzt, weil sie der Alten nicht
mächtig sind; gefällt es ihnen nicht recht wohl, so geben sie
der Ubersetzung Schuld.
Wie leben sie mit ihrem Mädgen? In wenig Tagen werd ich
sie besuchen: Ihr braunes Aug soll mich dann wieder schalkhaft anlachen, wann ich ihr noch einmahl sage, daß ein Kuß
von ihr mich ganze Tage froh macht. Leben sie wohl!

An den Frühling[24].

> Was hilf es mir du Frühling,
> Wenn du auf alle Wiesen
> Die schönsten Blumen streuest,
> Wann ich auf deinen Blumen,

*und auf das frühe »Lied eines Schweizers an sein bewafnetes Mädchen«
zu beziehen (L. W.: Salomon Gessners erstes und letztes Gedicht. In:
Neue Zürcher Zeitung vom 15. Mai 1966, Nr. 2153). Der Vergleich er-
öffnet in der Tat neue Perspektiven in der Beurteilung Geßners; die
Zuschreibung des Aufsatzes an Geßner sollte man allerdings nicht ungeprüft akzeptieren. Mit gleichem Recht hätte Weisz übrigens auch einen
früheren Aufsatz aus dem gleichen Kalender für Geßner in Anspruch
nehmen können, der an vielen Stellen und so auch mit der hier in Rede
stehenden Stelle fast wörtlich übereinstimmt. Es handelt sich um den
umfangreichen Aufsatz »Beytrag zur Geschichte der weiblichen Sitten,
Lebensart und Kleidertracht« aus dem »Helvetischen Calender für das
Jahr 1780«. Hier ist die Stelle (S. 131–132):
»Indem die Helvetierinnen mit dem Heldenmuthe des Kriegesgottes den
Liebreitz Cythärens verbanden, schienen sie in der Umarmung dieser
Gottheiten gebohren. Folgende Anekdoten aus diesem Zeitalter mögens
beweisen:
[. . .] Weniger höflich, aber desto heroischer ward im Jahr 1298. Kaiser
Albert von den Zürcherschen Schönen empfangen. Der Kaiser lagerte
sich an der Anhöhe von Zürich; die Stadt achtete es nicht einmal der
Mühe werth, die Thore zu schliessen; den Mangel an Mannschaft ersetz-
den die Weiber und Mädchens; in Helm und Panzer zogen sie mit Freu-
dengelärm über die Gassen und Brücken auf den Lindenhof; die Furcht,
die sie den Belagerern einflößten, bewog diese zu fliehen«*
*24. aus einem Brief Geßners an J. G. Schultheß vom 6. Juni 1752, wo
Geßner das Gedicht mit den Worten mitteilt: »Hier hast du wieder ein
Lied, beurtheil es recht streng« (Wölfflin, S. 154–155).*

Nicht kann mit Mädgen tanzen?
Was helfen mir die Blumen,
Wann mir kein muntres Mädgen,
Das Haupt mit Kräntzen schmüket?
Was hilfts mir wann die Bäume,
Jetzt junge Schatten streuen,
Wenn ich nicht neben Mädgen
In deinen Schatten schlumre?
Was hilfts mir wann du Blüthen,
Von bunten Bäumen schneyest,
Wenn du an meiner Seithe,
Auf keinen Busen schneyest,
Was schieren mich die Blumen,
Und Schatten und die Blüthe?

c) aus der Zeit um 1755

Die Viole[25].

Einfältige Viole,
Du hüllest zwar dein Antliz
Vor aller Menschen Blike,
Vor deinen eignen Bliken,

---

25. anonym erschienen in der Zeitschrift *Das Angenehme mit dem Nützlichen. Eine moralische Wochenschrift.* Erster Band. Zürich: Conrad Orell
u. Comp. 1756 [im 11. Stück vom 17. März 1755], S. 88. – Die Zuschreibung des bisher unbeachteten Gedichts an Geßner erfolgt hier zum ersten
Male. Es war zwar bekannt, daß zu den Mitarbeitern der in Zürich erschienenen moralischen Wochenschrift neben Wieland u. a. auch Geßner
gehörte (vgl. W. Martens. Die Botschaft der Tugend. Stuttgart: Metzler
1968, S. 125), nicht aber mit welchen Beiträgen. Unter allen Beiträgen der
nur auf zwei Bände gekommenen Zeitschrift ist es mit Abstand dieses
Gedicht, bei dem kein Zweifel zu bestehen braucht, daß es Geßners
Eigentum ist. Ein Vergleich mit den hier vorangegangenen anderen Gedichten Geßners dürfte erweisen, daß alle Züge der Geßnerschen Lyrik,
einschließlich der bemerkenswerten rhythmischen Unregelmäßigkeiten,
darin enthalten sind (vgl. auch: *Als ich Daphnen*, S. 63,24 f.).

In deiner Mutter Blätter,
Und wählest dir zur Wohnung
Einsidlerische Pläze.

Doch Zephir kömmt, und raubet
Die lieblichen Gerüche,
Die du zu unvorsichtig
Aus deinen Blümchen hauchest.

Wann er dann Luft und Erde
Damit erquiket siehet,
Verläßt er dich, und flieget
In eine ferne Gegend.

Dort ruft er andern Räubern,
Die mit undankbarn Händen
Die Blümchen selber pflüken.

Nichts ist vor den Begierden
Der frechen Menschen sicher.
Was hilft dich, armes Veilchen,
Die blosse dunkle Farbe,
Und dein einöder Wohnplaz,
Wann deine süssen Düfte
Dich immerhin verrathen?

2. Theoretische Texte

[Brief »von dem Nutzen und dem Schönen
in der Mahlerey«[26]]. 1751

[167]   Mein Herr.
Fürwahr sie haben mich letzthin recht böse gemacht, da sie
mir in dem verzweifelten Zwist, den wir zusammen hatten,
behaupten wollten: Die Mahlerey sey ein Ding von wenig
Nutzen; sie sagten, sie könnten nicht begreifen, wie ich so
lange vor einem Gemähld stehen könne, da sie es hingegen
in einem Augenblick übersehen und satt sehen können, und
dann wollen sie noch allemahl recht haben; ich ließ es ihnen
auch, ich war zu bös auf sie, als das ich ihnen hätte antworten können. Aber jetz, jetz will ich sie wiederlegen; in diesem Brief will ichs thun, wo ich allein reden kan, wo sie
mich nicht alle Augenblicke unterbrechen. Ich bin es nicht

26. Anonym in: Crito. Eine Monatsschrift. Zürich: Geßner. 1. Bd.
(1751), V. Stück, S. 167–169. – Der hier zum ersten Male wieder gedruckte *Brief* geht in der Monatsschrift *Crito* dem gleichfalls anonym
und in Briefform mitgeteilten, damals noch unbetitelten Geßnerschen
Gedicht *Lied eines Schweizers* unmittelbar voraus. Bergemann, der im
Zusammenhang mit dem *Lied eines Schweizers* auch auf den *Brief* zu
sprechen kommt (S. 99, Anm. 52), äußert Zweifel, ob Geßner tatsächlich der Verfasser ist oder ob der *Brief* nicht ›auch von einem Füßli her-
rühren« kann, bekennt aber: »Der ›Crito‹ ist mir nur früher einmal zu
Gesicht gekommen, als ich ihn von anderem Gesichtspunkt aus ansah,
und ich kann daher nicht sagen, ob Geßner noch mehr [als nur das *Lied
eines Schweizers*] daraus gehört« (ebd.). P. Leemann-Van Elck in seiner
1930 erschienenen großen Geßner-Monographie (S. 173) verzeichnet den
Brief definitiv unter den von Geßner unselbständig veröffentlichten
Texten. Obschon auch uns viel dafür spricht, Geßner als Autor anzunehmen, sollte der Vorbehalt diesem Text gegenüber nicht verschwiegen
sein. – Der heiteren Seite von Geßners nachmaligem Werk, die vor allem
durch die *Idyllen* bezeichnet wäre, entspricht die ernste seiner Bibeldichtung *Der Tod Abels*. So gesehen enthielte dieser frühe Text schon
beide Elemente der Geßnerschen Dichtung, das Arkadisch-Heitere, Heid-
nische, das sich hier noch im Horizont des Anakreontischen und, mit
dem Hinweis auf Watteau, Galanten versteht, und das Biblisch-Ernste,
Christliche, das in Zürich, im Schatten Bodmers, nicht zufällig mit dem
Namen Milton zum Ausdruck gebracht wird.

allein, der lang erstaunt vor einem schönen Gemähld stehen
bleibt, es seyn gar zu viele die es mit Lust sehen; ist diß
nicht genug, daß es ein unschuldiges Vergnügen in uns erweckt. Es giebt auch einige Theile der Poesie die keinen andern Zweck haben als zu belustigen; auch die Musik hat die
gleiche Absicht. Sie seyn doch kein Verächter der Lust, und
macht sie diß nicht schon liebenswürdig genug, daß sie unschuldig ist. Kurz, ich will ihnen nur diese Lust schildern, so
wie ich sie allemahl fühle:

Wann ich ein Anacreontisches Lied lese, und wann ich ein
Gemähld vom Watteaux sehe, so schildern mir beyde [168]
zarte Empfindungen, kleine blitzende Schönheiten; die
Handlung ist naif und unschuldig, die Natur lächelt in beyden. Ist diß nicht genug gefunden? Hier thut die Mahlerey
freylich nichts anders, als daß sie ergötzt.

Wie erschreck ich hingegen, wann mir Milton den Fall der
Engeln schildert; eben so erschreck ich, wann mir ein dreister
Pinsel das gleiche schildert; wann ich in schwarzer Luft, die
nur durch einen Strahl von Licht das von der Seite herfällt,
schrecklicher wird, eine Menge Figuren sehe, die wunderbar
durch einander dahin sinken, und wo der Licht-Strahl sich
eben so wunderbar auf den Figuren zerstreut, in deren Gebehrden und verschiedenen Gesichts-Zügen sie Schrecken,
Verzweiflung, wilde Bosheit, alle Laster, und alles was
schröckt, lesen können. Glauben sie nicht, so eine Schilderey
könne mehr dann ergötzen? Ist es nicht wahrscheinlich genug, daß mancher Gedanken-voll da steht, und zu sich selbst
sagt: »So folgt auf das Verbrechen die Straff; so eine Verzweiflung, so eine bange Unruhe, folgt dem Laster nach!«

Glauben sie wohl, daß wann ich eine Geschichte im Gemähld
sehe, ich selbige nachgehends oft weit lebhafter, weit fühlen-
der, und in weit vortheilhafterm Licht sehe. Der Mahler
muß, wie der Dichter, seine Geschichte wohl übersehen, um
die vortheilhafteste und merkwürdigste Seite zu finden, und
findet eine, die ich vielleicht niemahlen oder wenigstens dünk-
ler gesehen hätte. Sein unglücklicher Held, zum Exempel,

muß die Augen am meisten auf sich ziehen; seine Stellung, sein Gesicht, muß dem Affect, den das Unglück bey ihm erregt, deutlich sehen lassen: doch soll sein Gesicht durch eine gewisse Majestät sich von andern unterscheiden die bey ihm stehn, die keine Helden sind, die sich unedel dem Affect ganz überlassen oder weniger gerührt sind. Zu wie viel neuen und nützlichen Gedanken kan mir diß Anlaß geben? Wie schön, wie groß kan da der Mahler seyn, wann er die verschiedenen Gesinnungen dieser Leute schildert; wie ehrwürdig wird hier der Mahler, wann er so seine Käntniß der Leidenschaften und des Herzens zeiget.

[169] Noch eins: Wann ihnen der Mahler das schönste, das reizendste und das wunderbareste aus der Natur mit geschickter Wahl verbindt, wissen sie ihm da keinen Dank, wann er ihnen Gegenden vor Augen stellet, die er mit Müh aus der Natur, wo sie am schönsten ist, hergehollt hat? Wie schön ist auch von der Seite die Mahlerey, da sie den Mahler auf ein entzückendes Vergnügen, nothwendig führt, namlich, dem Schönen in der Natur nachzuspühren.

Diß dünkt mich Nutzens genug aus der Mahlerey, geschweige daß so viele andere Künste und auch Wissenschaften, sich ziemlich genau mit ihr verbinden, und viele Vortheile aus dieser schöpfen müssen.

Ich könnte noch vieles von dem Nutzen und dem Schönen in der Mahlerey sagen, wann ich nicht stolz genug wäre zu glauben, ich hätte genug gesagt, sie auf andere Gedanken zu bringen. Sie werden mir doch bald antworten, um mir zu sagen, wie weit mein Bekehrungs-Werk bey ihnen Eindruck gefunden. Leben sie wohl!

[155]   *Fragment eines Briefes von 1751*[27].

Alles ist wahr, nach dem Buchstaben wahr, was Ihre Freunde
Ihnen von diesem sonderbaren Volk in Prose und in Versen
erzählt haben. Wenn ** und ** Sie durch ihre Gesänge und
ihre Segenssprüche nicht zu sich in die Schweitz zaubern
können, so sollten Sie kommen dieses Land zu sehn, in welchem vor tausend Jahren der heil. Gallus bey den Bären
gewohnt, und diese Natur zu kennen, welche in die Herr-

27. Anonym unter diesem Titel in: Helvetischer Calender aufs Jahr
1780. Zürich: Geßner 1780. – Dieser *Brief*, den man in der Geßner-
Forschung gemeinhin nach dem (mit verschiedenen Kürzungen erfolgten)
Wiederabdruck in der *Neuen Schweizer Rundschau* von 1930 (23. Jg.,
S. 205–208) zu zitieren pflegt – daß er von Geßner stammt, bezweifelt
heute niemand –, wird hier zum ersten Male wieder nach dem Druck
von 1780 mitgeteilt. Im Jahre 1780 hatte Geßner das erste Bändchen des
von nun an jährlich im eigenen Verlag erscheinenden *Helvetischen Calenders* herausgebracht, den er bis zu seinem Tod im Jahre 1788 selbst besorgt hat (vgl. L[eo] W[eisz], Der Zeitungs- und Almanach-Verleger
Salomon Geßner. In: Neue Zürcher Zeitung No. 331, vom 25. Februar
1935). Für den so ausdrücklich »helvetisch« gearteten Almanach, zu dem
Geßner bis 1788 übrigens mehr als 50 Schweizerlandschaften radiert hat,
mußte ihm das aus dem *Crito*-Tagen noch vorliegende Prosa-Fragment
besonders geeignet erscheinen. Der Anlaß zu dem *Brief* ist zweifellos im
Realen zu suchen: Mit dem »Doktor« ist der Arzt Laurentius Zellweger
(1692–1764) in Trogen gemeint, ein Freund Bodmers, dem auch der in
der einschlägigen Literatur oft erwähnte Besuch von 1757 galt, bei dem
Geßner gemeinsam mit Bodmer, Breitinger und Wieland Gäste in der
»föhrenen Hütte«, wie das Haus des Arztes gerne genannt wurde, waren.
Zweifellos handelt es sich hier um einen zunächst authentischen Brief an
einen Empfänger, der wohl in Norddeutschland zu suchen wäre. 1751
war Geßner noch nicht lange zurück von seinem einjährigen Aufenthalt
in Berlin. Vielleicht deutet die Wendung »Ihr Brokes« auf Hagedorn
hin, den Geßner auf der Rückreise von Berlin in Hamburg besucht hatte
und der gemeinsam mit dem Hamburger Juristen M. A. Wilckens den 1738
in Hamburg erschienenen einbändigen *Auszug der vornehmsten Gedichte
aus dem Irdischen Vergnügen in Gott* veranstaltet hatte. An Hagedorn
als den wahrscheinlichen Adressaten lassen auch die wiederholten Anspie-
lungen auf antike Quellen denken, überdies dessen eigener Brief an Bodmer »im J[ahr] 1750«, in dem Hagedorn mit Nachdruck von seinem Verlangen, die Schweiz kennenzulernen und Leute wie Zellweger von Angesicht zu sehen, spricht (Fr. v. Hagedorn, Poet. Werke, hrsg. von J. J.
Eschenburg, 1800, 5. Teil, S. 111 f.).

lichkeiten des policierten Lebens nur wenige Blicke gethan hat. Das Land, die Berge, die Wurzeln, die Spalten der Berge, die Waldwasser, die Brunnen, die Triften sollte Ihr Brokes gesehen haben, sie mit seinem poetischen Pinsel zu mahlen.

> Dort strecket der Camor den liegenden Rücken,
> An welchen aufwärts sich der Altemont lehnet,
> Dann hebet sich mit aufgethürmeten Gipfeln
> > Der höhere Sentus.
> Zu ihren Füssen liegt ein bergigt Gefilde,
> Mit tiefen Klüften als mit Furchen durchschnitten,
> Doch an den Seiten mit weitwurzelnden Tannen
> > Vor Einsturz befestigt.

Man zweifelt, ob es ein Land oder eine Stadt zu nennen sey; die Häuser sind durch alle Thäler, alle Hügel, von Schritt zu Schritt verstreut; soll ich sagen, wie eine Heerde, die weidet, oder ihnen erzählen, [156] was ein munterer Landmann ihnen erzählen würde? Vor viel hundert Jahren, in den Tagen der barbarischen Finsterniß, flog der leidige Satan mit einem Sacke voll Häuser über diese Gebirge; an einem spitzigen Felsen des Altemans stieß sich sein Sack an und gewann einen Riß, durch diese fiel, da er weiter flog, ein Haus nach dem andern heraus, und verstreuten sich weit und breit, nahe und fern.

Aber von dem Land und den förenen Häusern, wie die Häuser der Mosynüken[27a] von quer sich kreutzenden Stämmen gebaut, würden die Einwohner sie bald auf sich hinziehen. Es ist nach dem Buchstaben gesagt, daß ein Mayländer für die Keuschheit seiner Donna nicht ängstlicher besorgt seyn kann, als diese Leute für ihre Begriffe von Freyheit und Rechte

27a. Mosynüken: Mosynöken, genauer: Mossynoikoi, (antike) pontische Völkerschaft in den waldreichen Gebirgen am südöstlichen Ufer des Schwarzen Meeres. Der Name leitet sich von den turmartigen Holzhäusern der M. (μόσσυν) ab; erwähnt bei Apollonius von Rhodos, Argonauten II, 374–379, sowie bei Xenophon, Anabasis V, 4,26 ff.

sind. Ich könnte Ihnen Beyspiele bringen, daß man es mit
ihnen verderbt hat, da man ohne ihren Befehl eine Bürde
von gewisser Art ihnen hatte abnehmen wollen. Es ist Wahrheit, nicht Poesie oder Roman, daß hier der Mensch sich noch
nicht vor dem Menschen schämet, und zu ungeschickt ist, sein
Herz zu verbergen. Ich muß mir selbst gestehn, daß ich diesem Volk mit meiner Beurtheilung zu viel oder zu wenig
thun würde; kommen Sie selbst zu uns und zu ihm und
sehen; sie werden die Froheit der ersten Einfalt und neben
ihr den feinsten Witz finden. Wenn diese Menschen lieben,
zürnen, spielen, ist ihr Geist ganz gefaßt, ohne Scheue; er
tritt in alle ihre Gliedmassen, Augen, Wangen, Zungen,
Hände, Kopf, Füsse – – wenn sie lieben, hassen, spielen,
lachen.
Hier lacht die Freude froher als in Pallästen, sie sitzt Bett-
lern im Gesicht. Hier werden Sie Spiele des Alterthums
sehen; [157] man stößt Steine, man ringet, man springt
Weite. Vormals wählten jede von zwo Gemeinden sich einen
Läufer, die mit einander Wette laufen mußten; da sollten
Sie gesehn haben, wie jeder Haufen für seinen Läufer in
Symptomen kam, an dem Siege Theil nahm, und auf Ge-
legenheiten auch zu siegen mit Schaam und Ungeduld wartete. Man mußte diese Streitart untersagen, weil die Hitze
der Streiter zu groß ward. Ich wollte Ihnen eine Lands-
gemeinde beschreiben, Sie sollten da die Freyheit schwazen,
anordnen, herrschen, exequiren sehen. Aber ich muß fürch-
ten, sie seyn mich zu verstehn zu deutsch: Zu deutsch möchten Sie wohl seyn; die leinene Kittel, die langen Hosen, die
nackenden Füsse zu sehn; Ihre Augen würden sich beleidigt
halten, wie von dem Schweitzer-Accent ihre Ohren, wie-
wol die Wörter ihnen mit dem Zischen der Leipzigerzunge
über die Lippen knistern. Ihren Kuhreyhen würden Sie doch
hören mögen, womit sie sonst Virtuosen beschämt haben.
Einer von diesem Geschlecht war nach Paris gekommen, man
führte ihn in die Opera, als er die Triller der Castraten
hörete, vergaß er sich, und sagte, der Gesang wäre zu wei-

bisch; er schloß die Augen zu, und steckte die Finger in die Ohren; dann stimmte er den Kuhreyhen an, und überstimmte bald die ganze Musik der Opernsänger. Der grosse Ludwig und sein Hof erstaunten über das Wirbeln und Kräuseln. Er wollte ihn in seinen Gärten hören, aber er weigerte sich und sagte: »er sey ein freier Mann, des Königs Bundsgenoß, und singe nicht wenn es ihm nicht gefiele.« Dünkt Sie nicht, Horaz habe von diesem eigensinnigen Manne geweissaget:

[158] – – – Cæsar qui cogere posset
    Si peteret per amicitiam patris atque suam non
    Quidquid proficeret – – –[27b]

Noch vor zwey Jahren hätte ich Sie mit dem Präceptor in Bekanntschaft gebracht, der zu diesem Kuhgesang einen frommen Text gemacht hat, der ihn uns mit vieler Selbstzufriedenheit sang; hätten Sie ihn gefraget, was er sänge, so wäre die Antwort gewesen: »Mein lieber Herr! den geistlichen Kuhreyhn.« Aber der gute Mann ist seitdem aus dem Phantasten zum Narren geworden, und verdient mehr Mitleiden als Gelächter. Ich will Ihnen nicht verhalten, auf welchen Grad die Kunst ihres Lieblings, des Raphael, bey diesem natürlichen Volk gestiegen ist, das beste Stück, das Sie, mein Lieber, hier zu begaffen fänden, ist auf einer Fensterscheibe, der Eintritt zu Jerusalem, Sie sollten sehen, wie die Decke des Thieres gespiegelt ist, schimmert und pranget. Und die emblematischen Sinnbilder, die darauf gezeichnet sind, könnten Sie freylich nicht errathen, ich müßte es Ihnen entfalten, daß es die Wapen der Eidsgenossen, der Cantons sind, und die Apostel oder die Jünger haben sie ihm aufgeleget.

Sie wissen es schon, meine Helden in diesem Land sind der Doktor und sein Vater[27c], kaum kann ich mich enthalten, daß

27b. Horaz, Satiren I, 3,4–6.
27c. Dr. Laurentius Zellweger und sein Vater Konrad Z.: Laurentius Z. hatte in Leiden bei Herman Boerhaave (1668–1738) Medizin studiert, 1713 den Doktorgrad erlangt und nach Reisen durch Deutschland und Frankreich sich schließlich in seinem Heimatort Trogen im Kanton Appen-

ich diesen beyden nicht ein eigenes Capitel wiedme, welches sie durch die Güte ihres Herzens, durch die Stärke ihrer Seele, durch Thaten und Reden verdienen. Paulin und Philokles sind Ihnen nicht unbekannte Namen. Paulin hat niemals etwas gesagt, als was er dacht, und niemals etwas gedacht, als was er hat sollen denken: Er sah den Tod vor Angesicht und ward nicht blasser, den Tod für's Vaterland. Philokles, Boer-[159]havens Lieblingen einer und Zögling, hielte sich nicht von der Vorsehung vergessen, die ihn bestimmte, für die Gesundheit der Sennen, seiner Freyheitsgenoßen zu sorgen, und in seiner Bibliothek sind die Weisen aller Zeitalter versammelt.

Ich stieg mit ihm an einem schönen Morgen auf den Gaberius, in der Landessprache heißt er der *Gäberis*. Es sind in dem Lande noch mehr solche lateinische Namen, als *Kaye*, Gajus, der *Altemann*, mons altus, der *Säntis*, mons sanctus. Nach diesen Namen zu urtheilen, geht man hier auf claßischem Boden. Wir tranken in einer rußigen Hütten Molken, welche mir den niedlichsten Geschmack verschaffte, indem wir nach einem Löffel Molken, einen Löffel von erstgemolkener Ziegenmilch tranken. Allein die Ziegen waren auch

zell als Arzt niedergelassen, wie es scheint mit großen Heilerfolgen und hochgeachtet. Seine Kenntnisse in der antiken und neueren Literatur, seine wertvolle Bibliothek, offensichtlich aber auch sein besonderer Lebensstil, sicherten ihm die Bewunderung zahlreicher fremder Besucher und die jahrzehntelange Freundschaft Bodmers, als dessen »Philokles« er auch in den Briefen anderer (vgl. Hagedorn, Poet. Werke, 5. Teil und Karl S. Guthke, Jb. d. Fr. Dt. Hochstifts 1966) auftaucht. – Im Zusammenhang mit der besonderen Betonung des ungestümen Freiheitsdranges der Bevölkerung, wie sie in Geßners obigem *Brief* geschieht, dürfte der Umstand interessant sein, daß im Jahre 1732–34 eine demokratische Volkserhebung die althergebrachte wirtschaftliche und politische Machtstellung und die Ämterhäufung der Familie Zellweger zeitweilig beseitigt hatte. Laurentius Z. z. B. mußte einige (weniger wichtige) Ämter abgeben, sein Bruder Johannes aber wurde damals seiner Stellung als »Landsammann« enthoben, der Vater seiner Stellung als »Statthalter«. Ironischerweise hat die Bemerkung über die Zellwegersche Todesverachtung mit dem Charakter der Bevölkerung entsprechenden Bedrohlichkeit jener damaligen Konfrontation zu tun.

solche, die sich von den gewürzten Kräutern der Alpen näh-
reten, und nicht von den entbauchten in den Städten, wo sie
selbst nöthig hätten, die Cur von Ziegenmilch zu machen.
Hier nahm uns niemand übel, daß wir im Angesicht des
Camors von Landammännern und von Monarchen mit derselben Freyheit plauderten, wie man bey Ihnen, mein Lieber,
kaum Erlaubniß hat, über den Dichter-König von Wald-
heim Urtheil zu sprechen. Als wir die westliche Seite hin-
unterstiegen, kam ein Mägdchen von weitem her laufend,
einen Gatter aufzumachen; der Doktor suchte in allen
Taschen einen Pfenning. Wenn ich keinen finde, sagte er,
wie wollen wir mit einander eins werden: Es war fertig zu
antworten – – »der Gatter gieng ohne den Pfenning auf,
und du kannst ja hindurch kommen.«
Unter einem Gestelle von Planken, auf welchem Bienen-
korbe standen, sahen wir [160] eine grosse Niederlage, et-
liche tausend lagen todt umher oder überwelbten sich halb-
lebend. Der Doktor sagte, daß die getödeten aus dem Rheinthal wären, sie wären weit schwächer als die vom Lande,
und wenn sie neben diese gestellt würden, würden sie un-
barmherzig angegriffen und umgebracht. Daher werde auch
in dem Rheinthal jährlich untersagt, daß niemand Körbe mit
Bienen aus den Gebirgen ausstellen sollte. Ich ward auch
leicht gewahr, daß die Erlegten von kleinerm Wuchse und
hellerer Farbe waren.
Wir kamen in ein volkreich Dorf, welches in dem Lande
selbst, von dem Sparren-Krieg berühmt ist. Die Streitenden
waren aus derselben Dorfschaft, Nachbarn gegen Nachbarn,
Brüder gegen Brüder, Väter gegen Söhne, Söhne gegen Väter; der Mann hielt die eine Parthey, das Weib die andere.
In der Frühe aß man den Morgenbrey aus einer Schüssel,
dann lief jeder mit dem Pfal bewaffnet zu seiner Parthey;
einer ward auf die Nase geschlagen, und fühlte sie nicht
mehr, er rief, man sollte ihm sagen, ob er sie noch hätte, da
man es ihn versicherte, rafte er sich auf, und mischte sich
wieder unter die Kämpfer. Sie haben, mein Freund, den

Krieg der Leute von Tentira und Kombos[27d] gelesen; dieser
war nur ein wenig sanfter – –

                    Nur wenige Wangen

Sind nicht verletzt, man sieht mit ganzer Nase kaum einen
Übrig, in beyden Heeren gespaltene Stirnen, Gestalten
Sich nicht mehr gleich, die Bein am Kinne zerquetschet
                    und hangend.

Itzt waren sie versöhnt und ruhig. Indem der Pfarrer uns
mit einer Kanne Most [161] bediente, kam ein Mann ihm
zu klagen, daß seine Frau ihm täglich Vorwürfe machte, ihm
wäre Most und Wein verboten (das heißt, daß er kein
Schenkhaus besuchen dürfte.) Es wäre zwar wahr, sagte er,
aber es wäre schon vor zehn Jahren geschehen, und er
meynte, man sollte nicht mehr darän denken. »Warum nicht,
sagte das Weib augenblicklich; predigt der Herr Pfarrer
doch bis auf den heutigen Tag von der Eva und dem Apfel,
und es sind viel tausend Jahre seitdem Eva darein gebissen
hat?«

Da wir Abends nach Hause giengen, waren unsere Molken-
brüder uns bis auf den Gaberius entgegen gekommen. Wir
hörten sie von weitem jauchzen. Der Pfarrer, ein apostoli-
scher Mann, war bey ihnen, auch der Landammann. Einige
in Schlafröcken, Nachtkappen, Pantofeln, ohne oder mit
Hut und Perruq[u]e, wie es sich in dem Lande der Freyheit
gebührete. Der Landammann gab einem Viehhirten an einem Zaun Verhör. Alle waren in der lustigsten Laune, sie
erzählten uns die Geschichte der *Schamhaften Jungfrau*, die
sie so munter gemacht hatte. Erlauben Sie, daß ich aus ähn-
licher Schamhaftigkeit sie nicht erzähle. Aber kommen Sie
in dieses sonderbare Land, und vernehmen Sie dieselbe von

27d. Krieg der Leute von Tentira und Kombos: Es handelt sich um den
ehemals auf dem westlichen Nilufer Oberägyptens gelegenen antiken Ort
Tentyra und den südlich davon gelegenen Ort Ombos. Den legendären
Streit zwischen den Bewohnern beider Orte hatte Geßner bei Juvenal
(Satiren XV,31–71) mit kruden Details geschildert finden können. Bei den
hier folgenden Versen handelt es sich um die etwas freie Übersetzung
der Verse 54–58.

den Augenzeugen. Ich will mein Anspruch auf Ihre ganze Freundschaft verlohren haben, wenn Sie nicht in den ersten acht Tagen gestehn werden, daß Sie zu den Schweitzerischten Schweitzern gekommen sind.

Aus: *Der Tod Abels.* 1758[28]

[3]   *Vorrede.*

Ich habe mich an einen höhern Gegenstand gewaget[29], um zu wissen, ob meine Fähigkeiten weiter hinaus reichen[30], als ich sie bisher versucht hatte; Eine Neugierde die jedermann haben sollte. Man macht oft einen Dichter furchtsam, der in einer gewissen Dichtart glüklich gewesen ist, und will ihn in diese Sphäre einzäunen, als wenn er izt da, die ganze Bestimmung und die ganze Stärke seines Genie gefunden hätte, wenn er oft mehr durch äussere Umstände, und vielleicht mehr von ungefehr, als durch besondern Trieb desselben auf

---

28. Abdruck nach der Erstausgabe: Der Tod Abels. In fünf Gesängen. Zürich: Gessner 1758, S. 3–16.

29. In einer späteren Ausgabe (Schriften, 1762) hat Geßner noch die Fußnote hinzugefügt: »Diß Gedicht ist spæter als Daphnis und die Idyllen geschrieben.« Gleichzeitig hat er das Motto aus Virgils vierter Ekloge, das hier noch am Beginn des ersten Gesangs steht, auf die Vorrede gegenüberliegende Leerseite versetzt. Damit wollte er zweifellos die Anspielung verstärken, die dem aufmerksamen Leser ohnehin nicht entgangen sein mochte: Die Eingänge der Vorrede wie des ersten Gesangs stellen beide Male eine auf den eigenen Fall angewandte Paraphrase des Virgilzitats dar. Bei dem Virgilmotto handelt es sich um die berühmten und in der europäischen Literaturtradition immer wieder paraphrasierten und montierten Eingangsverse zu der insgesamt traditionsbildenden vierten Ekloge:
    Sicelides musae, paulo maiora canamus!
    non omnes arbusta iuvant humilesque myricae.

    (Etwas Höheres laßt, o sikelische Musen, uns singen:
    Nicht jedweden erfreut Weinbaum und Sumpftamariske.
                                              Übers. von J. H. Voss)

30. 1762: hinausreichten

diese Bahn ist geführt worden. Wenn auch die Welt dem
Dichter nicht mehr Achtung schuldig wäre, der sich an die
höhere Poësie [4] wagt, so hat es doch für sich schon Beloh-
nungs genug, wenn man ein Stük von weiterm Umfang aus-
arbeitet. Es ist von tausend Vergnügungen begleitet, wenn
man ein grosses Mannigfaltiges zu überdenken hat, Trieb-
federn der Handlungen bis zu ihrem ersten Ursprung verfolget, und Charakteren ausmahlet, und durch verwikelte
Begebenheiten immer kennbar fortgehen läßt. Die ganze
Natur ist dann ein unerschöpfliches Magazin, mit allem was
ist, oder seyn könnte, woraus das Genie alles das herholet,
was seinen geliebten Gegenstand schmüken kann, da ist die
ganze Seele in Bewegung, und Fähigkeiten müssen erwachen,
die vielleicht sonst unbekannt geschlummert hätten.

[5] Aber, können einige sagen, so hätten wir[31] zulezt nichts
als Helden-Gedichte und Tragödien zu lesen; die ein solches
Unglük befürchten, müssen wissen, daß ich nur sagen will,
daß diese Art Arbeit dem Dichter ungemein viel mehr und
manigfaltigeres Vergnügen giebt, als jede Dichtart von kleinerm Umfang, und so sollt' es, meyn' ich, auch beym Leser
seyn. Indeß haben nur wenige Zeit und Musse genug, grosse
Stüke auszuarbeiten, die meisten werden durch ganz andere
Beschäftigungen davon abgehalten, und mancher wird von
dem gewagten Versuch abstehen, und einer andern Muse
seine gehorsame Aufwartung machen[32], die etwas weniger
spröd ist; und so können wir immer in jeder Dichtart Mei-
sterstüke bekommen. Denn ich will [6] derselben keiner zu
nahe treten; wünsch ich gleich mehrere Homere, so glaub ich
doch, daß Esop oder Anakreon, die Bewundrung der ganzen
Welt verdienen.

Einige werden sich wundern, und andre ärgern, daß ich eine
biblische Geschichte gewehlet habe. Die leztern sind meist
Leute von ziemlichem Alter, denen ganz andre Beschäftigungen nicht zulassen die neuere Poësie zu prüfen, die einen

31. 1762: Aber (kœnnen einige sagen) so hætten wir
32. 1762: und eine andre Muse um ihre Gunst flehen,

redlichen Eifer für die Würde ihrer Religion haben, und die
von ihrer Jugend her Vorurtheile gegen die Poësie behalten
haben, welche sie nur aus den Sächelgen kennen, die damals
die Deutschen aufzuweisen hatten, wenige ausgenommen,
die weder bekannt noch geschäzt waren. Damals war ein
Poët nichts als ein schnäkischer Kerl, ein Possen-[7]reisser für
die edle deutsche Nation. Diese bitt ich zu bemerken, und
ich rede auch nur mit diesen – – (mit denen red ich nicht, die
in unsern biblischen Gedichten gelesen, und das Schöne und
Nüzliche so wenig darinn empfunden haben, daß sie diß
Unternehmen doch noch zur Sünde machen, diesen muß ein
gewisser Sinn fehlen, und mit ihnen sich abzugeben, wär
eben so lächerlich, als wenn man einem Blinden mit einem
Licht vorgehen wollte;) die erstern bitt ich also zu bemerken,
daß diß nicht die Würde, sonder der elende Verfall der
Poësie ist; daß sie immer im Gefolge der Religion gegangen,
und ihr nicht geringe Dienste leistet, weil sie die würdigste
Art ist, Empfindungen der Tugend und der Andacht zu sagen: Sie soll den Verstand auf eine [8] edle Art ergözen,
und das Herz verbessern, sie soll die Menschen für jedes
Schöne empfindlich und gesittet machen, auch wann sie
scherzet, soll sie den Wiz reinigen, und Verachtung für Zot-
ten und Grobheit einpflanzen; Poësie von andrer Art ver-
acht ich selbst von ganzer Seele.
Wenn die Poësie das ist, was ich izt gesagt habe, dann ist sie
nicht unwürdig, ihren Stoff aus unsrer Religion zu nehmen.
Sie wehlt die biblischen Geschichten, weil ein jeder der unsre
Religion annimmt, dieselben für ungezweifelt hält, und weil
sie ihn mehr als alle andern Begebenheiten interessiren,
und weil sie da Gelegenheit hat, am klärsten zu zeigen, was
wahre Religion für Einflüsse auf den Menschen in jeder
Situation hat. Sie zieht die verschiedenen [9] Charaktere
aus ihrer Geschichte ab, und sucht durch die wahrschein-
lichsten Umstände sie zu entwikeln, und in ihrem ganzen Licht
lehrreich zu machen. Wenn sich schlechte Köpfe an das wagen, dann können freylich ihre Stüke mehr schädlich als

nüzlich seyn, aber sind das nicht alle schlechten Auslegungen eben so sehr?

Zudem ist diß eine Freyheit, die sich bisher alle Nationen erlaubt haben, und die, selbst zur Zeit der Reformation, bey uns kein Bedenken erregt hat; man hat damals Dramatische Stüke aus der Bibel öffentlich aufzuführen erlaubt, die der Werth der Poësie nicht, nur die gute Absicht retten konnte.

Aber, so wird zulezt die Bibel zur Fabel. Da muß ich nur fragen, welche Geschichte [10] diß Schiksal gehabt habe; Homer und Virgil haben Stüke aus der alten Geschichte gesungen, und doch ist mir kein Volk bekannt, das dumm genug gewesen wäre, aus ihnen die Geschichte zu ergänzen, und zu vergessen, daß sie Dichter und nicht Geschichtschreiber sind.

Noch giebts eine gewisse Gattung Leute, die zu gut zu leben wissen, als daß ihnen Helden gefallen sollten, die von nichts als Religion reden, so ernsthaft sind, und so wenig feinen Wiz haben; wenn sie glüklich nach ihren Sitten und ihrer Denkart geschildert werden, wie sehr sind sie da von der Welt, die zu leben weiß, unterschieden! was für eine einfältige Sprache, was für Sitten! Sie müssen ihnen eben so lächerlich seyn, als Homers Helden den Franzo-[11]sen, weil sie nicht Franzosen sind. Diesen muß ich im Vertrauen sagen, daß mir, als einem jungen Herren, der auch zu leben wissen will, an ihrem Beyfall zu viel gelegen ist, und daß ich, um sie gut zu behalten, das gleiche Sujet auch für sie zurichten will; Ich will dann trachten, eine Liebes-Intrigue, (und was ist ein Episches Gedicht ohne das? Alles was feinen Geschmak hat, muß es verlachen) das werd ich darinn anbringen, Abel wird dann ein zärtlicher junger Herr seyn, und Kain wie ein Französischer Hauptmann[33], und Adam soll nichts reden, das nicht ein betagter Franzose, der die Welt kennt, sagen könnte.

---

33. 1762: ein russischer Hauptmann

. . . . paulo majora canamus,
Non onmes Arbusta juvant, humilesque Myricæ.
Virg. Ecl. IV.

[13]   *Erster Gesang.*

Ein erhabnes Lied möcht' ich izt singen, die Haushaltung
der Erstgeschaffnen nach dem traurigen Fall, und den ersten,
der seinen Staub der Erde wieder gab, der durch die Wuth
seines Bruders fiel. Ruhe du izt, sanfte ländliche Flöt', auf
der ich sonst die gefällige Einfalt und die Sitten des Landmanns sang. Stehe du mir bey, Muse, [14] oder edle Begeistrung, die du des Dichters Seel' erfüllest, wenn er in
stiller Einsamkeit staunt, bey nächtlichen Stunden, wenn der
Mond über ihm leuchtet, oder im Dunkel des Hains, oder
bey der einsam beschatteten Quelle. Wenn dann die heilige
Entzükung seiner Seele sich bemächtigt, dann schwingt sich
die Einbildungs-Kraft erhizt empor, und fliegt mit kühnern
Schwingen durch die geistige und die sichtbare Natur hin,
bis ins fernere Reich des Möglichen, sie spühret das überraschende Wunderbare auf, und das verborgenste Schöne.
Mit reichen Schäzen kehret sie dann zurük, und bauet und
flicht ihr mannigfaltiges Ganzes, indeß daß die haushält-
rische Vernunft sanft gebietrisch Aufsicht hält, und wählt
und verwirft und harmonische Verhältnisse sucht. O wie
entfliegen da der erhizten Arbeit die goldenen, die edel ge-
nossenen Stunden! Wie bist du der Bemühung und der Achtung der Edeln werth! Es ist es werth, bey dem nächtlichen
[15] Gesange der Grille zu wachen, bis der Morgen-Stern
herauf geht, der edelste Gewinn, Achtung und Liebe bey denen zu haben, deren geläuterter Geschmak jedes Schöne zu
schäzen weiß, und Empfindungen der Tugend im fühlenden
Herzen aufzuweken. Billich verehret die Nachwelt des Dichters Aschen-Krug, von altem Epheu umschlungen, den die
Musen sich geweihet haben, die Welt Unschuld und Tugend
zu lehren. Sein Ruhm lebt noch, gleich jugendlich, wenn die
Trophee des Eroberers im Staube modert, und das prächtige

Grabmahl des unrühmlichen Fürsten izt in einer Wüste vielleicht, im wilden Dorngebüsche zerstreut ligt, mit grauem
Mooß bedekt, auf dem nur selten der verirrte Wandrer ruht.
Zwar diese Größe zu erreichen, hat die Natur nur wenigen
vergönnt, ihr nachzueifern ist rühmliches Bestreben. Der einsame Spaziergang, und jede meiner einsamen Stunden sey
ihm geweiht.

[16] Die stillen Stunden führten den rosenfarbnen Morgen
herauf, und gossen den Thau auf die schattichte Erde; indeß
schosse die Sonne ihre frühen Strahlen hinter den schwarzen
Zedern des Berges herauf, und schmükte mit glühendem
Morgenroth die durch den dämmernden Himmel schwim-
menden Wolken; Da giengen Abel und seine geliebte Thirza
aus ihrer Hütte hervor [. . .].

Brief über die Landschaftsmahlerey[34]
1770

a) Dokumente zur Vorgeschichte

Geßner an Christian von Mechel, Zürich, 10. Februar 1768
(Zürcher Taschenbuch 1929, S. 192–193):
»[. . .] Ich fahre noch immer fort, meine Nebenstunden, so
viel mir möglich ist, der Kunst zuwiedmen. Ich habe kürzlich einige von meinen neüesten Zeichnungen nach Dresden

---

34. Die im 18. und 19. Jahrhundert sehr oft gedruckte Abhandlung erscheint hier zum ersten Male seit 1770 wieder in der ursprünglichen
Fassung des ersten Abdruckes, die an vielen Stellen noch anders lautet
als da, wo Geßner sie 1772 zum ersten Male in seine gesammelten
Schriften aufnahm bzw. sie in dem Band seiner Gemeinschaftsveröffentlichung mit Diderot *Moralische Erzählungen und Idyllen von Diderot
und S. Gessner* abdruckte, der dann auch als Ergänzungsband zu den
verschiedenen im Handel befindlichen Ausgaben der *Schriften* diente.
Die aus diesem Anlaß geschehenen Änderungen sind die wichtigsten. Als
Geßner den ebenfalls 1772 zur Komplettierung zweier Frakturausgaben
(1767 und 1770) gedruckten Ergänzungsband, der dann auch für die
1774 neu gedruckten ersten beiden Bände zur Verfügung stand, im Jahre

gesandt; was mir dortige Kenner und besonders der Herr
von Hagedorn darüber sagen, macht mir Muth, und macht
mich kühn genug, zuglauben, daß ich in meinen lezten Ar-

1777 noch einmal neu drucken lassen mußte, um die beiden Bände von
1774 weiter komplettieren zu können, überarbeitete er neben den in diesem Band enthaltenen *Neuen Idyllen* auch den *Brief über die Landschaftsmahlerey* noch einmal. Da es sich um eine relativ geringe, dazu im
Druck nicht besonders attraktive Auflage handelte, traten die darin erfolgten Änderungen erst im zweiten Band der Prachtausgabe von 1777/78
recht in Erscheinung. In der von Hottinger nach Geßners Tod besorgten
Ausgabe der *Schriften* von 1789 finden sich schon verschiedene Abweichungen, die nicht mehr authentisch sind, die nichtsdestoweniger durch
J. L. Klees halbkritische Geßner-Ausgabe von 1841 tradiert wurden.
Die drei Textstufen des *Briefes* bezeichnen wir mit den Siglen A = Erstdruck von 1770, B₁ = Ausgabe(n) von 1772, B₂ = Ausgabe von 1777. Die
Fassung A wurde hier als Text zugrunde gelegt. Von den zahlreichen
Varianten in B₁ und B₂ werden nur diejenigen hier mitgeteilt, die eine
Veränderung des Aussageinhaltes darstellen oder wesentlich zur Ver-
deutlichung des ursprünglich Gesagten beitragen, nicht aber die in der
überwiegenden Zahl rein stilistisch gearteten Korrekturen von 1772 und
1777. Als besonders wichtig wurden die drei in der Fassung B₁ zum
ersten Male auftauchenden Einschübe in den Text von A hineingestellt
und dort durch eckige Klammern kenntlich gemacht. Als letztes der hier
dem eigentlichen Text vorangestellten ›Dokumente zur Vorgeschichte‹ steht
Geßners *Vorbericht* zum Abdruck des *Briefes* in der Fassung von 1772
(B₁). Aus den hier mitgeteilten Stellen der Briefe an Hagedorn und
Nicolai von 1768 sind es einzelne Formulierungen, die dann fast wörtlich im eigentlichen *Brief* wiederkehren. – Eine 1787 bei Geßner erschienene billige Einzelausgabe in Fraktur, die dem *Brief über die Landschaftsmahlerey* zuteil wurde, konnte nicht beigebracht und somit nicht
verglichen werden.

A Zuerst gedruckt wurde der *Brief* als Teil der umfangreichen Vorrede
Johann Caspar Füßlis zum dritten Band seiner Schweizer Künstler-
geschichte: *Geschichte der besten Künstler in der Schweitz.* III. Bd.
Zürich: Geßner 1770, S. XXXVI–LXIV.

Der von Geßner im Brief an Heinrich Meister vom 20. März 1772 und
im *Vorbericht* von 1772 erwähnte Nachdruck des *Briefes* in der *Leipziger Bibliothek der schönen Wissenschaften* war bei Gelegenheit der
Rezension des Füßlischen Bandes erfolgt, wo der (anonyme) Rezensent
schon bald das Wort an Geßner abgibt, dessen *Brief* dann vollständig
erscheint: Neue Bibliothek der schönen Wissenschaften und der freyen
Künste, Bd. XI, 1. St. (1770), S. 75–95.

B₁ Zum ersten Male mit dem von nun an verbindlichen Titel: *Brief
über die Landschaftsmalerey. An Herrn Fuesslin, den Verfasser der
Geschichte der besten Künstler in der Schweitz.* – In: Moralische Er-

beiten über die Nachsicht weg bin, die man sonst, bloßen
Liebhabern bey ihren Versuchen schuldig zuseyn glaubt. Ist
das nicht groß gesprochen?«

*Geßner an Christian Ludwig von Hagedorn, Zürich, 1. April
1768.*
*(Briefe über die Kunst von und an Christian Ludwig von
Hagedorn. Hrsg. von Torkel Baden. Leipzig 1797, S. 164
bis 166):*

»Ich bin Ihnen für die gütige Art, mit der Sie meine geringen
Geschenke aufnehmen, ungemein verpflichtet; und wie auf-
munternd ist für mich das Lob, das Sie meinen letzten Arbeiten geben! Die Kunst ist nicht mein Beruf, wie Sie wissen,
und nur seit wenig Jahren habe ich angefangen, nach einem
Plan zu arbeiten, von dem etwas zu hoffen war, doch nur in
Nebenstunden. Mein Plan war, zu meinen Studien nur das

zählungen und Idyllen von Diderot und S. Gessner. Zürich: Orell,
Gessner, Füssli u. Comp. 1772, S. 229[Zwischentitel]–273.
  Damit identisch ist der Abdruck in: *S. Gessners Schriften.* V. Teil.
Zürich: Orell, Gessner, Füssli u. Comp. 1772, S. 229–273.
  So auch in den hier S. 286 f. im einzelnen verzeichneten gleichzeitigen
Abdrucken von 1772.
B₂ *Brief über die Landschaftsmahlerey. etc.* – In: Salomon Geßners
Schriften. Zürich: Orell, Geßner, Füßli u. Comp. 1774. III. Bd. 1777,
S. 183–221.
In der *Vorrede* zum neuen Band seiner *Geschichte der besten Künstler in
der Schweitz* hatte Johann Caspar Füßli mit folgenden Worten vom
Gegenstand der Porträtmalerei auf den der Landschaftsmalerei und da-
mit den Text von Geßners »Sendschreiben« übergeleitet (S. XXXV bis
XXXVI):
»Befindt sich aber ein Schüler im Fall, daß ihn sein Hang zur Landschaft
führt, so kann der Meister ihn am sichersten nach den Regeln und der
Methode, die in folgendem Schreiben befindlich, bilden und anführen;
dasselbe kömmt von einem Verfasser her, welcher der gröste mahlerische
Dichter der neuern Zeit, und vielleicht der beste heutige Landschaft-
Zeichner ist, und es durch seine ausnehmenden Vorzüge in beyden Gat-
tungen zweifelhaft gemacht hat, ob seine Feder oder sein Pinsel die
schöne ländliche Natur glücklicher nachahme? Ich werde von dem Leben
und dem Character dieses grossen Mannes noch am Ende dieser Vorrede
das wenige sagen, was der Leser zu wissen braucht, wenn er dieses
Sendschreiben an mich wird gelesen haben: [. . .]«

größeste und beste zu wählen, und in dieser Wahl sehr
strenge zu seyn; ich suchte bey jedem großen Künstler seine
vorzügliche Stärke, und studirte die; so kam ich auf Poussin
und Lorrin, und blieb bey diesen stehen; seitdem machte ich
den andern nur flüchtige Besuche, und kam immer mit neuem Entzücken zu der ernsten Majestät der ersten und zu der
reizvollen Anmuth des andern zurück. Diese, verbunden mit
der Natur, beschäftigten mich itzt fast ganz alleine. Dieser
Plan ist simpel, und so würde, glaube ich, ein Künstler den
sichersten und geradesten Weg nach wahrer Größe gehn. Auf
die Art berichtigte ich meinen Geschmack sehr; aber ich fand
auch wie nichtsbedeutend das Mittelmässige in der Kunst ist;
ich habe es in der Poesie verabscheut, nun ist es mir auch in
der Kunst zum Ekel geworden. Hätte mich das nicht zurück-
schrecken sollen? und doch wage ich es, vor der Welt zu erscheinen. Ich kann die Nachsicht, die man einem bloßen
Liebhaber schuldig ist, nicht fordern; ich habe mehr Zeit darauf verwandt, als einer der blos mit der Kunst spielt. Und
doch, die wahre Größe zu erreichen, die eines Künstlers
einziger Ehrgeiz seyn soll, und die zu meinem Unglück auch
ganz der meinige ist: Himmel! Ist es für mich nicht eine
Raserey, dahin zu denken. Und ist das: wie viel verlohrne
Zeit! Sehen Sie, theuerster Freund! Ihre, des Hrn. Zingg
und Hrn. Grafen, und andrer Kenner Nachsicht, hat mich so
unwiederstehlich zu der Kunst hingerissen; ich beschwöre
Sie, lassen Sie mich nicht mit vergebener Mühe auf diesem
Weg fortrennen. Stellen Sie mich in die Schranken des Lieb-
habers zurück; ich werde von da mit Entzücken andre den
Weg gehen sehen, die ihn unter bessern Einflüssen für die
Kunst antreten. Ich habe dann doch so viel gewonnen, daß
ich nicht ein ganz unerfahrner Bewundrer bin. So bin ich,
stolz auf Ihr Lob, doch furchtsam, es nicht ganz zu verdienen. Sie haben mich als einen Liebhaber beurtheilt, dem man
aus verschiedenen Betrachtungen, vieles übersieht. Wenn Sie
mich mit einem Brief beehren, dann sagen Sie mir als strenger

Kunstrichter alles. Sie sehen, daß mir sehr vieles daran gelegen ist, und daß Sie mir eine der wichtigsten Gefälligkeiten
damit erweisen. [...]«

Geßner an Friedrich Nicolai, Zürich, 28. April 1768
(Zürcher Taschenbuch 1934, S. 139–140):

»[...] Ich kan Ihnen überhaubt zu meiner Entschuldigung
sagen, daß seit einem Jahr verschiedene Veränderungen meiner Umstände, die zwahr zu meinem Vortheil sind, mich auf
eine mir neue Arth beschäftigt haben und daß verschiedene
Vorfälle u. Absichten meine ganze Zeit wegnahmen. Neben
den Geschäften, zu denen mich meine Mitbürger berufen haben, hab' ich meine ganze übrige Zeit der Zeichnung gewidmet. Ich hatte bisher in der Kunst nur getändelt, Kenner
und Künstler sagten mir, es hätte etwas draus werden müssen; wenn ich in rechter Zeit recht angeführt wörden wäre.
Indeß ward es immer mehr u. mehr bey mir zur Leidenschaft. Um die Zeit darbey nicht zuverschwenden, dacht' ich
auf die beste Methode, in der Kunst den kürzesten Weg zu-
gehn. Mein Vorzügliches war die Landschaft. Ich gieng, aufgemuntert durch die besten Kenner, mit dem größesten Eifer
ans Werk, studierte aus allen Schulen, was jede Vorzügliches
hat und suchte aus jeder die besten Muster zur Nachahmung.
So sezte ich mich in den Stand, die Schönheiten der Natur
mit zur Kunst gewöhntem Auge und mit Wahl zu beobachten und erwarb mir eine Leichtigkeit, jeden Gegenstand nachzuahmen und einen Reichthum an Ideen. Daß Größeste und
Schönste, was ich in diesem Felde der Kunst fand, waren die
Werke des Poussin u. Claude Lorrin. Bey diesen blieb ich
stehen und studierte nichts mehr als diese und die Natur. So
bracht' ich viele Stunden iezt seit ein paar Jahren zu, nicht
ohne in dunkeln Stunden mir Vorwürfe zu machen, daß es
wol Raserey seyn möchte, in diesem Alter, bey so vielen
Zerstreuungen, in einer Kunst, die so viele Schwierigkeiten
hat, noch von vorne anzufangen; denn meine Absicht ist
nichts Geringers, als unter Künstlern einen Rang und An-

sehen zu verdienen. So sehr mich das oft verlegen machte, so
kont es mich dennoch samt allen übrigen Schwierigkeiten
nicht zurükhalten. Ich legte es Kennern u. Künstlern, die
meine Freunde sind, auf ihr Gewissen, mich von diesem Weg
abzuführen, wenn sie glauben, meine Zeit u. meine Absicht
sey darbey verlohren. Sie thatens nicht. Herr von Hagedorn,
Adrian Zingg, Anton Graff u. andre munterten mich immer
mehr auf und sind mit meinen besten Versuchen so zufrieden, daß ich hoffe, ich habe wegen übel angewandter Zeit
mir nichts vorzuwerfen. So sehen Sie, mein bester Freund,
daß ich in der Zeit doch nicht müßig war, und auch das wird
mir bey Ihnen freundschaftliche Nachsicht bewirken. [. . .]«

Geßner an Friedrich Nicolai, Zürich, 9. April 1770
(Zürcher Taschenbuch 1934, S. 143–144):

»[. . .] Herr Voß [d. Berliner Buchhändler u. Verleger
Chr. Fr. V.] wird Ihnen ein Exemplar meiner »Landschaften« [d. 1767/68 erschienene Folge v. 12 radierten Landschaften im antiken Geschmack] übergeben haben. Sie wünschten
sie zusehen und ich wünsch' iezt zuwissen, was Sie davon
halten. Ich muß Ihnen sagen, einige dieser »Landschaften«
sind schon vor Jahren gemacht und nur später verbessert
worden. In der Zeit hab' ich mit beständigem Feuer fortgefahren, nach den besten Künstlern u. nach der Natur zu
studieren und ich hoffe, das soll man in meinen neuern
Arbeiten leicht bemerken. Ich fühl' es, die Kunst würde eigentlich meine Bestimmung gewesen seyn; sie würde das
Glük meines Lebens gewesen seyn. Aber andere Umstände
und Absichten, die damahls noch nicht in meiner Gewalt
seyn konten, trieben mich davon weg, da es die eigentliche
Zeit darzu gewesen wäre, mich zu bilden. Meine ganze
mahlerische Geschichte könen sie in einem »Brief« lesen, der
in dem 3. Band von Füßlins »Schweizer Mahlern« der Vorrede beygerükt ist. Ich wünsche sehr, daß Sie diesen lesen
und mir Ihre Meynung davon sagen. Das ist aber meine Geschichte bis an ein paar Jahre zu. Seitdem hab' ich, ohne die

Landschaft zu unterlassen, mich sehr mit der menschlichen
Figur beschäftigt. Kleine Proben davon mögen meine neuen
Vignetten seyn und größere Proben, eine neue Ausgabe, wovon bereits 4 Stüke geezt sind [d. i. die Folge von 10 Landschaften mit mythologischen Figuren, 1769/71]. Ich hoffe
wenigstens, man wird errathen könen, wornach ich vorzüglich studiert habe. [...]«

Geßner an Johann Georg Zimmermann, Zürich, 29. Mai 1770
(Zürcher Taschenbuch 1862, S. 163):

»[...] Ich habe mich in einer neuen Sphäre die Zeit hervor-
zudrängen gesucht, und zwar mit einem Eifer, der der Selt-
samkeit des Unternehmens angemessen war; unter meinen
Umständen und Beschäftigungen, auf diesem Alter noch,
will ich mir als Künstler bey Kennern Aufsehen und Ehre
machen. Was ich in dieser Absicht für die Landschaft gethan
habe, das kan Ihnen ein Brief von mir sagen, der in Füeß-
lins dritten Band der Schweizerschen Mahler in der Vorrede
eingerückt ist, und der wenigstens den Werth hat, daß ich
mit der genauesten Wahrheit die Methode, die ich gebraucht,
und die Beobachtungen, die ich über mich selbst gemacht,
sage; hierbey blieb es nicht, ich fieng noch das Studium der
menschlichen Figur auch an; das war kühn, aber es mußte
seyn, und alles übrige mußte darunter leiden, auch der Briefwechsel mit meinen theuersten Freunden. Verzeihen Sie mirs,
um des Sonderbaren der Sache willen, Kenner sagen mir,
daß meine Mühe nicht umsonst war. [...]«

Geßner an Heinrich Meister, Zürich, 20. März 1772
(Archiv f. d. Studium d. n. Sprachen u. Literaturen 62, 1908,
S. 354–355):

»[...] Meinen Idyllen wird ein Brief von etwa vier Bogen
angehängt, der meine Lebensbeschreibung als Künstler enthält; ich sage ganz treuherzig die Bemerkungen, die ich bei
meinem Studium gemacht und die Methode, die ich mir darbey gewählt habe. Man hat ihn in Deutschland merkwürdig

gefunden und an verschiedenen Orten nachgedruckt, z. B.
in der Leipziger Bibliothek der schönen Wissenschaften.
[...]«

Vorbericht

[von 1772 zum *Brief über die Landschaftsmahlerey. An
Herrn Füsslin, den Verfasser der Geschichte der besten
Künstler in der Schweitz.* In: *Moralische Erzählungen und
Idyllen von Diderot und S. Gessner. Zürich 1772* = B1].
[231] Dieser Brief hat bey Kennern Beyfall gefunden. Man
glaubt, er könne jungen Künstlern nützlich seyn, und etwas
zur Beförderung des Geschmackes für die Kunst [*1777:* an
der Kunst] beytragen. Ich nehme ihn darum in die Sammlung
meiner Schriften auf. Er ist zwar an mehr als einem Orte
nachgedruckt worden. Da er aber einmal für nützlich erklärt
ist, *[232]* so sehe ich auch diese neue Ausgabe für ein Mittel
an, denselben in mehrere Hände zu bringen, wo er nützen
kann: Und in dieser Betrachtung werden Leser, denen er
überflüssig ist, solches leicht zu gut halten.

b) Text

Sie glauben[35], es könne Aufmerksamkeit verdienen, und
nützlich seyn, wenn ich zu Papier bringe, was für einen Weg
ich eingeschlagen habe, in der Kunst so spät noch auf einen
erträglichen Grad zu steigen; möchten das viele Künstler vor
mir gethan haben, wie unendlich nützlich müßte das für die
Kunst seyn, wenn man mehr die Geschichte der Kunst, durch
was für Mittel Künstler zu ihrer Grösse gelanget sind, was
für Schwierigkeiten, und wie sie solche überwunden haben, was sie
auf ihrem Wege und bey ihrer Entwicklung für Be-
[XXXVII]merkungen gemacht haben, in der Mahler-Ge-

35. [*Text des Vorberichts, s. o., darunter:*] Mein Herr! Sie glauben,
B1,231–232

schichte finden würde. Ihre Werke würden vielleicht weniger gelehrt als die Werke gelehrter Kenner seyn; aber sie würden Sachen enthalten, die sie jeder unter seinen besondern Umständen, jeder bey seinem Anwachs und bey seinen Arbeiten gemacht, auf die der Kenner[36] niemals kommen kann. So (um nur ein par Exempel zu geben) enthält das Werk, das Lairesse[37], nachdem er durch seine Kunst die allgemeine Bewunderung sich erworben hatte, zu schreiben anfieng, die brauchbarsten Materialien, und Sachen, die nur ein Lairesse mit solcher Deutlichkeit, während den Jahren seiner Studien und seiner besten Arbeiten gefunden und genau beobachtet hat; und wie unschätzbar ist das Werkgen von Mengs[38], das mehr gutes über die Kunst zu denken giebt, als ganze Folianten; weiß er gleich als Philosoph sich nicht deutlich zu machen, so redt er doch da, wo er als Künstler redt, mit einer Stärke, mit so viel Licht, mit so geläutertem Geschmack, mit einem so feinen, so philosophischen Beobachtungs-Geist, als man nur von dem grössesten Künstler unsers Zeit-Alters erwarten kann.

[XXXVIII] Aber auf mich zu kommen: Ich fürchte mich, Ihnen mein Versprechen zu halten. Noch bin ich mitten auf dem Wege; und meine Umstände werden kaum erlauben, viel weiter zu kommen. Ich fürchte Ihnen Sachen zu sagen, die nur wenig zu bedeuten haben; doch dann bleibt mein Geschwatz weiter nichts als ein Brief an Sie, mit dem Sie eben so umgehen, wie man mit Briefen thut, die nichts zu bedeuten haben; und Sie werden Ihnen und mir darmit ver-

36. bey seinen Arbeiten gefunden, auf welche der blosse Kenner *B₁,234*
37. Lairesse, Gerard de (1641–1711), holländ. Maler und Kupferstecher, ahmte Poussin nach. Nach seiner Erblindung diktierte er seine Gedanken zur Kunst, die 1707 (²1712) unter dem Titel *Het groot schilderboek* mit zahlreichen Kupferstichen gedruckt wurden. Übers. ins Englische, Französische und Deutsche.
38. Mengs, Anton Raphael (1728–79), Historien- und Porträtmaler in Dresden, Rom und Madrid, mit Winckelmann befreundet. Seine *Gedanken über die Schönheit und über den Geschmack in der Mahlerey* wurden 1765 bei Geßner in Zürich von Johann Caspar Füßli herausgegeben. – Vgl. auch die Anm. 90.

schonen[39], daß ein Brief von mir der einzige Fleck in Ihrem Werk sey.

Sie wissen, daß mein Beruf niemals seyn konnte, Künstler zu werden; daher war ich in meiner Jugend ganz ohne Anleitung. Beschmierte ich gleich in meinen jungen Jahren die Menge Papier, so wars doch nur ein elendes Spiel, ohne Absicht und ohne Anführung; so mußte ich nothwendig zurückebleiben; und es war eine natürliche Folge, daß meine Neigung sich um vieles verlohr. Die besten Jahre giengen so dahin, ohne daß ichs versuchte, ob ich in der Kunst wo-[XXXIX]hin gelangen könnte. Indeß thaten die Schönheiten der Natur und die guten Nachahmungen derselben von jeder Art immer die gröste Würkung auf mich; aber in Absicht auf Kunst wars nur ein dunkles Gefühl, das mit keiner Kenntniß verbunden war; und daher entstand, daß ich meine Empfindungen, und die Eindrücke, die die Schönheiten der Natur auf mich gemacht hatten, lieber auf eine andere Art auszudrücken suchte, deren Ausdruck weniger mechanische Übung, aber die gleichen Talente, eben das Gefühl für das Schöne, eben die aufmerksame Bemerkung der Natur fordert.

Da ich die Gelegenheit bekam, meines sel. Herrn Schwehervaters* fürtreffliche Samm-[XL]lung täglich zu sehn, er-

* Heinrich Heidegger,[40] des innern Raths, der Ao. 1763. starb, ehrte und kannte die freyen Künste von Jugend an. Sein Cabinet ist eins der besten in unsrer Vaterstadt, und enthält vornemlich die besten Stiche nach der Niederländischen Schule; und eine vollständige Sammlung der ersten Drücke des Freyischen Werks,[41] welches die erhabenen Werke der Römischen Schule am würdigsten geliefert hat. Auch ist es wegen einer starken Sammlung von Handzeichnungen merkwürdig, und wird itzt durch seinen Sohn mit Einsicht und Wahl immer vermehrt.

39. Sie werden sich und mich nicht der Gefahr bloß setzen, *B2,189*
40. Heidegger, Heinrich (1711–63), Zürcher Ratsherr und Kunstsammler, verheiratet mit Susanne Müller, deren beider Tochter Judith (1736–1818) im Jahre 1761 Geßner geheiratet hatte.
41. Frey, Jakob (1681–1752), Schweizer Kupferstecher, später in Rom. Schüler Carlo Marattas, dessen Kupferverlag er übernahm, in dem seine

wachte meine Leidenschaft für die Kunst von neuem, und ich
faßte im 30. Jahr meines Alters den Entschluß, zu versuchen,
ob ich noch zu einem Grad gelangen könnte, der mir bey
Kennern und Künstlern Ehre machen würde.

Meine Neigung gieng vorzüglich auf die Landschaft; und ich
fieng mit Eifer an zu zeichnen, aber mir begegnete, was so
vielen begegnet. Das beste und der Haupt-Endzweck ist
doch immer die Natur; so dacht ich, und zeichnete nach der
Natur; aber was für Schwierigkeiten, da ich mich noch nicht
genug nach den besten Mustern in der verschiedenen Art des
Ausdrucks der Gegenstände geübt hatte! Ich wollte der Natur allzugenau folgen, und sah mich in Kleinigkeiten des
Detail verwickelt, die den Effect des Ganzen störten, und
fast immer fehlte mir die Manier, die den Gegenständen der
Natur ihren wahren Character beybehält, ohne sclavisch
und ängstlich [XLI] zu seyn. Meine Gründe waren mit ver-
wickelten Kleinigkeiten überhäuft, die Bäume ängstlich und
nicht in herrschende Hauptpartien geordnet, alles durch zu
ängstliche Arbeit[42] zu sehr unterbrochen. Kurz: Mein Auge
war noch nicht geübt, die Natur wie ein Gemählde zu betrachten, und ich wußte die Kunst noch nicht, ihr zu geben
und zu nehmen, da wo die Kunst nicht hinreichen kann. Ich
fand also, daß ich mich zuerst nach den Künstlern[43] bilden
müsse. Ist nicht das, was mir begegnete, der Fehler der ältern
Künstler, die noch nicht genug gute Muster hatten, ich meyne
die ältern Niederländer und Deutsche; sie hielten sich so genau[44] an die Natur, daß der kleinste Nebenumstand oft so

von den Zeitgenossen hochgeschätzten Stiche nach eigenen Gemälden und
vor allem nach denen Raffaels, Guido Renis, N. Poussins, Guercinos,
Domenichinos, Elsheimers u. a. erschienen. Bei Johann Caspar Füßli, im
gleichen Band seiner *Geschichte der besten Künstler in der Schweitz*, in
dem Geßners *Brief* zum ersten Mal erschien, sind 68 Blätter Freys genannt, andere Autoren (vgl. Thieme-Becker, Künstler-Lexikon, 12. Bd.,
S. 437–438) nennen bis zu 150 Blätter.

42. durch Arbeit ohne Geschmack *B1*,239
43. nach den besten Künstlern *B1*,239
44. der Fehler jener ältern Künstler, welche anfingen, die Kunst aus

genau gemahlt ist, wie der hervorstehendeste, und ihre Gemählde verlieren darum ihre Würkung; sie sind zu ängstlich
und zu überhäuft. Genien, die diese Fehler einsahn, suchten
dieselben zu meiden[45], und machten sich mit den Regeln des
Schönen in der Disposition, der gemässigten Mannigfaltigkeit, der Haupt-Massen in der Anordnung und im Schatten
und Licht[46], u. s. w. bekannt. Nach diesen war nun nöthig
zu studie-[XLII]ren; und um den Weg so kurz als möglich
zu machen, wählte ich nur das Beste, das, was in jeder Art
am besten sich ausnahm, um zu einem Muster zu dienen.
[*B₁,241:* Diese sorgfältigste Wahl des Besten, soll für den
Lehrer und den Schüler die erste Grundregel seyn. Das Mittelmässige ist das schädlichste, und muß mehr ausgewichen
werden, als das ganz Schlechte, dessen Fehler leichter ins
Auge fallen. Wie sehr könnten die Kupferstecher dem wahren Geschmacke nützlich seyn, wenn sie darauf dächten,
durch die Wahl dessen, das sie liefern wollen, bey Kennern
sich eben so wol Ehre zu machen, als durch die Ausarbeitung
selbst. Was für ein Schwal von Mittelmässigem wird durch
viele von ihnen vervielfältiget und in die Welt zerstreut, das
niemals den Fleiß eines Tages verdient hätte. Oder lohnt
sichs nicht der Mühe sich zehnfach zu bedenken, worauf
man die Arbeit so vieler Monate verwenden wolle? Nur die
ersten Werke der Kunst sind wol dieser Mühe werth.] Wie
sehr wird die Zeit verschleudert,[47] wenn man bey Unterwei-
sung junger Künstler sie bey Mittelmässigem[48] aufhält; ihr
Geschmack wird so für das wahre Schöne nicht gebildet; das
Mittelmässige bleibt ihnen erträglich, und nährt bey ihnen
den Stolz, sich groß zu glauben, weil es ihnen ein Leichtes

ihrer Kindheit hervorzuziehen, und also noch keine gute Muster hatten?
Sie hielten sich so sehr *B₁,240*
45. der hervorstehendeste. Ihre Gemälde verlieren darum die erforder-
liche Wirkung. Spätere Genien, die diese Fehler einsahen, suchten dieselben zu vermeiden, *B₁,240*
46. in der Anordnung im Schatten und Licht, *B₁,240*
47. Es ist der schädlichste Zeitverlust, *B₁,240*
48. sie, auch nur kurze Zeit, beym Mittelmäßigen *B₁,242*

war, nicht weit hinter ihrem Original zu bleiben. Man lasse
den jungen Künstler die Köpfe nach Raphael studieren, wie
unerträglich werden ihm die faden, süssen Gesichtergen vieler
von den Neuern seyn! Man lasse ihn nach dem Schlender so
vieler beliebter Künstler nach der Mode zeichnen, und laß
ihn dann den schönen Apoll oder Antinous zeichnen, er wird
aus beyden gemeine Leute oder schlechte Tänzer machen, und
nicht empfinden, daß er es schlecht gemacht hat.[49]

Ich fande das beste, in meinen Studien von einem Haupt-
theile zum andern zu gehen; denn wer [XLIII] alles zugleich
fassen will, wählt sich gewiß den mühsamern Weg; seine
Aufmerksamkeit wird allzu zerstreut seyn, und immer er-
müden, da er bey zu vielen verschiedenen Gegenständen
auf einmal zu viel Schwierigkeiten findet. Ich wagte mich
zuerst an die Bäume, und da wählte ich mir vorzüglich den
Waterloo[50], von dem in dem obgedachten Cabinet eine fast
vollständige Sammlung ist. Je mehr ich ihn studierte, je
mehr fand ich wahre Natur in seiner Landschaft. Ich übte
mich in seiner Manier so lange, bis ich in eigenen Entwürfen
mit Leichtigkeit mich ausdrückte. Ich versäumte indessen
nicht, nach andern zu arbeiten, deren Manier nicht des Waterloo, aber nichts destoweniger glückliche Nachahmung der
Natur war; ich übte mich darum auch nach Swanefeld[51] und
Berghem[52], und wo ich einen Baum, einen Stamm, ein Gesträuch fand, das vorzüglich meine Aufmerksamkeit reitzte,
das copierte ich in mehr und weniger flüchtigen Entwürffen.
Durch diese gemischte Übung erhielt ich Leichtigkeit im Ausdruck, und mehr eigentümliches in meiner Manier, als ich
hatte, da ich an den Waterloo, mein vorzüg-[XLIV]liches

49. und, was noch das schlimmste ist, nicht empfinden, daß er es schlecht
gemachet [gemacht *B₂,195*] hat. *B₁,242*
50. Waterloo, Antonie (um 1610 bis 1690), holländ. Landschaftsmaler,
Zeichner und vor allem Radierer.
51. Swanefeld, Herman van (um 1600 bis 1655), holländ. Landschaftsmaler.
52. Berghem od. Berchem, Nicolaes Pietersz (1620–83), holländ. Landschaftsmaler und Radierer.

Muster, mich allein hielt. Ich gieng weiter, von Theilen zu Theilen; für Felsen wählte ich die grossen Massen des Berghem und S. Rosa[53]; die Zeichnungen, die Felix Meyer[54], Ermels[55] und Hackert[56] nach der Natur, und in ihrem wahren Character gemacht haben; für Verschiesse[57] und Gründe wählte ich die grasreichen Gegenden, und die sanften dämmernden Entfernungen des Lorrain[58], die sanft hintereinander wegfliessenden Hügel des Wouvermann[59], die in gemässigtem Licht, mit sanftem Gras, oft nur zu sehr, wie mit Sammet bedeckt sind; dann den Waterloo, dessen Gründe ganz Natur sind, ganz so, wie er sie in seinen Gegenden fand, und darum ist er auch hierinn schwer nachzuahmen. Für sandigte oder Felsengründe, die hier und da mit Gesträuch, Gras und Kräutern bewachsen, wählte ich mir den Berghem.

Wie sehr fand ichs leichter, wenn ich itzt wieder nach der Natur studierte! Ich wußte itzt, was das Eigentümliche der Kunst ist; wußte in der Natur unendlich mehr zu beobachten, als vor-[XLV]her, und wußte mit mehr Leichtigkeit eine ausdrückende Manier zu finden, da wo die Kunst nicht hinreicht. [*B₁,245:* Anfänglich hatte ich auf meinen Spaziergängen oft lange umsonst gesucht, und nichts zum Zeichnen gefunden. Jetzt (246) find' ich immer etwas auf meinem Wege. Ich kann oft lange umsonst suchen, um einen Baum zu finden, der in seiner ganzen Form mahlerisch schön ist. Aber wenn mein Auge gewöhnt ist, zu finden, so find ich in einem

53. Rosa, Salvator (1615–73), ital. Historien-, Porträt- und (vor allem) Landschaftsmaler; Kupferstecher und Dichter.
54. Meyer, Felix (1653–1715), Schweizer Landschaftsmaler, Radierer, Schüler des J. F. Ermels.
55. Ermels, Johann Franciscus (1641–93), Maler und Radierer in Nürnberg.
56. Hackert, Jacob Philipp (1737–1807), Landschaftsmaler; 1768–86 in Rom, 1786–99 in Neapel (Begegnung mit Goethe), 1799–1807 in Florenz. Goethe gab 1811 auf H.s Wunsch dessen Lebensbeschreibung heraus.
57. Abschüsse *B₂,196*
58. der große französische Landschaftsmaler Claude Lorrain (1600–82).
59. Wouverman, Philips (1619–68), holländ. Schlachten- und Landschaftsmaler.

sonst schlechten Baum eine einzelne Partie, ein paar schön
geworfene Äste, eine schöne Masse von von Laub, eine einzelne
Stelle am Stamm, die, vernünftig angebracht, meinen Werken Wahrheit und Schönheit giebt. Ein Stein kann mir die
schönste Masse eines Felsstückes vorstellen; ich hab es in meiner Gewalt, ihn ins Sonnenlicht zu halten, wie ich will, und
kann die schönsten Effekten von Schatten und Licht, und
Halblicht und Wiederschein, darbey beobachten. Aber bey
dieser Art die Natur zu studieren, muß ich mich hüten, daß
mich der Hang zum bloß Wunderbaren nicht hin-(247)reisse;
immer muß ich mehr auf das edle und schöne sehen, sonst
kann ich leicht in meinen Zusammensetzungen ins Abentheur-
liche fallen, und wunderbare Formen allzusehr häufen.
Meine Studien nach der Natur mache ich nicht ängstlich
aber auch nicht flüchtig; ich mag einzelne Theile oder ganze
Aussichten zeichnen. Je bedeutender ein Theil meines Gegen-
stands ist, destomehr führe ich ihn sogleich aus. Viele begnü-
gen sich der Natur in flüchtigen Entwürfen einen Haupt-
gedanken abzunehmen, und führen ihn hernach aus. Aber
wie? In ihrer einmal angenommenen Manier: Das Wahre
und Eigenthümliche der Gegenstände geht darbey verloren.
Und das wird uns weder durch Zauberey von Farbe, noch
grosse Wirkung von Schatten und Licht ersetzt: Man ist
bezaubert, aber (248) nicht lange; das forschende Auge sucht
Wahrheit und Natur, und findet sie nicht.] Aber wann ich
itzt einen Gegenstand, den ich aus der Natur genommen
hatte, ergänzen wollte; wann ich das beyfügen wollte, was
ein mahlerisches Ganzes ausmachen soll; dann war ich
furchtsam, und verfiel oft auf erkünstelte Umstände, die mit
der Einfalt und der Wahrheit dessen, was ich aus der Natur
genommen hatte, nicht harmonierten. Meine Landschaften
hatten nicht das Grosse, das Edle, die Harmonie, noch zu
zerstreutes Licht, keine rührende Hauptwürkung; und also
mußte ich jetzt aufs Ganze denken.[60]

60. Hauptwürkung. Also mußte ich erst jetzt auf ein besseres Ganzes
denken. *B1,248*

Aus allen suchte ich itzt diejenigen Künstler aus, die in Absicht auf Ideen und Wahl und Anordnung ihrer Gegenstände mir vorzüglich schienen. Ich fand in den Landschaften des von Everdingen[61] das einfältige Ländliche in Gegenden, wo doch die gröste Mannigfaltigkeit herrschet; reissende Ströme und zerfallene Felsenstücke, dicht mit Geträuch verwachsen, wo vergnügte Armuth in der [XLVI] einfältigsten Bauart hingebaut hat; Kühnheit und Geschmack und etwas originales herrschen bey ihm überall; doch muß man bey diesem schon zum voraus die Felsen nach einem bessern Geschmack zu formen wissen. Das gröste Exempel, wie man nachahmen soll, giebt Dietrich[62]; seine Stücke in diesem Geschmacke sind so, daß man glauben sollte, Everdingen habe es gemacht, und sich selbst übertroffen. Swanefelds edle Gedanken, die mit so grosser Würkung ausgeführt sind, und die auf seine grossen Massen von Schatten einfallende Reflex-Lichter. Sal. Rosa kühne Wildheit, des Rubens Kühnheit in Wählung seiner Gegenstände. Diese und mehrere studierte ich in flüchtigen Entwürffen, jetzt im Ganzen, da es mir jetzt meist darum zu thun war, der Einbildungskraft ihren wahren Schwung zu geben. Endlich studierte ich blos und allein die beyden Poussin[63] und den Claude Lorrain.[64] In diesen fand ich vorzüglich die wahre Grösse; es ist nicht blos Nachahmung der Natur, wie man sie leicht findet; es ist die Wahl des Schönsten; ein poetisches Genie vereint bey den beyden [XLVII] Poussin alles was groß und edel ist; sie versetzen uns in jene Zeiten, für die uns die Geschichte und die Dichter mit Ehrfurcht erfüllen, und in Länder, wo die Natur nicht wild, aber groß in ihrer

61. Everdingen, Allaert van (1621–75), holländ. Maler und Radierer, oft mit Ruisdael verglichen.
62. Dietrich, Christian Wilhelm Ernst (1712–74), Dresdener Maler und Radierer, künstlerischer Direktor der Meißener Porzellanmanufaktur.
63. Poussin, Nicolas (1594–1665) und Gaspard Dughet (1613–75), Adoptivsohn Poussins.
64. Endlich fieng ich an, mich bloß und allein an die beyden Poussin, und den Claude Lorrain zu halten. *B*₁*,250*

Mannigfaltigkeit ist, und wo unter dem glücklichen Clima jedes Gewächse seine gesundeste Vollkommenheit erreicht. Ihre Gebäude sind nach dem grossen Geschmack und der edeln Einfalt[65] der alten Baukunst aufgeführt, und ihre Bewohner sind von edelm Ansehen und Betragen, so wie sich unsere Einbildungskraft Griechen und Römer denkt, wenn sie von ihren edeln Handlungen[66] begeistert ist, und sich in ihre glücklichsten Zeiten versetzt. Anmuth und Zufriedenheit herrschen überall in den Gegenden, die uns Lorrain mahlte; sie erwecken in uns eben die Begeisterung, eben die ruhigen Empfindungen, die uns die Betrachtung der schönen Natur selbst erwekt; sie sind reich ohne Wildheit und Gewimmel; mannigfaltig, und doch herrschet überall Sanftheit und Ruhe. Seine Landschaften sind Aussichten in ein glückliches Land, das seinen Bewohnern Überfluß liefert. Ein reiner gesunder[67] Himmels-[XLVIII]strich, unter dem alles mit gesunder Üppigkeit aufblühet.

Was ich von diesen grossen Mustern aufbringen konnte, betrachtete ich täglich mit der angesträngtesten Aufmerksamkeit; aber das war nicht genug, mir ihre Denkart und ihre Ideen gänzlich bekannt zu machen. Ich legte sie beyseite, und wiederholte die Hauptzüge derselben aus dem Gedächtniß; das that ich oft, aber ich ruhete auch da nicht; ich machte mehr flüchtige als genaue Copien von ihren Landschaften, die ich aufbehalte; und so mach ichs mit allem, was mir vorzüglich gefällt; so bekomm ich eine Sammlung der besten Ideen. Es wird niemand fragen, warum das? Ich kann sie ja in Kupferstichen haben. Gut, dann besitz ich sie wol, aber ich habe nichts für mein Studium gethan. So wird der Künstler[68] eine immer merkwürdige Sammlung zusam-

---

65. Gebäude sind nach der schönen Einfalt *B₁,251*
66. von ihren grossen Handlungen *B₁,251*
67. gesunder *gestrichen B₁,251*
68. besitz ich sie wol, wie mancher Grosse seine Bibliothek; aber ich habe nichts für mein Studium gethan. Nein! Nur auf eben angedeutete Weise wird der Künstler *B₁,252*

menbringen; er hat so nach dem besten studiert, und sich zugleich[69] in den Besitz desselben gesetzt.

[XLIX] Aber wenn ich zu anhaltend fortgefahren hatte, nach andern zu denken, dann empfand ich nachher oft eine Furchtsamkeit im selbst erfinden. Voll von diesen grossen Ideen, empfand ich mit Demüthigung meine Schwäche, und wie fast unübersteiglich schwer es ist, jene zu erreichen; auch durch zu anhaltendes Nachahmen allein kann die Einbildungs-Kraft ihren Schwung verlieren. Ists nicht eben das, was schon den grössesten Kupferstechern, dem grossen Frey[70] selbst widerfahren ist, daß ihre eigenen Erfindungen ihr schlechtestes sind. Ihre Hauptbeschäftigung ist, andrer Werke so genau als möglich nachzubilden; und sie verlieren oder schwächen darüber die Kühnheit und den Schwung der Einbildungs-Kraft, die zum Erfinden nöthig sind. Von dieser Furchtsamkeit suchte ich mich sorgfältig zu erholen; ich legte meine Originale weg, dachte auf eigene Ideen, und gab mir die schwersten Aufgaben auf. So fand ich, wie viel ich wieder gewonnen hatte; fühlte, was mir am leichtesten und vorzüglich gelang; beobachtete, welche Theile mir noch die meisten Schwie-[L]rigkeiten machten, und bekam so die Anleitung, worauf ich vorzüglich wieder zu arbeiten hatte. Zugleich faßte ich neuen Muth, wenn ich fand, daß Schwierigkeiten wieder verschwunden waren, und ich mich besser aus der Sache gezogen hatte, als ich hoffte; und zugleich gab ich so meiner Einbildungs-Kraft Nahrung und Kühnheit. Sie muß, wie andre Seelen-Kräfte, genährt und geübt werden; wer sich gewöhnt nur andern nachzudenken, wird nie Original werden; man kann sich gewöhnen, daß man der beständige Schatten eines andern ist.[71]

Bey dem allem hab ich mir zu einer Regel gemacht, immer

---

69. zusammenbringen: Er hat nicht bloß nach dem Besten studiert, sondern sich zugleich $B_1,252$

70. vgl. Anm. 41.

71. wird niemals Original werden. Wir haben Künstler und Dichter, die der beständig nachschleichende Schatten andrer sind. $B_1,255$

mit dem versehen zu seyn, was zum Zeichnen nöthig ist, ich
mag seyn, wo ich will, nicht allein auf Reisen und Spatzier-
gängen, sondern auch zu Haus und in der Stadt. Man ver-
säumt oder vergißt oft etwas, nur weil man zu nachlässig ist,
von einem Zimmer ins andere zu gehen, um das Benöthigte
zu holen. Denn oft bey Betrachtung von Gemählden oder
Kupferstichen zeugt die Imagination Ideen, die durch die
[LI] Bewunderung dessen, das vor uns ist, oft auch nur
durch einen Nebenumstand in demselben[72] entstanden; Ideen,
auf die man sonst niemals gekommen wäre. So ein Gedanke,
im ersten Feuer gedacht, wird auch im ersten Feuer am besten entworffen werden. Ich unterließ darum selten, solche
Gedanken nur mit ihren Haupt-Linien zu entwerffen, die so
leicht wieder vergessen sind, und nachher selten wieder so
gut gedacht werden. [B_1,256: – – Einen Vortheil, den ich zuweilen auch aus dem Mittelmässigen gezogen habe, will ich
hier nicht verschweigen: Aber damit will ich ihn weder
empfehlen, noch mir selbst widersprechen; und ich rathe
solche Übungen nur Leuten, deren Geschmack schon gebildet
ist.] Auch mittelmässige Sachen können zu einer nützlichen
Übung des Geschmacks und der Einbildungs-Kraft dienen,
wenn man zu denselben hinzudenkt, was ihnen fehlt, um gut
zu seyn; wenn man, wie Ramler[73] es mit Gedichten thut, den
Gedanken eines andern besser zu denken und besser auszu-
führen sucht. Doch für Anfänger ist das nicht.[74] Ich habe in
manchem Stück, das kein Aufsehen verdiente, einen Wink
gefunden, der mich auf einen guten Gedanken führte. Me-

---

72. einen Nebenumstand, in derselben B_1,255

73. Ramler, Karl Wilhelm (1725-98), Geßners poetischer Mentor während des Berlinaufenthaltes 1749-50 und langjähriger Freund. – Mit seiner rigorosen Bearbeitung von Texten anderer Dichter, u. a. Ewald von
Kleists, Gleims, Uzens und Lichtwers erregte er vielfach heftigen Wider-
spruch, aber auch Zustimmung, z. B. bei Lessing und Voss. Geßners
eigene Idyllen wurden noch 1787 von Ramler in Hexameter umgeschrie-
ben.

74. Doch für Anfänger ist das nicht. *ersetzt durch:* Oft findet man Funken von Genie, oft einen mißlungenen Gedanken, der einer guten Ausführung werth ist. B_1,257

rians[75] Werke, denen man zu wenig Gerechtigkeit wieder-
fahren läßt, enthalten Sachen, die oft mit der besten Wahl
aus der Natur genommen, und nur durch die Ausführung[76]
verdorben sind. Man [LII] schaffe seine Bäume und Gründe
nach der Manier eines Waterloo[77], und gebe seinen Felsen und
allem mehr Mannigfaltigkeit, so werden gewiß Sachen entstehen, die dem grössesten Genie Ehre machen würden, und
wovon doch die ganze Anlage im Merian liegt.

Eine Beobachtung muß ich nicht vergessen, die ich aus eigener vielfältiger Erfahrung weiß, wie sehr es nemlich den
Muth erfrischet, und wie oft es mich aufgemuntert und von
neuem begeistert hat, wenn ich die Geschichte der Kunst
und der Künstler lese. Es erweitert die Kenntniß, macht aufmerksam auf das, was in der Kunst vorgegangen ist, und
hilft, den Künstler immermehr für das einzunehmen, was
seine Haupt-Absicht ist. Es ist lehrreich und angenehm, die
Schicksale dessen zu wissen, dessen Arbeiten ich bewundere;
und eben so werd ich begierig, die Arbeiten des Künstlers
hinwiderum aufzusuchen, dessen Geschichte und Kunst-Character mir durchs Lesen zum voraus bekannt ist. Wenn ich
die Ehrfurcht sehe, mit der von grossen Künstlern und ihren
Werken geredt wird, so [LIII] muß das meine Idee von der
Wichtigkeit der Kunst erhöhen. Wenn ich sehe, wie unermü-
det sie gearbeitet haben, zu ihrer Grösse zu gelangen, und
sich in derselben zu erhalten; wie Reisen, und Beschwerden
und Mangel sie nicht abschreckten, alle Mittel, die ihren
grossen Endzweck befördern konnten, zu nutzen, muß das
nicht den jungen Künstler anmahnen, jede Stunde nützlich
zu gebrauchen, und geitzig auf jeden Augenblick zu seyn.
Auch können die übeln Schicksale manchen sonst grossen
Künstlers, eine rührende Erinnerung seyn, daß Lebensart

---

75. Merian, Matthäus d. Ä. (1593–1650), Schweizer Kupferstecher und
Zeichner, berühmt durch seine Städteansichten (Topographia, 1642–50,
nach seinem Tode weitergeführt: 1655–88).
76. nur durch die zu fade Manier in der Ausführung $B_1,257$
77. nach der Manier eines Waterloo um $B_2,207$

und gute Sitten, und Klugheit mit dazu gehören, um durch
die Kunst sich ein dauerhaftes Glück zu machen.

Noch einen wichtigen Rath muß ich dem Künstler andrin-
gen: Die Dichtkunst ist die wahre Schwester der Mahlerkunst. Er unterlasse nicht die besten Werke der Dichter zu
lesen; sie werden seinen Geschmack und seine Ideen verfei-
nern und erheben, und seine Einbildungs-Kraft mit den
schönsten Bildern bereichern. Beyde spüren das Schöne und
Grosse in der Natur auf; beyde han-[LIV]deln nach ähnli-
chen Gesetzen. Mannigfaltigkeit ohne Verwirrung ist die
Anlage ihrer Werke, und ein feines Gefühl für das wahre
Schöne muß beyde bey der Wahl jeden Umstandes, eines jeden Bildes durch das Ganze leiten. Wie mancher Künstler
würde mit mehr Geschmack edlere Gegenstände wählen;
wie mancher Dichter würde in seinen Gemählden mehr
Wahrheit, mehr mahlendes im Ausdruck haben, wenn sie die
Kenntniß beyder Künste mehr verbänden. So leicht ists den
Alten, besonders den Griechen, in ihrer poetischen Sprache
und in ihren Gemählden nicht geworden, wie so vielen neuern Dichtern, die nur zusamengeraffte Bilder und Ausdrücke
unschicklich zusamenhäuffen, und gemahlt zu haben glauben. Webbs[78] Untersuchung des Schönen in der Mahlerey, der
die Schönheiten dieser Kunst mit Stellen aus den alten Dichtern erläutert, ist für das der deutlichste Beweis, da es seine
Absicht fordert, sie in diesem Gesichtspunct zu betrachten,
daß die Dichter damals das Schöne der Künste empfunden
und gekannt, und die lebende so wie die leblose Natur genau

78. Webb, Daniel (1730–88), engl. Kunsttheoretiker. Seine Schrift *An
Enquiry into the Beauties of Painting and into the merit of the most
celebrated Painters. Ancient and Modern.* erschien zuerst 1760 in London,
wurde viel gelesen und in viele Sprachen übersetzt. Bei Geßner in Zürich
erschien 1766 die Übers. von Hans Conrad Vögeli unter dem Titel
*Untersuchung des Schönen in der Mahlerey, und der Verdienste der
berühmtesten, alten und neuen Mahlern.* Die in der Ausgabe enthaltene
Vorrede an den Übersetzer schrieb J. H. Füßli, der soeben aus Rom
zurückgekehrt war, wo er mit Winckelmann zusammen war. Daher wohl
seine in der Vorrede zum Ausdruck gebrachte Wendung gegen den in der
Kunst herrschenden galanten Geschmack.

beobachtet haben. Auch würden die [LV] neuen Dichter, die doch fast immer für Kenner der Kunst wollen angesehen seyn, dann nicht sich lächerlich machen, und von Dürer reden, wenn Sie die Gratien wollen gemahlt haben, oder von Rubens, wenn Sie von dem grössesten Grad der Schönheit, der Bildung einer Göttin oder einer Sterblichen[79] reden wollen. Doch ich komme zum Künstler zurück! Der Landschaftmahler muß sehr zu beklagen seyn, den zum Exempel die Gemählde eines Thomson[80] nicht begeistern können. Ich habe in diesem grossen Meister viele Gemählde gefunden, die ganz aus den besten Werken der grössesten Künstler genommen scheinen, und die der Künstler ganz auf sein Tuch übertragen könnte. Seine Gemählde sind mannigfaltig; oft ländlich staffiert, wie Berghem, Potter[81] oder Roos[82]; oft anmuthsvoll wie Lorrain, oder edel und groß wie Poussin, oft melancholisch und wild wie S. Rosa. Und hier nehme ich Gelegenheit, einem redlichen Manne das Wort zu reden, der schon fast ganz vergessen ist. Brockes[83] hat sich eine ganz

79. Grad der Schönheit in der Bildung einer Sterblichen oder einer Göttin, *B1,261*

80. Thomson, James (1700–48), berühmt durch seine 1730 zum ersten Male vollständig, von 1726 an schon partiell veröffentlichten *Seasons*, die bereits 1745 in B. H. Brockes' Übersetzung erschienen. In Geßners Verlag erschienen von 1757 an die einzelnen Jahreszeitengedichte in der Übersetzung von Geßners Freund Johann Tobler (1732–1808), zu denen Geßner in allen Fällen Vignetten gestochen hatte: 1757 *Frühling*, 1761 *Sommer*, 1764 *Winter*, 1764 und 1765 *Gedichte*, 1774 schließlich *Vier Jahreszeiten*.

81. Potter, Paulus (1625–54), holländ. Tiermaler.

82. Roos, Johann Heinrich (1631–85), dt. Tier- und Landschaftsmaler, oder dessen Sohn Philipp Peter R. (1651–1705), ebenfalls Tier- und Landschaftsmaler.

83. Brockes, Barthold Heinrich (1680–1747), berühmt durch seine Gedichtsammlung *Irdisches Vergnügen in Gott* (in 9 Teilen 1721–48), von deren Detailrealismus und Beobachtungsfreude Geßner schon sehr früh fasziniert war. Hottinger (S. 230) überliefert einen Brief des 16jährigen Geßner an seinen Vater, in dem er darum bittet, ein Exemplar der Brockesschen Gedichte, wahrscheinlich den 1738 erschienenen einbändigen *Auszug der vornehmsten Gedichte aus dem Irdischen Vergnügen in Gott*, ursprünglich ein Geschenk für den Pfarrer Vögeli in Berg bei Winterthur, selbst behalten zu dürfen.

eigene Dichtart gewählet; er hat die Natur in ihren mannigfaltigen Schönheiten bis auf den klein-[LVI]sten Detail genau beobachtet; sein zartes Gefühl ward durch die kleinsten
Umstände gerührt; ein Gräsgen mit Thautropfen an der
Sonne hat ihn begeistert; seine Gemählde sind oft zu weit-
schweifig, oft zu erkünstelt: Aber seine Gedichte sind doch
ein Magazin von Gemählden und Bildern, die gerade aus
der Natur genommen sind. Sie erinnern uns an Schönheiten,
an Umstände, die wir oft selbst bemerkt haben, und itzt
wieder ganz lebhaft denken, die uns aber das Gedächtniß
nicht liefert, wenn wir sie am nöthigsten haben.

Wir sollen also noch Gelehrte werden? Kann mancher Künstler mit lachen sagen. Denen ist mein Rath von Wichtigkeit,
die in ihren Werken das grosse und edle suchen. Ich weiß
Künstler, denen er nicht nöthig ist. Man kann einen zerfal-
lenen Schweinstall mahlen, und ein Bäurchen das ganz lustig
da an die Wand pißt, und eine Lache daneben, und dabey
alles Spiel von Schatten und Licht, und die Zauberey des
Colorits, und die grösseste Niedlichkeit in der ganzen Ausführung anbringen. Dergleichen Werke können [LVII] auch
schätzbar seyn; und wenn man in Absicht auf Gedanken
nicht weiter will, so kann man freylich sehr vieles entbehren.

Das, mein theuerster Freund! sind nun die Bemerkungen,
so gut mir mein Gedächtniß dieselben noch liefert, die ich
bey meinen Arbeiten, und bey dem Plan, den ich mir vorge-
schrieben hatte, gemacht habe. Andre mögen urtheilen, wie
weit es mir dabey in der Kunst gelungen ist; aber davon bin
ich doch überzeugt, daß mein Plan einen kurzen und sichern
Weg führt. Denn so wird durch die beydseitige Übung,
nach der Natur und dem Besten in der Kunst, der Künstler
sich fähig machen, wechselweise die besten Manieren des
Ausdruckes der Kunst mit der Natur, oder bey jeder mah-
lerischen Schönheit der Natur diese mit jener zu vergleichen.
Sein Auge wird so gewöhnt seyn, in der Natur das zu bemerken, was mahlerisch schön ist, daß kein Spaziergang zu

jeder Jahrs- und Tags-Zeit für ihn ohne Nuzen ist. Er wird,
wie der Jäger, dem es[84] zur Leidenschaft worden ist, keine
Beschwerde, die unge-[LVIII]bahntesten Wege nichts achten,
um sein Gewild aufzuspüren, und Schönheiten wird er da
sehen, wo der mittelmässige Künstler vorüber geht. Er wird
sein Genie, nach dem Grossen bildet, aller Orten mitbrin-
gen, und kleinscheinende Umstände so umzubilden wissen,
daß ein grosser edler Gedanke aus dem entsteht, was bey
einem jeden mittelmässigen Kopf zum Alltags-Gedanke
wird. Ich habe auf den gleichen Spaziergängen mit Erstaunen Situationen in Poussins Geschmack gefunden, wo ich
vorher nur mittelmässige und kleinlichte Sächelgen sah.
Hab ichs nun unter meinen Umständen in der Kunst unmög-
lich weiter bringen können, so hab ich doch mit Ehrfurcht für
die wahre Kunst immer mehr bemerkt, wie viel Denkens
und wie viel Übung es fordert, um wirklich groß zu werden.
Wenn dem Künstler seine Kunst nicht ganz zur Leidenschaft
wird, wenn nicht die Stunden die er bey selbiger zubringt
seine angenehmsten sind, wenn die Kunst nicht das grösseste
Glück und Vergnügen seines Lebens ausmacht wenn nicht
seine [LIX] angenehmste Gesellschaft, die Gesellschaft von
Kennern ist; wenn ihm nicht des Nachts davon träumt,
wenn er nicht am Morgen mit neuer Begeistrung an sein
Werk geht; wenn er im Gegentheil nur den schlechten Geschmack seiner Zeit zu nutzen sucht; wenn er sich in einem
allgemein gefallenden Schlenter selbst gefällt; wenn er nicht
für wahre Kenner, für wahre Ehre, und für die Nachwelt
arbeitet, so wird seine Arbeiten der wahre Kenner itzt und
in Zukunft ausschiessen, und wenn sie auch die Zierde aller
Zimmer nach der Mode wären.
Noch muß ich, mein Freund, ihnen und dem Publico ein
paar Wünsche sagen, deren Ausführung für die Aufnahme
der Kunst von grossem Vortheil seyn müßte. Ich habe junge
Künstler gesehen, die es mit Thränen bedaurten, daß sie

---

84. dem die Jagd *B2,214*

durch schlechte Anleitung zurückgebunden, unter nachtheiligen Umständen nicht aufgemuntert, ihre beste Zeit mit Mühe und Arbeit verlohren hatten: Und Genien, die verwildert, Spuren von grosser Anlage in ihren Werken zeigen, und die, [LX] wenn sie weniger sich selbst und etwa Halb-Kennern, oder dem schlechten Geschmack ihres Orts oder ihres Zeitalters überlassen gewesen wären, wahrhaftig groß würden gewesen seyn. Mein Wunsch ist, daß ein philosophischer Kenner sich mit Künstlern berathen, und eine Anleitung, so wol für die Anfänger in der Kunst als für die, so dieselben unterrichten, schreiben möchte. Wir haben verschiedene fürtrefliche Werke über die Kunst, aber sie sind theils zu kostbar, theils für Anfänger nicht einfältig und practisch genug. In diesem Werkgen müßten die Grundregeln der Kunst kurz, und so deutlich als möglich, vorgetragen und erklärt, und dann auf besondere Fälle angewandt seyn. Diese besondern Fälle und Exempel müßten aus Kupferstichen, nach den besten Werken der Kunst in jeder Art genommen seyn, und zwar aus solchen, die nicht rar, und (so viel möglich) nicht kostbar sind. So würd' es immer ein leichtes seyn, solche in den Sammlungen an jedem Ort zu finden, oder sie selbst anzuschaffen. Dann müßte für jede Art der Kunst die sicherste und beste Art zu Werke zu gehen [LXI] angegeben werden, und zugleich die besten Werke und die grössesten Künstler, die jeder für seine Absicht zu studieren hat. Es müßte gleich für die allerersten Anfänge das Beste angerathen seyn. Man martert in Teutschland die Anfänger fast allgemein nach Preißler[85]; und doch sind seine Umrisse sehr oft falsch, und seine Köpfe besonders von einem gemeinen Character. In Frankreich kommen viel An-

85. Preisler, Johann Daniel (1666–1737), Porträt- und Freskenmaler, 1704–37 Direktor der Nürnberger Akademie, seit 1716 der ihr angegliederten Zeichenschule. – Geßner spielt auf die zu seiner Zeit viel benützten Zeichenvorlagenwerke Preislers an: *Die durch Theorie erfundene Practic* 1728–31; *Gründliche Anleitung, welcher man sich im Nachzeichnen schöner Landschaften bedienen kann* 1734; *Gründliche Anweisung zum richtigen Entwerfen [. . .] der Blumen.*

fänge für die Zeichnungs-Kunst heraus, deren Ausführung manchen blenden kann; flüchtig auf Handriß-Manier, mit keker Schrafierung weggearbeitet: Aber was soll dem Anfänger diese keke Manier, bey der die Richtigkeit des Umrisses, an dem ihm jetzt alles gelegen, vernachlässigt ist! Wie sehr muß es den Lehrer wie den Schüler verwirren, wenn die Theile und die Muskeln in den verschiedenen Lagen und Bewegungen von einem vorgelegten Muster zum andern nicht richtig können beobachtet und erklärt werden; und wenn man bey der Anleitung für die Landschaft, wie sehr oft geschieht, bey Sächelgen aufgehalten wird, worinn keine Wahrheit ist, und woraus man keine einzige Regel des Schö-[LXII]nen erklären kann. Ich habe oben gesagt, wie nützlich das Lesen derer Werke, die von Kunst und Künstlern handeln, dem jungen Künstler ist; dieser Anleitung müßte darum ein Verzeichniß der besten Werke in dieser Art beygefügt werden. So ein Werkgen müßte man trachten, so viel möglich, allgemein bekannt zu machen; es müßte ein allgemein bekanntes Lehrbuch seyn. Es würde denen, die ohne gute Anleitung sind, einen sichern Weg weisen, und das erklären, was sie nur dunkel empfinden, und sich nicht erklären können; und manchem, dessen Pflicht es ist, andre zu unterrichten, und der es redlich meint, seine Arbeit erleichtern.

Mein zweyter Wunsch ist, daß ein Werk entstehen möchte, worinn in jeder Art der Mahlerkunst, die besten Werke umständlich beschrieben, und nach allen Regeln des Schönen untersucht und beurtheilt würden; allein es müßten Werke seyn, die in Kupfer gestochen sind. Nichts destoweniger müßten sie auch in Absicht auf Colorit beurtheilt werden. Man kann die Gelegenheit haben oder be-[LXIII]kommen, die Original-Gemählde zu sehen; und wenn auch das nicht ist, so wird es doch in Absicht auf diesen Theil der Kunst, dem Liebhaber und dem Künstler, Gelegenheit zu Betrachtungen und Beobachtungen geben, die ihm wichtig sind. Doch das müßten nur die besten Werke aus jedem Alter und jeder der besten Schulen der Kunst seyn; nur solche,

bey denen der Character des Zeitpunctes und der Schule
vorzüglich herrscht; nur solche, worinn die Regeln des wahren Schönen mit dem besten Verstand angebracht sind, und
aus welchen sie vorzüglich deutlich gemacht werden können.
Dergleichen Beurtheilungen sind in Boydels Werke,[86] man
findt solche in Winkelmanns[87] und des Herrn von Hage-

86. Bei »Boydels Werke« denkt Geßner an die bereits von 1763 an in
Lieferungen erschienene und 1769 mit ihrem ersten Band geschlossen
vorliegende Folge von zunächst 50 Stichen nach Gemälden berühmter
Meister (u. a. Guido Reni, Nicolas Poussin, Claude Lorrain, Salvator
Rosa, Rubens, Rembrandt, Ostade) *A Collection of Prints, engraved
after the most Capital Paintings in England.* – »Boydel«, genauer John
Boydell (1719–1804) war der Verleger des Werkes. (Auf seine Initiative
und in seinem Verlag erschien übrigens 1776/77, später noch einmal 1804,
auch die in Stichen versuchte Wiedergabe der im *Liber veritatis* enthaltenen Handzeichnungen Claude Lorrains, auf die sich z. B. Goethe im
Gespräch mit Eckermann im Frühjahr 1829 wiederholt bezieht. Besonders bekannt wurde Boydel durch die in seinem Auftrag gemalte und in
Kupferstichen wiedergegebene *Shakespeare-Galerie*, für die u. a. Heinrich Füßli d. J., Sohn Johann Caspar F.s, seine Shakespeare-Szenen ge-
malt hatte.) – Bei den von Geßner erwähnten »Beurtheilungen« ist an
die Beschreibungen der einzelnen Bilder zu denken, die Benjamin Ralph,
ein heute vergessener Londoner Kunstschriftsteller und dilettierender
Landschaftsmaler, zu dem Werk beigesteuert hatte. – Da Geßner an dieser Stelle sogleich auf eine andere Rezension der Leipziger *Neuen Bibliothek der schönen Wissenschaften und der freyen Künste* zu sprechen
kommt, ist anzunehmen, daß er hier an die Rezension denkt, welche die
Zeitschrift soeben, 1769, im 1. Stück des IX. Bandes (S. 64–80) dem
Londoner Kupferstichwerk gewidmet hatte. Ebenso wie die noch 1770
in der gleichen Zeitschrift erscheinende Rezension von Füßlis neuem Band
seiner Schweizer Künstlergeschichte Geßners Brief aus der Vorrede Wort
für Wort mitteilen sollte, so hatte auch die Rezension der Boydellschen
Kupferstichfolge zum größten Teil aus den wörtlich abgedruckten Bild-
beschreibungen Benjamin Ralphs bestanden, eben den »Beurtheilungen in
Boydels Werke«.
87. Mit Winckelmann, der zu den Bewunderern Geßners gehörte und
sich vor den Tempeln von Paestum an den Idyllen des »delphischen«
Geßner begeisterte, hatte dieser, gemeinsam mit anderen Züricher
Kunstliebhabern wie J. H. Füßli und Usteri, in Korrespondenz ge-
standen (vgl. Winckelmanns Briefe an seine Zürcher Freunde. Hrsg. v.
H. Blümner. Freiburg i. Br. 1882; übrdies Heinrich Wölfflins Geßner-
Buch, Walther Rehms *Griechentum und Goethezeit* sowie Rehms Bemer-
kungen zu Wölfflins Geßner-Buch in seiner Schrift *Heinrich Wölfflin als
Literarhistoriker* s. Bibliographie, S. 310 bzw. 313).

dorn[88] Schriften, im Richardson[89] und einigen andern. Die Recension des Altar-Gemähldes von Mengs in Dreßden, welche in der Bibl. der schönen Wissenschaften[90] steht, ist

88. Hagedorn, Christian Ludwig von (1713–80), Bruder des Dichters Friedrich von H., Kunsttheoretiker, 1764–80 Direktor der Kunstakademien Dresden und Leipzig. Seine vielzitierte Schrift *Betrachtungen über die Mahlerey* erschien in 2 Bänden 1762 in Leipzig. Geßner stand mit H. im Briefwechsel (s. o. S. 172 f.).

89. Richardson, Jonathan (1665–1745), engl. Maler und Kunsttheoretiker. Sein *Essay on the Theory of Painting* erschien 1718 und gehört neben den ebenfalls von Geßner erwähnten Schriften Hagedorns und Mengs' zu den in Lessings *Laokoon* herangezogenen kunsttheoretischen Arbeiten. Lessing zitierte Richardson nach der damals vielbenutzten französischen Übersetzung von Rutgen: *Traité de la Peinture*, Amsterdam 1728.

90. Die »Recension des Altar-Gemähldes von Mengs in Dreßden« steht in der *Neuen Bibliothek der schönen Wissenschaften* in dem 1766 erschienen 1. Stück des III. Bandes (S. 132–144). Unter *Vermischte Nachrichten. Dresden* zeigt der (anonyme) Rezensent das »Altarblatt« als »soeben aus Spanien angekommen« und »auf der [Dresdner] Galerie am bequemsten zu beobachten« an. Es handelt sich um Anton Raphael Mengs' *Himmelfahrt Christi*. Das mehr als 9 Meter hohe und 4 bis 5 Meter breite Hochaltarbild war schon 1750 von August III. in Auftrag gegeben worden. 1755 und 1756 hatte Mengs in Rom daran gearbeitet, hatte es 1761 unvollendet mit nach Madrid genommen, wo es 1766 endlich fertig wurde und nach Dresden geschickt werden konnte. Seinen endgültigen Platz erhielt es in der Dresdner Hofkirche. – Das »Meisterstück« der Beschreibung dieses Altargemäldes ist allerdings nicht, wie Geßners Bemerkung annehmen läßt, die Rezension selbst. Vielmehr besteht auch diese »Rezension« der *Neuen Bibliothek der schönen Wissenschaften* hauptsächlich aus dem Zitat einer ausführlichen Beschreibung des Bildes, deren Autor vom Rezensenten auch genannt wird: Verfasser des deutsch und italienisch wiedergegebenen, anscheinend bis dahin unveröffentlicht gebliebenen Textes ist der gleiche Giovanni Battista Casanova, Schüler und Freund Mengs', der hier am Schluß von Geßners *Brief* gemeinsam mit anderen als möglicher Autor eines ganzen Buches in dieser Art genannt wird. Gemeinsam mit anderen entlegenen und ungedruckten Texten verschiedener Autoren wurde Casanovas Altarbild-Aufsatz auch abgedruckt in: M. C. F. Prange, Verzeichnis der Gemählde des Ritters Anton Raphael Mengs. Halle 1786. – Unmittelbar auf die Lektüre der »Rezension« in der *Neuen Bibliothek der schönen Wissenschaften* von 1766 beziehen sich die folgenden Worte Geßners in seinem Brief an den in Dresden lebenden Maler Anton Graff vom 27. Dezember 1766 (Zürcher Taschenbuch 1938, S. 193): »Ich habe die Beschreibung der Himmelfahrt von Mengs, von Casanova, gelesen. Himmel! was das für ein Gemähld seyn muß. Warum

ein Meisterstück, das die tiefsten Kenntnisse jeden Theiles
der Kunst zeigt. Brauche ichs zu sagen, wie wichtig und
nützlich so ein Werk seyn müßte? Aber manchem der es vielleicht zu leicht findet, muß ich sagen, daß das nur die Arbeit
eines von Hagedorn, ei-[LXIV]nes Oeser,[91] eines Dietrich,
eines Casanova,[92] kurz, nur die Arbeit der grössesten Kenner

kan ich nicht ganze Tage lang mit Ihnen darvor stehen? Auch die Beschreibung macht dem Herrn Casanova Ehre, mit was für Richtigkeit im
Ausdruk, mit was für tiefer Einsicht in die Kunst hat er diß Meisterstük
in allen seinen Theilen beschrieben!«

91. Oeser, Adam Friedrich (1717–99), Maler und Bildhauer, seit 1764
Direktor der Kunstakademie Leipzig. Freund Winckelmanns und Goethes.

92. Casanova, Giovanni Battista (1722–95), ital. Maler, Zeichner und
Kunsttheoretiker. Schüler Dietrichs in Dresden, Piazettas in Venedig
und Mengs' in Rom. Von ihm stammen die Zeichnungen für .Winckel-
manns *Monumenti antichi inediti* (1767/68). Später Professor und Direktor der Dresdner Kunstakademie. 1770 erschien seine Schrift über die
Dresdner Antiken *Discorso sopra gli antichi e vari monumenti loro*. Ein
Lehrgang der theoretischen Malerei in italienischer Sprache wurde 1788
vollendet, blieb aber unveröffentlicht. (vgl. Thieme-Becker, Künstler-
lexikon, IV. Bd, S. 103–104).

93. Ich empfehle mich Ihnen *bis* 10. Jener 1770. *gestrichen B*1,*273*
In seiner Vorrede schließt hier Füßli mit den folgenden Bemerkungen
an, aus denen lediglich die allzu ausführlichen Beschreibungen von vier
Geßnerschen Landschaftszeichnungen nicht mitabgedruckt werden:
»Ich will durch mein Lob die Empfindungen von Bewunderung und
Hochachtung nicht schwächen, womit itzt ohne Zweifel alle meine Leser
für den edlen Verfasser dieses Sendschreibens erfüllt sind. So viel hoffe
ich, daß solches bald, besonders abgedruckt, in den Händen junger Künst-
ler allgemein werde. Und darf ich den beyden Wünschen, welche er am
Ende seines Briefs äussert, noch einen dritten beyfügen, [LXV] den er
mir nicht verargen wird, da ich Mahler bin, und meinem Berufe so wol,
als seinen eigenen Foderungen zufolge, die unserer Kunst verschwisterte
Dichtkunst [l]iebe, so sey es folgender:
Möchten Sie, liebster Geßner! bey einer andern Gelegenheit dem jungen
Dichter einen Unterricht mittheilen, wie Sie jetzt dem jungen Künstler
so liebreich geschenkt haben! Möchten Sie ihm den Pfad der Unsterblich-
keit, die Sie erwartet, zwar öffnen, und ihm den Lohn, aber auch die
Mühe, mit gleicher Stärke, und beyde aus Ihrer eigenen Geschichte schildern! Möchten Sie ihm zeigen, wie viel und wie gut man Menschen und
Muster, Natur und Kunst studieren muß, um von der Nachwelt gelesen
zu werden; so würden Sie für Ihr deutsches Vaterland, in Absicht auf
die schönen Künste, mehr gethan haben, als hundert Lehrer, und ihre
Systeme der Ästhetick, von hundert Cathedern heruntergeplaudert. Sie

und der grössesten Künstler seyn kann, um zuverlässig und nützlich genug zu seyn.

Ich empfehle mich Ihnen, mein bester Freund!

und bin etc. etc.

Geßner.

Zürich, den 10. Jener 1770.[93]

würden das seyn, was so wenige im Staat und in der Kirche sind: Lehrer und Beyspiel zugleich.

[LXVI] Es dünkt mich unnöthig, noch viel von den Lebens-Umständen und dem Sittlichen so wol als dem Kunst-Character dieses Manns zu sagen; die beyden letztern schildern sich am besten in obigem Briefe, und in seinen Werken. Er ist im Jahr 1730. gebohren, und genießt als ein vierzigjähriger Mann in und aussert seinem Vaterland denjenigen allgemeinen Beyfall, welchen die grösten Männer aller Zeitalter sonst meistens erst von der neidlosen Nachwelt erwarten müssen. Ganz Europa ließ seine Werke, eine jede Nation in ihrer Muttersprache. Zwo Ausgaben meisterhaft geätzter Landschaften von ihm sind noch zu wenig bekannt; vielleicht weil das Publicum sich am besten hauptsächlich auf den grossen Dichter zu werffen, und man es kaum begreiffen kann, daß ein einziger Mann in der Beste seiner Jahre Meister in zwoen Künsten ist.

Ich besitze selbst vier grosse Zeichnungen von seiner Arbeit, die eben so viele Meisterstücke sind. Ich wage es, dem Leser eine Beschreibung davon mitzutheilen. [. . .]

[LXXIV] Alles beweist, daß für diesen Künstler die Natur im eigensten Sinn unerschöpflich sey, und er immer neue Seiten an ihr zu bemerken wisse. Sein Haupt-Endzweck ist (wie aller ächten Landschafter) die Nachahmung dieser Natur. Es ist ihm aber nicht genug, alles, was sich seinem Auge weiset, nachzuzeichnen; er sucht in den Aussichten, den Bäumen, u. s. w. eine kluge Wahl zu treffen; und wenn er sie in der Natur, wie gewöhnlich, nicht vollkommen schön findet, so liefert ihm seine Einbildungskraft Züge, durch deren Zusammensetzung er sein gesuchtes Ideal ohne Zwang herausbringt.

[LXXV] Seine natürliche Fähigkeit ist um so viel mehr zu bewundern, weil er zur Erlernung seiner Kunst anfänglich weder grosse Beyspiele noch Aufmunterung vor Augen hatte. Die Kunst kam gleichsam zu ihm; und folgsam ihrem Winke ließ er sich von ihr leiten. Das ist, was wir das wahre Genie nennen. Dieses Genie nährt er nunmehr durch unablässiges Studieren; und diese vereinigte Kräfte der Natur und Kunst haben ihn zur wahren Grösse geführt.

Allein weder von dieser seiner Grösse geblendet, noch selbstzufrieden mit dem festgesetzten Ruhm, studiert unser Geßner noch immer, mittlerweilen er seine Zeitgenossen unterrichtet, selbst, alles was zu seinem

Endzweck wissenswürdig ist; hört auf das Urtheil eines jeden, der mit gesundem Menschen-Verstand von der Kunst und seinen Werken spricht; prüft diese Urtheile wieder mit der Freyheit eines Genies, und gewinnt so an Grösse genau so viel, als an derjenigen edeln Bescheidenheit, welche das ächte Genie bis ans Grab begleitet.

Erst neulich ist die Lippertsche Sammlung von Abgüssen geschnittener Steine auf allhiesige Stadt-[LXXVI]Bibliotheck gekauft worden. Seit der Zeit zeichnet Herr Geßner oft ganze Abende mit der Hitze und dem Fleiß eines lernensbegierigen Knaben nach diesen köstlichen Überresten der alten Kunst. Die Verzierungen zu der neuen Ausgabe seiner Werke werden unter anderm zeigen, mit welchem bewundernswürdigen Erfolge!

Sein Vaterland hat seine Verdienste auch mit bürgerlichen Ehren belohnt: Er ist nun seit dreyen Jahren Mitglied des innern Raths unsers Freystaats.«

Herausgeberteil

Editionsbericht

a) Bisheriger Stand der Geßner-Edition

Den wenigsten, die sich mit Geßners Idyllen beschäftigen, scheint bewußt zu sein, daß sie es mit einem Textkomplex zu tun haben, dessen Geschichte von zahlreichen und z. T. gravierenden Änderungen gekennzeichnet ist, die Geßner bei Gelegenheit der vielen zu seinen Lebzeiten erfolgten Drucke vorgenommen hat. Noch immer werden in der einschlägigen Literatur mit auffallender Beliebigkeit, so als sei Text gleich Text, alle Arten von Geßner-Ausgaben zitiert: Einzeldrucke der Zeit, zeitgenössische und postume Ausgaben der gesammelten *Schriften*, Raubdrucke des 18. Jahrhunderts, Ausgaben des 19. Jahrhunderts und zuweilen selbst die mehr oder weniger dilettantischen Nachdrucke des beginnenden 20. Jahrhunderts. Diese Willkür läßt sich natürlich zu einem Teil damit erklären, daß Geßner immer wieder und zumal seit den letzten vier Jahrzehnten auf dem Büchermarkt gefehlt hat und in den öffentlichen Bibliotheken oft in sehr zufälligen Ausgaben vertreten ist. Andrerseits läßt sich nicht leugnen, daß hinsichtlich der Geßnerschen Textverhältnisse heute wie ehedem eine weitverbreitete Naivität besteht, von der auch die Literarhistoriker nicht frei sind. Offensichtlich hat sich die geläufige Vorstellung von der scheinbaren »Einfachheit« Geßners ungeprüft auch auf die Einschätzung der Textverhältnisse ausgewirkt, so daß eine eigentliche Geßner-Philologie nie als Aufgabe empfunden und daher auch nie in Angriff genommen worden ist. Die vermeintlich geringfügigen Probleme schienen ihre Lösung gefunden zu haben in den beiden Geßner-Ausgaben des 19. Jahrhunderts, die in den einschlägigen Bibliographien und Nachschlagwerken noch immer neben den verschiedenen zeitgenössischen Ausgaben als verbindlich angegeben werden, ohne daß sie das wirklich verdienen: das ist zum einen die 1841 von Julius Ludwig Klee in zwei Bänden herausgegebene Ausgabe von

Geßners *Sämmtlichen Schriften*, das ist zum andern die
(etwa) 1884 im Rahmen von Kürschners Reihe *Deutsche
National-Litteratur* erschienene, von Adolf Frey besorgte
Auswahlausgabe von *Geßners Werken*.

Klee hat sich ausdrücklich auf eine ganz bestimmte späte
Ausgabe von Geßners *Schriften* – bedauerlicherweise gerade
auf die erste von Geßner nicht mehr selbst besorgte, ein
Jahr nach seinem Tode, im Jahre 1789 erschienene Ausgabe – gestützt und hat in einem besonderen Nachwort aus-
führlich Rechenschaft gegeben über seine (leider unzureichen-
den) Versuche, Klarheit über die Geßnerschen Textverhältnisse zu gewinnen. Da er bei seinem Vergleich nicht mit den
frühen Ausgaben begann, wo die besonders auffallenden
Veränderungen zu finden sind, sondern mit den späten Ausgaben, über die hinaus er dann nicht weit genug zurückging,
kam Klee irrigerweise zu dem Schluß, »hie und da« auftre-
tende, aber »nicht eben häufige Abweichungen« zwischen
den einzelnen Ausgaben beträfen »nur Einzelheiten im Ausdruck«, und keine erschien ihm »bedeutend genug, um angegeben zu werden« (Klees Nachwort, S. 282).

Frey dagegen hat sich grundsätzlich jeder textkritischen Bemerkung enthalten, hat keine einzige Lesart mitgeteilt und
(in seiner ansonsten noch immer lesenswerten Einleitung)
nicht einmal angegeben, auf welche Vorlagen sich der von
ihm mitgeteilte Text gründet bzw. welche Prinzipien seiner
Textvermittlung zugrunde liegen. Der nicht ganz einfache
Versuch, Einsicht in das von ihm selbst unerklärt gelassene
Verfahren der Texterstellung zu gewinnen, führt hinsichtlich
der *Idyllen* zu dem Ergebnis, daß bei Frey aus einigen wenigen, dazu zeitlich weit auseinanderliegenden, sehr frühen
und sehr späten Textzuständen und Gruppierungsweisen des
Gesamtkomplexes etwas Neues geschaffen wird, das sich in
dieser Zusammenstellung durch keine der von Geßner selbst
veranstalteten Ausgaben rechtfertigen läßt, das aber auch
nicht beanspruchen kann, als Ergebnis eines kritischen
Durchsehens und Abwägens aller authentischen Zustände

und Varianten verstanden zu werden; wichtige Ergänzungen
Geßners in Form ganzer Abschnitte und sogar vollständiger
Idyllen hat Frey entweder nicht gekannt oder nicht wichtig
genommen, so daß der von ihm mitgeteilte Text nicht nur
im Hinblick auf Authentizität, sondern auch auf Vollstän-
digkeit zu wünschen übrigläßt.[1]
Auf jeweils verschiedene Art repräsentieren beide Ausgaben
den bis heute nicht überwundenen vorkritischen Zustand der

---

1. Für alle bei Frey abgedruckten Idyllen gilt, daß immer wieder ›Normalisierungen‹ (z. B.: mögtet]möcht; pikt]pickt; kömmt]kommt) darin
vorkommen, die nicht im Verhältnis zu dem von ihm jeweils repräsen-
tierten Textzustand stehen, sondern allenfalls in sehr späten Ausgabe
zu finden sind, daß Lösungen aus den mittleren Textstadien dagegen so
gut wie nicht vorkommen. Von diesen stillschweigend vorgenommenen
›Normalisierungen‹ abgesehen, könnte man Freys Wiedergabe der *Neuen
Idyllen*, die als *Idyllen (Zweite Folge 1772)* gesondert und insgesamt
mitgeteilt werden, gelten lassen; zugrunde gelegt ist offensichtlich die
Erstausgabe. – Der Komplex aber, den Frey als *Idyllen (Erste Folge)*
vorweist, stellt weder dem Textzustand noch dem Textumfang nach den
ersten Idyllenkomplex von 1756 dar, wie man diesem Hinweis zufolge
glauben möchte. Der Text der einzelnen Idyllen ist der der 1761 erschienenen 3. Auflage des Einzeldruckes der *Idyllen* (textgeschichtlich übrigens
einer der am wenigsten interessanten Ausgaben der *Idyllen*), aber selbst
in dieser 3. Auflage hatte die Sammlung ursprünglich noch einige Idyllen enthalten, die Frey gesondert in dem Abschnitt *Vermischte Gedichte*
abgedruckt hat. Zwar stammt diese Anordnung von Geßner selbst, ist
aber von ihm erst in dem 1777 erschienenen I. Band der 7. Auflage der
Schriften eingeführt worden, so daß Freys Komplex *Idyllen (Erste
Folge)* anstatt der ursprünglichen Sammlung der *Idyllen* den Torso derselben, wie er sich 1777 nach der Absonderung der *Vermischten Gedichte*
ergab, im Textzustand der 3. Auflage der (frühen) Einzelausgabe dar-
bietet. Obendrein aber hat Frey bei dieser mehr unberatenen als will-
kürlichen Verquickung verschiedener und zeitlich weit voneinander ent-
fernter textgeschichtlicher Stadien drei Idyllen Geßners (*Mirtil und
Daphne, Mylon* und *Die ybel belohnte Liebe*) gar nicht in seine Ausgabe
aufgenommen, da sie weder in dem nach den späten Ausgaben seit 1777
mitgeteilten Komplex der *Vermischten Gedichte* noch in der 1761 erschienenen 3. Auflage des Einzeldruckes zu finden waren, sondern von
1762 an im Hauptkomplex der *Idyllen* standen, den Frey offensichtlich
nicht mehr verglichen hat mit dem Text des Einzeldruckes von 1761. So
kommt es auch, daß keine der z. T. bedeutsamen Änderungen berücksichtigt ist, die so vielen Idyllen bei der Aufnahme in die *Schriften* von
1762 zuteil geworden sind.

Geßner-Philologie. Auf jeweils verschiedene Art haben aber
beide Ausgaben seit ihrer Veröffentlichung auch dazu beige-
tragen, falsche Gewißheiten hinsichtlich der vermeintlich
»einfachen« Textsituation bei Geßner hervorzurufen: Klee
durch seine ausdrückliche, aber irrige Feststellung, nennens-
werte Varianten gebe es bei Geßner nicht, Frey durch sein
Schweigen über die von ihm vorgenommene Manipulation,
mit dem er unwillkürlich den Eindruck erweckt, es gäbe
kein Textproblem, sondern nur *den* Text.

In ihren danach erschienenen Geßner-Monographien haben
sich Heinrich Wölfflin (1889) und Fritz Bergemann (1913)
dementsprechend kaum mehr als beiläufig für die Geßnersche Textgeschichte interessiert. Wenn dies auf den ersten
Blick anders scheint im Falle der bei Gelegenheit von Geßners 200. Geburtstag 1930 erschienenen verdienstvollen und
materialreichen Monographie von Paul Leemann-Van Elck,
die erstmalig mit einer bis heute empfohlenen, übrigens
nahezu vollständigen ›bibliographie raisonné‹ der Geßnerschen Originalausgaben und Nach- und Neudrucke aufwar-
tete, so sieht man sich bei näherem Hinsehen und vor allem
beim praktischen Gebrauch der erläuternden Hinweise zu
den Textverhältnissen der einzelnen Ausgaben letztlich ent-
täuscht. Gerade weil Leemann-Van Elck im Unterschied zu
seinen Vorgängern verschiedentlich auf tatsächlich gegebene
Veränderungen hinweist, dazu in einer Art, die verrät, daß
er den betreffenden Band tatsächlich in der Hand gehabt
hat, verleitet er dazu, seine in Wirklichkeit nur sehr zufälligen Beobachtungen als fortschreitende Beschreibung der von
Ausgabe zu Ausgabe erfolgten Veränderungen zu verstehen.
Daß sie das nicht sind, dürfte aus dem Vergleich mit den
hier mitgeteilten Varianten deutlich werden.

Was wir soeben »falsche Gewißheiten« genannt haben, erstreckt sich nicht nur auf die Einschätzung der Geßnerschen
Textverhältnisse, sondern sogar auf die Einschätzung dessen,
was eigentlich zu den Geßnerschen Idyllen gehört. Fast jeder, der von den Idyllen spricht, glaubt zu wissen, welcher

Textkomplex aus Geßners Gesamtwerk – das bekanntlich neben zwei Schäferspielen (1762), einem Schäferroman (*Daphnis*, 1754) und anderen, kleineren Werken ein biblisches Prosaepos in fünf Gesängen (*Der Tod Abels*, 1758) enthält – damit gemeint ist. Der Geßner-Artikel im 6. Band der *Neuen deutschen Biographie* von K. Wölfel (1964) gibt nur eine verbreitete Ansicht wieder, wenn er feststellt: »Nach der Herausgabe seiner ›Schriften‹ (4 T., Zürich 1762) entstanden keine nennenswerten poetischen Werke mehr« und sodann von den Idyllensammlungen nur die eine von 1756 anführt. In W. Kaysers *Kleinem literarischem Lexikon* (²1953) steht diese Ausgabe wie folgt verzeichnet: »*Idyllen*, 1756 (1772)«, wobei zweifelhaft bleibt, ob es sich bei der in Klammern angeführten Ausgabe von 1772 um eine (vielleicht erweiterte oder veränderte) Neuauflage oder, wie W. Kosch in seinem *Deutschen Literatur-Lexikon* (²1949) angibt, um einen »2. Band« handelt. Den Germanisten ist die Ausgabe offenbar so wenig vertraut, daß einzelne Idyllen daraus wie selbstverständlich mit dem Hinweis auf die Jahreszahl der frühen Sammlung von 1756 erwähnt werden (so z. B. die Idylle *Daphnis und Micon* in H. Fischer-Lambergs Kommentar zu: Der junge Goethe, Bd. II, 1963, S. 347).

b) Prinzipien unserer Ausgabe

Zielsetzung der vorliegenden Ausgabe von Geßners Idyllen ist es, zum einen alle Idyllen, die Geßner zu verschiedenen Zeiten seines Lebens geschrieben und veröffentlicht hat[2], in

2. Grundsätzlich muß dabei unterschieden werden zwischen den (hier aufgenommenen) Idyllen im eigentlichen Sinne der Gattung ›Idylle‹ und den (nicht aufgenommenen) anderen Dichtungen Geßners, die im weiteren Sinne zwar ›idyllisch‹ sind, jedoch einer jeweils besonderen Gattung zugehören. Diese Unterscheidung versteht sich zwar von vornherein bei den beiden Schäferdramen Geßners, ist aber, wie die bisherige Akzentuierung innerhalb der Forschung zeigt, offenbar nicht ganz so selbstver-

ihrer ursprünglichen Form[2a] mitzuteilen, zum andern, die ver-
schiedenartigen Stadien der Textveränderung, durch die die
einzelnen Idyllenkomplexe während Geßners Lebzeiten hin-
durchgegangen sind, in Variantenverzeichnissen als Prozeß
sichtbar zu machen.

Eine besondere Situation bei der textkritischen Behandlung
von Geßners Idyllen ist dadurch gegeben, daß Geßners
poetischer Nachlaß (mit Ausnahme der in europäischen Bi-

ständlich in Hinsicht auf den Hirtenroman *Daphnis* und das idyllische
Prosaepillion *Der erste Schiffer*, wo die Struktur einer jeweils fort-
schreitenden Erzählung beide Dichtungen eindeutig unterscheidet von den
durchweg aus dem Zuständlich-Momentanen heraus konzipierten Idyllen
im eigentlichen Sinn. So gesehen gehört natürlich das frühe Prosastück
Die Nacht, das ansonsten vielleicht nicht ganz und gar mit der Gattung
›Idylle‹ harmoniert, zweifellos auf die Seite der Idyllen und damit in
diesen Band, wo ihm ohnehin ein Platz gebührt wegen seiner Bedeutung
für die Vorgeschichte der *Idyllen* von 1756.

2a. Aus technischen Gründen mußten allerdings einige Vereinheitlichungen
in Kauf genommen werden. – Durchweg steht ß, wo im Original ſs stand,
Doppel-s dagegen in allen Fällen da, wo im Original ſſ oder ss stand.
Als Doppel-m und -n werden die im Original gelegentlich auftauchenden
Schreibungen m̄ und n̄ wiedergegeben, die übrigens auch in Geßners Brief-
handschriften vorkommen. Im Gegensatz dazu steht in den Briefen wie
in den gedruckten Texten die Schreibung bestimmter Wörter wie ›komen‹
für ›kommen‹, ›kan‹ für ›kann‹, die dann auch jeweils einen besonderen
Lautstand anzeigt und deshalb in unserm Text selbstverständlich beibehalten wurde. – Die Umlaute, deren Schreibung selbst innerhalb der verschiedenen Ausgaben zwischen ae, oe, ue und å, ô, û schwankt, wurden –
mit alleiniger Ausnahme der *Idyllen und Gedichte* aus den »Schriften« von
1762 und den Bezugnahmen auf diese Ausgabe in den Variantenverzeichnissen – mit ä, ö, ü wiedergegeben; die Verwendung der Ligaturen æ und
œ und die Schreibung y für ü in den *Schriften* von 1762 ist keine
orthographische Zufälligkeit, sondern konsequent durchgehaltenes Stil-
prinzip, und blieb deshalb bei uns von der Vereinheitlichung ausgenommen. – Nicht beibehalten wurde die in den einzelnen Texten unterschied-
lich behandelte Auszeichnung der Initialen; bei uns also: »Wohin irrt mein
Fuß« statt z. B. »WOhin irrt mein Fuß«. Die Namen der Sprecher in den
Idyllen werden einheitlich durch Sperrung hervorgehoben. – Offensichtliche Druckfehler der ersten Fassungen wurden im Text unter Benutzung von
eckigen Klammern berichtigt und in den Variantenverzeichnissen durch
Ausrufzeichen kenntlich gemacht. – Innerhalb des Textes erscheinende
Ziffern in eckigen Klammern geben die Paginierung des betreffenden
Originals wieder.

bliotheken verstreut bewahrten Briefe von und an Geßner),
wie schon Heinrich Wölfflin in seinem Geßner-Buch fest-
stellte (Einleitung, S. V.), als verloren angesehen werden
muß (vgl. auch: Wilhelm Frels, Deutsche Dichterhandschrif-
ten 1400–1900, 1934, S. 86, und Paul Raabe, Quellenreper-
torium zur neueren deutschen Literaturgeschichte, ²1966,
S. 22). Nur in einzelnen Fällen – und auch nur im Bereich
der späten Idyllen von 1772 – war es möglich, direkten Ein-
blick in den ansonsten verschlossenen Vorgang der Entstehung zu gewinnen, und zwar dank des Zufalls, daß Geßner drei Idyllen in einem relativ frühen Stadium nach der
ersten Niederschrift in einem Brief festgehalten hat; hinzu
kommt bei einer derselben noch der unseres Wissens einmalig
gebliebene Vorgang, daß Geßner den Vorabdruck eines
Textes in gleich zwei Almanachen zugelassen hat, so daß sich
ausnahmsweise einmal die frühe Entwicklung einer Idylle in
gleich mehreren Stadien darstellen läßt (s. S. 291 ff.). Für den
Verlust des poetischen Nachlasses mitsamt allen Entwürfen
und Frühfassungen des Idyllenwerks kann auf mittelbarere
Art der relativ wenig bekannte Komplex einer Handvoll
von Jugendgedichten aus den Jahren 1746 bis 1752 (bzw.
1755) entschädigen, den wir nach 130 Jahren³ zum ersten
Male wieder mitteilen (s. S. 139 ff.); sie legen in verschiedenen
Fällen, in denen bekannte Motive und poetische Wendungen
aus den Idyllen gleichsam im Urstadium wiederzuerkennen
sind, interessante Schlüsse nahe hinsichtlich der Genese der
Idyllen von der frühen Form unregelmäßiger Verse zur gül-
tigen Form der für Geßner charakteristischen rhythmisch-
musikalisch bewegten Prosa. Auf noch mittelbarere Art müssen bestimmte Zeugnisse aus Briefen und Aufzeichnungen

---

3. Diese zum größten Teil von Hottinger überlieferten Gedichte sind nie
in eine der zu Lebzeiten Geßners erschienenen Ausgaben der *Schriften*
hineingelangt und wurden danach auch nur einmal, allerdings nicht im
Textteil, in einer Ausgabe abgedruckt, nämlich in Klees Ausgabe von
1841, wo Hottingers Geßner-Biographie mitsamt den ›Frühen Gedichten‹
anstelle einer eigenen biographischen Einleitung des Herausgebers Klees
wiederabgedruckt stand.

Geßners und seiner Freunde dazu verhelfen, unsere Vorstellungen vom Vorgang der Entstehung der einzelnen Textkomplexe mit genauerem Detail zu füllen. So gesehen kann selbst das frühe Prosastück *Die Nacht* von 1753, das als echte Vorstufe der Prosaform der Geßnerschen Idyllen bei uns am Beginn des gesamten Textteils steht, für die mit dem Verlust des handschriftlichen Nachlasses gegebene Lücke in der Dokumentation des Entstehungsprozesses mit aufkommen.[4]

4. Eine Vorstellung sowohl von Geßners künstlerischer Verfahrensweise, der malerischen wie der poetischen, wie auch von der Art der Aufzeichnungen Geßners, die mit seinem literarischen Nachlaß wohl für immer verlorengegangen sind, verschafft uns die direkte Wiedergabe eines Gesprächs mit Geßner am 7. August 1787, wenige Monate vor dessen Tod, die der Abbé Giorgi-Bertola, Geßners italienischer Übersetzer und Wegbereiter, in seiner 1789 in Pavia, im gleichen Jahr auch im Geßnerschen Verlag in Zürich auf deutsch erschienenen *Lobrede auf Geßner* vorlegte. Zur Gesprächssituation wäre vorauszuschicken, daß zuvor die Rede davon war, Geßner solle die besondere Stimmung des Tages zum Anlaß nehmen, anstatt eines Gemäldes doch noch einmal eine Idylle zu schaffen:

»Ich bin gewohnt, von allem, was jeden Tag meine Seele in Regung bringt, den Eindruck zu sammeln, um es bey meiner Kunst zu benutzen. Es wird in meiner Schreibtasche verwahrt, der heutige Tag wird heilig in das Innerste der Seele verschlossen. – Die Art, versetzte ich, mit welcher Sie diese letzten Worte aussprechen, stellt mir lebhaft vor, was Sie in dem Herzen fühlen; und mir bleibt nichts übrig, als der Wunsch, ein so williges Vorhaben bald ins Werk gesetzt zu sehen. Allein mit gütigster Erlaubniß, da wir doch auf diesem Wege sind, darf ich Sie fragen, auf welche Weise, mit welcher Kunst Sie die Materialien in der Brieftasche aufzubehalten pflegen? – Beynahe wollte ich sagen, daß dieser Stoff einem Kneuel gleicht, von dem ich nicht voraussehe, wie sich die Faden loswinden werden. So wie ich spazieren gehe, oder einem Conzerte beywohne, oder das Spiel der Kinder, oder den Aufgang oder den Untergang der Sonne beobachte, so überlaß ich mich jeder Empfindung. Ich berühre sogleich in zwey oder drey Zeilen, was mich in jenen Augenblicken gerührt hat; ich gehe und lese und zuweilen öfters des Tages jene Bemerkungen durch; ich dehne sie in meinem Gemüth aus, ich bringe sie zusammen, ordne sie, gebe ihnen Farb und Gestalt, kurz ich beseele mit vielem Fleiße diese Art von Pflanzungen, bis ich sie auf einmal frisch und zeitig vor mir sehe, dies geschieht nun in der Mahlerey, wie ehemals in der Poesie« (S. 42 f.).

Geßners Freund Leonhard Meister überliefert den gerade in diesem Zusam-

Als Textgrundlage für unsere Ausgabe dienten die von uns in jedem einzelnen Fall originalgetreu wiedergegebenen Erstausgaben der verschiedenen Idyllenkomplexe. Das ist zunächst die 1756 im Verlag der Familie Geßner in Zürich noch anonym erschienene Ausgabe der *Idyllen von dem Verfasser des Daphnis*. Das ist weiterhin die 1772 ebenfalls im Geßnerschen Verlag erschienene und im gleichen Jahr in verschiedenen Paralleldrucken verbreitete Ausgabe seiner späten Idyllen, die Geßner zur Überraschung der Zeitgenossen in der Form einer Gemeinschaftsveröffentlichung mit zwei ebenfalls kurz zuvor entstandenen ›Moralischen Erzählungen‹ von Denis Diderot publiziert hatte: *Moralische Erzählungen und Idyllen von Diderot und S. Gessner*; als *Neue Idyllen* hat Geßner diesen Komplex ausdrücklich bezeichnet in einer ebenfalls noch 1772 im Züricher Verlag erschienenen Separatausgabe der eigenen Stücke. Den 1753 ohne Verfasser- und Verlagsangabe als erste selbständige Veröffentlichung des jungen Geßner im Züricher Verlag erschienenen Prosagesang *Die Nacht* in der ursprünglichen Fassung wieder abzudrucken, schien um so sinnvoller, als in den Geßnerschen *Schriften* immer nur die stark veränderte, für die Ausgabe von 1762 aufbereitete zweite Fassung abgedruckt worden ist; Klee und Frey druckten ebenfalls die zweite Fassung, und wer die erste Fassung zitieren will, muß nach dem selten gewordenen Druck lange suchen. Schwieriger war die Entscheidung, in welcher Form die von Geßner zum ersten Male im Jahre 1762 bekanntgemachten sechs Idyllen mitzuteilen wären, die gleich bei ihrem ersten Erscheinen in der Ausgabe der *Schriften* zum Bestandteil der somit an verschiedenen Stellen angereicherten frühen Idyllensammlung geworden waren. Gelegentlich liest man, sie seien zum ersten Male in dem ebenfalls 1762 erschienenen Band *Gedichte von*

menhang interessanten Umstand, daß Geßner, wenn er dichtete, am hellen Tage die Fensterläden schloß, die Vorhänge zuzog und »bei dem sanften Lichte der Lampe« arbeitete (s. J. Baechtold, Literaturgeschichte, S. 629).

S. Gessner als geschlossener Komplex veröffentlicht und
demnach erst nachher in die Folge der *Idyllen* eingestreut
worden. In Wirklichkeit ist es genau umgekehrt: In dem
Band *Gedichte* wurde lediglich alles Neue zusammengefaßt,
was Geßner 1762 anläßlich seiner ersten Gesamtausgabe
schon zum Vorschein gebracht hatte, darunter also auch die
sechs neuen Stücke. Damit steht man vor dem Problem,
diese Idyllen eine um die andere aus ihrem ersten Kontext
in den *Schriften* herauszulösen und als Sammlung von
gleichzeitig erschienenen Einzelstücken mitzuteilen, um nicht
dafür auf seiten der bei uns für sich abgedruckten *Idyllen*
von 1756 das Prinzip der authentischen Wiedergabe des ursprünglichen Textkomplexes gefährden zu müssen. Dem hier
geltenden Prinzip der historischen Folge entsprechend wurden die sechs Einzeltexte von 1762 als besonderer Komplex
zwischen denen von 1756 und 1772 abgedruckt.
Für den Textvergleich der jeweils späteren Fassungen wurden grundsätzlich alle bis zu Geßners Tod im Jahre 1788
erschienenen rechtmäßigen Ausgaben der betreffenden Idyllensammlung bzw. der *Schriften* herangezogen. Verschiedene
zu Geßners Lebzeiten erschienene unrechtmäßige Ausgaben,
wie der Leipziger Raubdruck der *Idyllen* von 1760 (bei
I. G. Loewen) oder der Karlsruher Raubdruck der *Sämmtlichen Schriften* von 1775 (bei Ch. G. Schmieder) wurden
zwar durchgesehen, aber nicht im Lesartenverzeichnis berücksichtigt. Das gleiche gilt von einigen nach Geßners Tod
erschienenen Ausgaben der zwar immer noch »rechtmäßigen«, bis 1839 in insgesamt 21 Auflagen erschienenen, jedoch
nach 1788 nicht mehr wirklich authentischen *Schriften*; wir
geben hier w. u. lediglich einige besonders auffallende Beispiele der Textverderbnis wieder, die in diesen postumen
Ausgaben zur Erscheinung kam. Zum Vergleich herangezogen, aber im kritischen Apparat mit einer Ausnahme (s. S. 249)
nicht ausdrücklich berücksichtigt, wurden überdies natürlich
die besagten Ausgaben von Klee und Frey sowie einige der
bis in die zwanziger Jahre unseres Jahrhunderts noch einmal

mit so auffallender Häufigkeit erschienenen Ausgaben von
Liebhabern für Liebhaber, die aber für unseren Zweck irrele-
vant sind.

Bei der Erstellung der Lesartenverzeichnisse waren zwei Gesichtspunkte maßgebend: Zum einen sollte jede Veränderung des Lautstandes innerhalb der bei Lebzeiten Geßners
erschienenen Ausgaben Berücksichtigung finden. Zum andern
sollten die verzeichneten Lesarten nicht zu geist- und leb-
losen Worthalden werden, sondern sollten selbst lesbar sein
und als mögliche Projektion eines über Jahrzehnte sich er-
streckenden Prozesses imstande sein, der jeweils in Frage
kommenden Idylle eine zusätzliche Dimension zu schaffen. Bestimmte Veränderungen des Lautstandes waren ihrer
Natur nach zwar so wichtig, daß sie nicht unerwähnt bleiben
durften, traten aber in einer solchen Häufigkeit auf, daß sie,
dazu noch in monotoner Wiederholung, das gesamte Verzeichnis rettungslos überwuchert und das Prinzip der Les-
barkeit sogleich in Frage gestellt hätten. Diese Veränderungen werden hier ausnahmsweise pauschal benannt anstatt in
jedem einzelnen Fall verzeichnet zu werden: Den Komplex
der *Idyllen* betrifft die konsequente Einführung von ck anstelle von k in der 5. Ausgabe der *Schriften* von 1770 (z. B.:
pickt aus pikt, drückt aus drükt, aber auch: erschrack aus
erschrak), womit offensichtlich dem Vorwurf Rechnung getragen werden sollte, daß im Text der Schweizer Tonfall sich
bis in die Orthographie hinein geltend mache. Die anderen
generellen Veränderungen betreffen mehr den Komplex der
Neuen Idyllen, bei dem im 1777 erschienenen 3. Band der
6. Ausgabe der *Schriften* mit großer Gründlichkeit alle noch
1772 darin befindlichen Diminutiv-Endungen -gen in -chen
geändert werden (Körbgen]Körbchen, Vögelgen]Vögelchen
etc.), und außerdem – nach den sonstigen ›Modernisierun-
gen‹ überraschenderweise – nun jedesmal »izt« und »jzt« stehen, wo 1772 noch »jetzt« gestanden hatte. In den Fällen, da
den Lautstand betreffende orthographische Änderungen keine
derart große Häufigkeit entwickelt haben, gelangten sie in

das Verzeichnis (z. B.: ligen]liegen). Nicht eigens aufgeführt
wurden die in mehr als zwanzig verglichenen Ausgaben erfolgten, zahllosen Veränderungen in der Interpunktion,
deren annähernd genaues Verzeichnis alle vertretbaren Grenzen unseres kritischen Apparates gesprengt hätte. Es soll
nicht verschwiegen werden, daß dieses Problem von uns immer wieder bedacht und auch versuchsweise behandelt
wurde, wobei sich eben die Unmöglichkeit ergab, zahlen-
mäßig exzessive Veränderungen wie diese noch vernünftig
darzustellen.

Um die Leblosigkeit älterer Lesartenverzeichnisse zu vermeiden, wurden bewußt nicht nur die ganz eigentlich be-
troffenen Worte angeführt, sondern im Rahmen des Möglichen und Vernünftigen ein andeutender Kontext bewahrt.
Dies schien uns gerade angesichts der Besonderheit der Geßnerschen Korrekturen, daß sie auffallend oft die rhythmische Gestalt des betreffenden Satzes betreffen, angemessen.

c) Textgeschichte

Eine Besonderheit der Geßnerschen Textgeschichte ist es, daß
der Dichter zugleich auch der Verleger seiner eigenen Werke
ist und dazu eine Passion für die Ausgestaltung derselben
hat. Hinzu kommt natürlich, daß Geßners Werke ein buch-
händlerischer Erfolg waren und im Laufe der Jahrzehnte
von Auflage zu Auflage gingen. Nichtsdestoweniger haben
die immer wieder erfolgten Veränderungen des Textes damit zu tun, daß bei Geßner zu der Neigung des Dichters die
Möglichkeit des Verlegers kam, so viel für die eigenen Pro-
dukte tun zu können.

Die an Veränderungen und Textstadien reichste Geschichte
hat zweifellos der Komplex der 1756 zum ersten Male veröffentlichten *Idyllen*. Das ist schon deshalb nicht zufällig,
weil die erste Ausgabe derselben relativ früh in Geßners
Leben erschienen ist und gerade diese Sammlung seinen

Ruhm geschaffen hat. Naturgemäß bildet dieser Komplex deshalb das Kernstück einer jeden der zahlreichen von Geßner selbstveranstalteten Ausgaben seiner gesammelten *Schriften*. Immer wieder hat Geßner daran geändert, Erweiterungen vorgenommen, Kombinationen mit den anderen Idyllenkomplexen versucht, so daß gerade bei diesem Komplex nicht einfach Text gleich Text ist.

Dieser den *Idyllen* zuteil gewordene Prozeß hat verschiedene Schwerpunkte:

Die ersten Eingriffe in den einmal veröffentlichten Text hat Geßner schon gleich bei Gelegenheit der zwei Jahre nach der Erstausgabe, 1758, erschienenen 2. Auflage vorgenommen. Es versteht sich, daß dabei verschiedene Druckfehler berichtigt werden; es werden überdies einzelne ungeschickt gewählte oder altmodische Worte ausgetauscht. Wichtiger aber sind sinnverändernde Eingriffe wie die in der Widmungsidylle *An Daphne* vorgenommenen. Besonders interessant ist schließlich, daß Geßner bereits in diesem Stadium bestrebt ist, die rhythmische Wirkung seiner Prosa, die ja von vornherein angestrebt war, zu intensivieren. Durch die ganze Ausgabe hindurch hat er sich bemüht, durch Einfügen oder Anhängen von Vokalen (wallt]wallet, kommt]kommet, schließ]schließe) zusätzliche Silben zu gewinnen und den Ton zu »erhöhen«. – Bei Gelegenheit der im Jahre 1761 erschienenen 3. Auflage der *Idyllen* hat Geßner noch einige weitere Änderungen dieser Art vorgenommen.

In ein entschieden neues Stadium tritt der Textkomplex der *Idyllen* sodann mit der ersten Gesamtausgabe der *Schriften* von 1762, auf deren Vorbereitung Geßner offenbar viel Mühe und Aufmerksamkeit verwandt hat. Die dabei vorgenommenen Veränderungen sind recht verschiedener Art: Einmal setzt Geßner den bei der 2. und 3. Auflage der Einzelausgabe der *Idyllen* zu beobachtenden Prozeß fort, das rhythmische Gefüge seiner Prosa durch Einfügung und Auslassung von Vokalen zu pointieren. Zum andern aber erreicht die bereits bei der 2. Einzelausgabe der *Idyllen* festgestellte Tendenz, in die Syntax und selbst in die Sinnstruktur des gegebenen Textes einzugreifen, beachtliche Ausmaße. Einige Idyllen wie *Der Wunsch* und *Palemon*, von denen w. u. in direkterem Zusammenhang noch die Rede sein wird, erleben eingreifende Veränderungen, die so weit gehen, daß ganze Abschnitte gestrichen bzw. eingefügt werden; das führt bei der dann auch im Titel geänderten Idylle *Als ich Daphnen auf dem Spaziergang erwartete* so weit, daß der Grundgedanke der Idylle eine Veränderung erfährt. Mit dieser Überarbeitung des bisherigen Textes einher geht die hier bereits erwähnte Erweiterung der ganzen Sammlung um die sechs Stücke, die wir w. o. im Textteil gesondert mitgeteilt haben. Diese bleiben bis zur 6. Auflage der *Schriften* von 1774 denn auch ein Bestandteil des Idyllenkomplexes, wo sie durch die verschiedenen bis dahin erschienenen Ausgaben hindurch auch den gleichen Veränderungen unterworfen sind wie die Hauptmasse der alten Stücke. Erwähnt wurde hier auch schon, daß die sechs Stücke unmittelbar nach ihrer Veröffentlichung in den *Schriften* in dem ebenfalls 1762 erschienenen Band *Gedichte* abgedruckt wurden. Bemerkenswert an dieser sonst beiläufigen Episode ist, daß schon in diesem Band, dessen Erscheinen noch mit dem Abschluß der Gesamtausgabe koinzidiert, die in den *Schriften* soeben noch so konsequent vertretene Schreibung der Umlaute – y für ü, œ für ö, æ für ä – wieder rückgängig gemacht worden ist und in den weiteren Auflagen der *Schriften* dann auch nicht mehr auftaucht.[5] Dennoch läßt sich nicht

---

5. Eine Erklärung für diese vorübergehende erstaunliche Archaisierung könnte der Vergleich mit der Schreibweise von Bodmers *Schriften*, z. B. in dem 1751 erschienenen und 1752 von Geßner in *Die Nacht* parodierten epischen Gedicht *Die Syndtfluth* (vgl. S. 229 f.) anbieten. Möglicherweise ist die zeitweilige Übernahme von Bodmers Orthographie als ausdrückliches Kompliment für diesen aufzufassen, dem sich Geßner immer mehr genähert hatte, nachdem das Verhältnis ursprünglich gespannt gewesen war (vgl. die Bemerkungen zur Entstehung und Veröffentlichung von *Die Nacht*, S. 227 ff.), und dem sich Geßner nach der im Jahre 1758 erfolgten Veröffentlichung seines biblischen Epos *Der Tod Abels* wohl am nächsten fühlen durfte. Bezeichnenderweise enthält die

sagen, daß mit der Rückkehr zu den wirklichen Umlauten
auch eine von da an weitergehende ›Modernisierung‹ der
Orthographie eingeleitet sei. Oft ist die erste Einzelausgabe
der *Idyllen* moderner als die Gesamtausgaben. Zwar stammt
die Schreibung k für ck in den Einzelausgaben der *Idyllen*
noch aus der Zeit der ›Frühen Gedichte‹ und der *Nacht*,
»bei« mit y – »bey« – hält sich durch alle Ausgaben hin,
aber wenn in den Ausgaben von 1762 bis 1774 »fodern«
steht, so hatte in der *Idyllen*-Ausgabe von 1756 (ebenso
²1758 und ³1761) bereits »fordern« gestanden, und wenn in
den Ausgaben nach 1762 die schwerfälligere Schreibung
»Morgen-Roth« und »Nuß-Baum« vorherrschend ist, so im
Gegensatz zu den frühen Ausgaben, wo überwiegend die
Schreibweise »Morgenroth« und »Nußbaum« begegnet; allerdings fehlt die Schreibung mit Bindestrich auch hier nicht
ganz. Zuweilen trifft man Entwicklungen wie diese an:
1756: »diß«, 1762: »dies«, 1770: »dieß«, so daß man im
ganzen kaum von einer konsequenten Entwicklung sprechen
kann. – Was hier von der Orthographie gesagt ist, gilt auch
von der Tendenz der übrigen Änderungen. Oft ist es er-
staunlich zu sehen, wie eine bestimmte Variante (etwa:
stund]stuhnd) durch verschiedene Ausgaben hindurch einmal aufgenommen, dann wieder fallengelassen und schließlich abermals aufgenommen wird. Dabei gewinnt man den
Eindruck, daß Geßner bei Gelegenheit der Vorbereitung
einer Neuauflage seiner *Schriften* nicht unbedingt vom Text
der unmittelbar vorangehenden ausgegangen ist, sondern
vielleicht von dem der vorletzten, aus dessen Voraussetzungen dann aber wieder eine Lösung entwickelt wurde, die
zwar in manchem hinter der unmittelbar vorangegangenen
zurückbleibt, in anderem diese aber wieder übertrifft. Das
auffallendste Beispiel wäre vielleicht die 3. Auflage der

Ausgabe der Geßnerschen *Schriften* von 1762, in der Bodmers Schreibweise u. a. des Gedichts *Die Syndtfluth* verbindlich geworden war, im
IV. Teil neben anderem auch ein neuentstandenes Prosastück mit dem so
genuin »zürcherischen« Titel *Ein Gemähld aus der Syndtfluth*.

Schriften von 1767, die in vielen Punkten sehr ›vernünf-
tige‹, jedenfalls ›modernere‹ Lösungen anbietet, die dann
aber nahezu allesamt aufgegeben werden in der 4. Auflage
von 1770, die unmittelbar zurückzugehen scheint auf die
2. Auflage von 1765. Als Kuriosum muß bei alledem ver-
merkt werden, daß der im Jahre 1765 – also nach der
grundsätzlichen Veränderung des Idyllenkomplexes, wie sie
im Jahre 1762 geschehen ist, und schon gleichzeitig mit der
wiederum revidierten Fassung der *Idyllen* in der 2. Ausgabe
der *Schriften* von 1765 – erschienene Einzeldruck der *Idyllen* sich beim Vergleich als einfacher unveränderter Nachdruck der 3. Auflage des Einzeldrucks der *Idyllen* von 1761
herausstellt, der somit unberührt geblieben ist von allen inzwischen in den *Schriften* erfolgten Textveränderungen.
Wenig ist übrigens bei genauerem Hinsehen zu merken vom
Resultat einer Durchsicht des Textes der *Schriften* von 1765,
von dem ein Brief Wielands an Geßner vom 15. Juni 1764
Zeugnis gibt.[6] Wollte man Wieland glauben, so hätte er bei

---

6. »Ich danke Ihnen, mein lieber Freund, für den angenehmen Beruf,
den Sie mir gegeben haben, die unangenehmen Canzley Arbeiten, womit
ich dermalen überhäuft bin, durch eine so angenehme Mühe, wenn es ja
Mühe seyn soll, als das Lesen Ihrer Schriften ist, zu versüßen.
Die Sprachfehler, die man Ihnen vorgeworfen haben soll (leider weiß
ich nicht ein Wort von allem, was die Kunstrichter von Ihnen, mir oder
andern ehrlichen Scribenten sagen) reduciren sich, so viel ich davon
verstehe, allein darauf: 1) daß Sie zuweilen ein Wort als indeklinabel
nehmen, welches *allezeit* decliniret zu werden pflegt, z. E. man darf
nicht sagen dem Fürst sondern dem Fürsten. 2) Daß Sie oft das
E finale an denjenigen Wörtern, die eins haben, weglassen, wo es nicht
wegfallen soll. Liebe, z. E. ist ein Wort, das ein E finale hat. Nun
fragt sich, wo man *Liebe* und wo man *Lieb* sagen kann? – –
Das ist das ganze Geheimniß, in dessen exacter Beobachtung die Sachsen
selbst nichts weniger als correct sind. Außerdem kommen sehr selten
einige Provinzial-Wörter und Helvetismen im Dekliniren und in der
Ortographie vor. Alle diese Monstra nun, welche in Ihren Schriften
hier und da, unter Blumen versteckt, auf den ungewahrsamen Gram-
maticus lauerten, habe ich, ein anderer Herkules, binnen zwey Stunden [!], glücklich zu Boden gelegt. Denken Sie, mein Freund, was ich
mir darauf einbilde, daß ich die Schriften eines Geßners verbessern
kann? An ein paar Stellen bin ich so unverschämt gewesen, mich ein

dieser Gelegenheit Geßner zuliebe u. a. das ausgeführt, was er in der Zeit von Geßners ersten Versuchen mit der lyrischen Prosa, im Sommer 1752, bei der Lektüre der Züricher Zeitschrift *Crito* als Nötigung empfunden hatte, nämlich »die Schreibart von allen anklebenden Landsmannismis reinigen« zu sollen (Wieland an Schinz, 15. Juli 1752. Ausgewählte Briefe von Chr. M. Wieland. I. Bd., S. 101). Jedenfalls ist auch in der fertigen Ausgabe der *Schriften* von 1765 noch kein Mangel an »Provinzial-Wörtern« und »Helvetismen«.

Mit der 5. Auflage der *Schriften* von 1770 setzt noch ein letztes, die nunmehr 6., 7., 8. und 9. Auflage von 1774, 1777/78, 1782 und 1788 einschließendes Stadium in der Textgeschichte der *Idyllen* ein, welches man im Hinblick auf die Feinstruktur des Textes als das der endgültigen Normalisierungen bezeichnen könnte – so wenigstens scheint die auf Angleichung an die hochdeutsche Schriftsprache hinauslaufende Entwicklung der 7. und der 8. Auflage zu verlaufen –, führte nicht einerseits die 7. Auflage in manchem wieder hinter die 5. und andrerseits die 9. und letzte von Geßner besorgte Ausgabe der *Schriften* z. T. noch hinter die 7. zurück. Der wichtigere Vorgang ist zweifellos der in der Großstruktur geschehende Gruppierungsversuch Geßners, der in dieser Form zum ersten Male in der 7. Auflage der *Schriften* sichtbar wird. Es handelt sich darum, daß eine ganze Reihe von Idyllen aus dem bisherigen Komplex der *Idyllen* herausgenommen werden und als *Vermischte Gedichte* für sich erscheinen. Das sind zum einen die vier letzten Idyllen der ursprünglichen Sammlung: *Der veste Vorsatz, Der Frühling, Die Gegend im Gras* (vor 1762: *Als ich Daphnen auf dem Spaziergang erwartete*) und *Der Wunsch*, zum andern drei von den sechs neuen Stücken, die 1762 zu

wenig über die Grenzen meines erhaltenen Auftrags zu wagen; aber darüber sind Sie allein Richter, Sie der wahre *arbiter elegantiarum* in unserer Sprache« (Ausgewählte Briefe von Chr. M. Wieland. I. Bd. S. 238 bis 240).

den *Idyllen* hinzugekommen waren: *An Chloen, Morgenlied* und *An den Wasserfall*; hinzu kam noch das von 1762
an im Komplex der *Idyllen* mitgeführte, gegenüber der
ersten Fassung von 1751 relativ stark veränderte *Lied eines
Schweizers*, das in unserer Ausgabe unter den ›Frühen Gedichten‹ abgedruckt ist; noch in der 9. und letzten Ausgabe
hatte dann auch Geßner das 1762 zum ersten Male veröffentlichte und seither immer etwas verloren stehende *Gemähld aus der Syndtfluth* unter die *Vermischten Gedichte*
versetzt. Als sei nichts geschehen, druckt Geßner in der dar-
auffolgenden Ausgabe der *Schriften* von 1782 alle die zuvor
gerade herausgelösten Stücke wieder an ihrem ursprünglichen
Ort unter den *Idyllen* ab; etwas ist bei dieser Rückgruppie-
rung allerdings doch geschehen, was dann in der letzten
Ausgabe der *Schriften* zu einer für Geßner typischen Syn-
these führen wird: Übergangslos hat er in der Ausgabe von
1782 zum ersten Male die *Neuen Idyllen*, die bisher immer
mit einem Zwischentitel als getrennte Gruppe kenntlich waren, an die Gruppe der alten Idyllen angeschlossen. Dann
bringt die Ausgabe von 1788 beide Ansätze gleichzeitig zur
Verwirklichung: die *Vermischten Gedichte* treten wieder als
eigene Gruppe in Erscheinung, die *Neuen Idyllen* schließen
sich nach wie vor übergangslos an die *Idyllen*, genauer gesagt, an den Torso des so verringerten alten Komplexes. Für
alle nach Geßners Tod erschienenen Ausgaben ist diese Anordnung verbindlich geblieben. Dieses Prinzip hat Herausgeber wie Frey verwirrt. Insbesondere die Verschmelzung der
Neuen Idyllen mit den älteren ist eine Ursache dafür, daß
man inzwischen nur einen Komplex zu sehen gewohnt ist,
den man, etwas gedankenlos, als *Idyllen, 1756* bezeichnet.
Die Textgeschichte der *Neuen Idyllen* und der *Nacht* deckt
sich zum großen Teil mit der jeweiligen Gesamtintention der
verschiedenen Ausgaben der *Schriften*, wie sie für die Textgeschichte der *Idyllen* zur Auswirkung kam. Nur ist die
Textgeschichte der *Neuen Idyllen*, die ja ein »Spätwerk«
darstellen (als sie erschienen, war Geßner zwar erst 42 Jahre

alt, aber mit 58 ist er schon gestorben, und sein letztes poetisches Werk waren sie tatsächlich), naturgemäß sehr viel kürzer als die der im Jahre 1772 bereits ›historisch‹ gewordenen *Idyllen* von 1756. Über die genaueren Umstände der Erstausgabe (eigentlich müßte man von *den* Erstausgaben der *Neuen Idyllen* sprechen) wird im direkteren Zusammenhang hier w. u. (S. 286 f.) noch gesprochen, ebenso von den verschiedenen Spätfassungen aus der Zeit von 1777 bis 1788. – Das Besondere in der Textgeschichte der *Nacht* liegt in den frühen Etappen. Die hier im Textteil abgedruckte erste Fassung zeigt in vollem Ausmaß alle Eigenwilligkeiten des jungen Geßner, die sich ja auch durch die Gesamtausgaben hindurch noch so stark bemerkbar machen. Die Ausgabe der *Schriften* von 1762 ist vor allem für das Prosagedicht *Die Nacht* sehr bedeutsam geworden. Hier wurde sie nach annähernd zehn Jahren der Vergessenheit entrissen und zugleich in so gänzlich neuer Gestalt vorgezeigt, daß man die ursprüngliche Form vergessen zu können glaubte. Keinen Text außer der *Gegend im Gras* und dem *Wunsch* hat Geßner damals so stark revidiert und umgestaltet, so daß die Lesarten gerade zur *Nacht* besonders aufschlußreich sind für Geßners poetische Arbeitsweise.

Als Ergänzung zum authentischen Lesartenapparat sollen hier noch die w. o. erwähnten Beispiele von Textverderbnissen stehen, wie sie in Ausgaben nach Geßners Tod sich finden. Daran gemessen muß es noch als Verdienst bezeichnet werden, daß Klee mit seiner Ausgabe wenigstens auf die erste nach Geßners Tod veröffentlichte, im Jahre 1789 vermutlich von dem nachmaligen Geßner-Biographen Johann Jakob Hottinger besorgte, allerdings in ihrem Vereinheitlichungsdrang schon recht eigenmächtig verfahrende 10. Auflage der *Schriften* zurückgegangen war. Unsere Beispiele stammen aus der im Jahre 1801 erschienenen, inzwischen 13. Auflage der *Schriften*. Gegenübergestellt ist jeweils der Text unserer Ausgabe mit dem verderbten Text jener Ausgabe:

An den Leser

15,12 f. dann entreißt die Schönheit der Natur mein Gemüth
allem dem Ekel] dann entreisst die Schönheit der Natur
mein Gemüth allein dem Ekel (III. Bd., S. 4)

Daphnis

24,12 f. eine braune Hütte mit dem Schnee-bedekten Dach]
eine braune Hütte mit dem beschneiten Dach (III. Bd.,
S. 32)

24,18 ihre dünnen Äste sind mit Duft geschmükt] mit Duft
geschmückt sind ihre dünnen Äste (III. Bd., S. 33)

Mirtil

26,3 die stille Gegend] die ruhige Gegend (III. Bd., S. 40)

Amyntas

31,15 und izt nahm er sein Beil] dann nahm er sein Beil
(III. Bd., S. 44)

Lycas, oder die Erfindung der Gärten

40,11 f. wie ein Hain voll süsser Gerüche] wie ein Hain voll
Gerüche (III. Bd., S. 69)

Tityrus. Menalkas

52,2 durchmischt] durchkreutzet (III. Bd., S. 98)

Der Frühling

61,35 f. wie er die Rosen geschaffen] wie er sich Rosen geschaffen (II. Bd., S. 319)

Als ich Daphnen auf dem Spaziergang erwartete

63,27 hoch über das Gras empor stehn] hoch über das Gras
sich erheben (II. Bd., S. 309)

Der Wunsch

70,13 f. der würde mich die Öconomie ganzer Nationen
lehren] der würde mir die Öconomie ganzer Völker ent-
wickeln (II. Bd., S. 287)

70,15 Der lehrt mich die Grösse] Der zeigt mir die Grösse
(II. Bd., S. 287)

70,20 f. Bahn voll Flittergold und geruchloser Blumen] Bahn
von Flittergold und geruchlosen Blumen (II. Bd., S. 287)

70,34 euch alle nennen] euch alle herzählen (II. Bd., S. 288)

Die ybel belohnte Liebe
79,11 f. dann steht er [...] auf seine hintern Fysse] dann
    stellt er sich [...] auf seine hintern Füsse (III. Bd., S. 110)

d) Siglen

Zusammenfassend werden hier die w. u. in jedem einzelnen
Fall verwandten Siglen der durchgesehenen und in den Les-
artenverzeichnissen berücksichtigten Ausgaben erklärt:

E = Einzelausgabe
    Den einfachsten Fall dafür stellt das Prosagedicht *Die
    Nacht* dar, von dem es eine Einzelausgabe gibt, die zu-
    gleich auch die Erstausgabe ist. Mehrschichtig ist die Situa-
    tion bereits im Fall der *Idyllen*, von denen bis zum Zu-
    standekommen der Gesamtausgabe zwei ausdrücklich neue
    Auflagen existieren:
$E_2 = {}^2 1758$ und $E_3 = {}^3 1761$,
    von denen aber auch nach dem Abdruck der *Idyllen* in
    der veränderten Gestalt der *Schriften* von 1762 noch eine
    Einzelausgabe erscheint, die im Grund ein einfacher Nach-
    druck der 3. Auflage von 1761 ist, die wir aber hier noch
    als
$E_4 = [{}^4] 1765$ bezeichnet haben.
    Komplizierter ist die Situation dann im Fall der *Neuen
    Idyllen* von 1772, von denen im gleichen Jahr drei Einzel-
    ausgaben erschienen sind, unter denen eine, die Antiqua-
    Ausgabe der *Moralischen Erzählungen und Idyllen von
    Diderot und S. Gessner*, eindeutig als die Erstausgabe be-
    zeichnet werden kann. Wegen der annähernden Gleich-
    zeitigkeit der beiden anderen Ausgaben haben wir hier die
    Unterscheidung dieser Einzelausgaben nicht mit Ziffern,
    sondern mit Buchstaben zu treffen versucht:
E_a = Moral. Erz. u. Idyllen. Antiqua-Ausg. 1772
E_b = Moral. Erz. u. Idyllen. Fraktur-Ausg. 1772
E_c = Neue Idyllen. Fraktur 1772.

Im direkteren Zusammenhang (S. 286 f.) haben wir auch eine weitere Verkomplizierung der Situation, nämlich die offensichtliche Verwendung von mehrgedruckten Exemplaren der Einzelausgaben als Ergänzungsbände zu den verschiedenen Ausgaben der Gesamtausgabe der *Schriften*, auf eine Formel zu bringen versucht.

S = Schriften

Mit dem Titel *Schriften* hat Geßner gleichbleibend durch die Jahre hin alle Gesamtausgaben seiner Werke bezeichnet, von denen in der Zeit von 1762 bis zu Geßners Tod im Jahre 1788 neun Ausgaben erschienen sind, die dementsprechend numeriert wurden:

$S_1 = 1762$, $S_2 = {}^2 1765$, $S_3 = {}^3 1767$, $S_4 = {}^4 1770$, $S_5 = {}^5 1770$, $S_6 = {}^6 1774$, $S_7 = {}^7 1777/78$, $S_8 = {}^8 1782$, $S_9 = {}^9 1788$.

Für die 1762 neu veröffentlichten sechs Einzelstücke war die Ausgabe der *Schriften* (S_1) die Erstausgabe. Mit Ausnahme der Ausgaben

$G_1 =$ Gedichte von S. Gessner. 1762 und
$G_2 =$ Gedichte von S. Gessner. ${}^2 1765$,

worin die sechs Idyllen und Gedichte zusammen mit anderem gesondert erschienen, beschränkt sich deren weitere Entwicklung auf die Folge von Ausgaben der *Schriften* bis S_9.

Die Einführung einer besonderen Sigle erwies sich als notwendig für die veränderten Fassungen der *Neuen Idyllen*, die in den Ausgaben der Schriften erschienen, die wir als S_7, S_8 und S_9 bezeichnet haben. Dem betreffenden Band von S_7 zeitlich vorausgehend, jedoch im gleichen Jahre 1777 erschienen, muß als erste veränderte Fassung der *Neuen Idyllen* der nur für einen Teil der Ausgabe S_6 gedruckte 3. Band gelten, der den zunächst als Ergänzung der Ausgabe S_6 gedachten Mehrdruck der Frakturausgabe der *Neuen Idyllen* von 1772 ersetzte. Um diese besondere Lage klar zu bezeichnen, schien es nötig, eine neue Sigle für die vier Spätstufen der *Neuen Idyllen* einzuführen:

$R_1 =$ Revision 1 (= 3. Bd. zu S_6 von 1777)

R_2 = Revision 2 (= S_7)
R_3 = Revision 3 (= S_8)
R_4 = Revision 4 (= S_9)

Die im weiteren angeführten Siglen betreffen nur einen geringen Teil der *Neuen Idyllen*, nämlich die wenigen Idyllen, von denen wir durch einen Brief Geßners an Ramler von 1770 die frühe, wohl manuskriptnahe Fassung überliefert bekommen haben:

Br = Brief (s. S. 285),

von denen eine Idylle in Almanachen »auf das Jahr 1771« gleich zweimal abgedruckt worden war, bevor im Jahre 1772 dann die Sammlung der *Neuen Idyllen* erschien:

Al^a = Göttinger Musenalmanach (s. S. 285)
Al^b = Almanach der Deutschen Musen (s. S. 285)

Bemerkungen zur Entstehung und Veröffentlichung und Verzeichnis der benutzten Ausgaben und Lesarten zu:

DIE NACHT. 1753

Zur Entstehung und Veröffentlichung:

Einem Brief Bodmers an Johann Georg Sulzer vom 23. April 1753 zufolge, in dem Bodmer sich unwillig darüber äußert, daß Geßner in seiner *Nacht* »die geweihtesten Ausdrücke der Messiade auf die profansten Sujets applicirt« habe (J. Baechtold, Literaturgeschichte, S. 627), hat Geßner dieses mit der Jahreszahl 1753 veröffentlichte Prosagedicht bereits »auf Weihnacht«, also schon Ende 1752 publiziert. Vom 31. Dezember 1752 stammt übrigens ein Brief Bodmers an Zellweger (B. Seuffert, Mitteilungen aus Wielands Jünglingsalter. 3. Ergänzungsheft Euphorion, 1897, S. 91), in dem Geßners »Nacht« als veröffentlicht erwähnt ist. Die Entstehung ist auf das Jahr 1752, vermutlich auf den Sommer, anzusetzen. Es handelt sich bei der *Nacht* um die zweite poetische Veröffentlichung Geßners nach dem 1751 in der Zeitschrift *Crito* abgedruckten, später sogenannten *Lied eines Schweizers an sein bewafnetes Mädchen* (hier S. 148 ff.). Unter Geßners Dichtungen in rhythmischer Prosa ist *Die Nacht* die am frühesten veröffentlichte. Die (anonyme) Drucklegung im väterlichen Verlag erfolgte auf Anraten Ewald von Kleists (vgl. Geßner an J. G. Schultheß am 19. Febr. 1753: »Hier hast du die Nacht, ich hab sie auf sein [Kleists] Anrathen trucken lassen.« Wölfflin, S. 160), der sich von Oktober bis Dezember 1752 in Zürich aufgehalten hatte und in freundschaftlichen Verkehr mit Geßner getreten war. Geßner hat sein Prosagedicht *Die Nacht* »später« (Hottinger, S. 88), d. h. wahrscheinlich zu der Zeit, als er mit der Überarbeitung desselben für die dann 1762 erschienene erste Gesamtausgabe seiner *Schriften* beschäftigt war, dem in Paris lebenden Übersetzer seiner Werke, Michael Huber, gegenüber »une carricature composée dans une heure de folie ou d'ivresse« genannt.

Die 1762 in den *Schriften* veröffentlichte zweite Fassung der *Nacht*, die, wie unsere im folgenden mitgeteilten Lesarten zeigen, z. T. erhebliche Änderungen aufweist und sich von der ursprünglichen Fassung vor allem durch die neu eingefügte Erzählung von der Entstehung des Johanniswurms unterscheidet, blieb – von der dann noch verschiedentlich wechselnden Orthographie und Interpunktion sowie einer Reihe von weiteren Varianten abgesehen – für alle weiteren Ausgaben verbindlich.

Klee und Frey haben in ihren Ausgaben von Geßners Schriften beide nur die zweite Fassung abgedruckt. Die erste Ausgabe ist heute offenbar schwer aufzufinden.[7] So mußte z. B. Eric Blackall sich bei seiner eingehenden Analyse von Geßners Prosa (E. B., Die Entwicklung des Deutschen zur Literatursprache, S. 285–291) auf die bei Frey mitgeteilte zweite Fassung beziehen. »Die Entscheidung ist nicht einfach«, sagt Blackall im Blick auf *Die Nacht* (ebd. S. 289), »was aus dem Ganzen zu machen sei, vor allem weil die Originalausgabe nur schwer einzusehen ist und spätere Ausgaben nur einen revidierten Text liefern.«

Das Exemplar der Originalausgabe, das unserem Wiederabdruck zugrunde liegt, fand sich in der Bibliothek der Universität von Illinois, Urbana, bezeichnenderweise in einem Einband der Zeit zusammengebunden mit Bodmers Versepos *Die Syndtfluth* (Zürich 1751) und Klopstocks *Oden* (*An Herrn Bodmer* und *Von der Fahrt auf der Zürcher See*, Zürich 1750).

Fritz Bergemanns Geßner-Buch (S. 103) verdanken wir den

---

7. Wenig bekannt scheint auch zu sein, daß anläßlich von Geßners 200. Geburtstag im Jahre 1930 der Geßner-Forscher P. Leemann-Van Elck zur Verteilung an die Mitglieder der »Schweizer Bibliophilen Gesellschaft« in begrenzter Auflage von 100 Exemplaren einen Faksimile-Druck der Erstausgabe von 1753 hat anfertigen lassen.

Hinweis auf die überraschende Parallelität einer Stelle aus Bodmers *Syndtfluth* und einer Stelle aus Geßners *Nacht*, die wir hier mitteilen:

Bodmer, *Die Syndtfluth*, 5. Gesang:

> [...] Die Seelen der Bryder
> Wurden von ihrem Feinde, der Flut, aus den Leibern
> gejaget;
> Alsdann sahen sie auf, wo die dienstbaren Zephyre
> lauschten,
> Die da kamen, sie auf balsamische Flygel zu nehmen,
> Daß sie zu aufgeschwollenen Trauben sie trygen; sie
> wollten
> Wieder da spielen, und wie sie schon ehmals Bryder
> gewesen,
> Als sie noch Atome waren, wer glaubts nicht dem
> taumelnden Kelchglas?
> Wieder so werden, und auf dem Weinstoke lachen, sie
> wollten
> Yber dem perlenden Becher her hypfen, und wieder auf
> Rosen
> Schlummern, die junge Mädchen auf ihrem Busen sich
> pflanzten.

Geßner, *Die Nacht*, S. [9] (hier S. 11,4–12):

> Zephirs sinds, und – glaubts der heilgen Muse! und Seelen der künftgen Trinker, dienstbare Zephirs tragen sie auf balsamischen Flügeln, sie sammeln sich auf den Rücken der Trauben, und spielen, und sind jetzt schon Brüder. Auch wir waren schon Brüder ihr Freunde, da wir noch Atomen waren, da lachten wir schon im holen Reb-Blatt, und schlüpften über den perlenden Becher, oder schlummerten auf Rosen, die junge Mädchen auf den Busen pflanzten.

Wie Bergemann (S. 103) bemerkt, handelte es sich schon bei den hier zitierten Versen Bodmers um eine gegen die Anakreontik Johann Adolf Schlegels und Klopstocks gerichtete

Parodie, nämlich um eine, wie Bergemann weiter ausführt,
»boshafte Anspielung auf Schlegels ›Choriambische Ode an
Herrn Klopstock‹ [...], wo in derselben Weise Leibnizens
Atomtheorie dazu benutzt worden ist, die Seelen der
Freunde vor ihrer Geburt in einem dem künftigen Leben
entsprechenden Dasein vorzuführen: ›noch ein Atomus‹,
ruhten sie insgesamt in der Knospe der Rose aus, und Klopstock und Ebert ›hüpften schon dazumal auf der Blüthe des
Weins‹«. Geßners Prosagedicht *Die Nacht* stellt demnach in
den betreffenden Partien die Parodie einer Parodie dar,
gleichsam die Verneinung einer Verneinung, nämlich der
Anakreontik, deren Bilder und Motive damit einerseits wieder ins Positive gewendet werden, anderseits bei diesem
Grad der Mittelbarkeit notwendig in kritischer Brechung
und nicht mehr unbefangen verwandt werden. Dieses ambi-
valente Verhältnis zur Anakreontik, wie es sich in diesem
von Geßner danach als »une carricature« bezeichneten
Prosastück manifestiert, kam hier schon im Zusammenhang
mit den ›Frühen Gedichten‹ zur Sprache (vgl. S. 139 f.). In
den Briefen an Schultheß von 1752 ist es deutlich ausge-
sprochen. Daß Geßner aus der direkten Parodie des »hohen«
Züricher Tons, die in seinem Prosastück ja obendrein und
nicht zuletzt geschehen ist, den Ansatz zur Ausbildung seines eigenen gehobenen Tons gewonnen hat, paßt durchaus
zu dem Eindruck eines hochpotenzierten literarischen Verfahrens, den man aus der Beobachtung der komplizierten
Übergängigkeiten des Frühwerks gewinnt. Es ist verständlich, daß Bodmer – an den Kleist wohl vor allem denkt,
wenn er am 16. Mai 1753 Geßner »über das Urtheil der
armen Theologen in Zürich« zu trösten versucht (E. v. Kleist,
Werke. Hrsg. von A. Sauer, 3. Theil: Briefe an Kleist,
S. 234) – in diesem Stadium der Entwicklung des Jüngeren
den poetischen Verfahrensweisen Geßners nicht gerecht werden konnte, daß er also Geßners Prinzip der produktiven
Übertragungen ungeachtet seines eigenen parodistisch-zitat-
haften Verfahrens nur vom Standpunkt dessen zu beurteilen

vermochte, der sich selbst darin unernst zitiert fand. So wie sich Bodmer Sulzer gegenüber verärgert über Geßners »Profanierung« der »geweihtesten Ausdrücke der Messiade« äußerte, so hatte er schon gleich nach Erscheinen des Geßnerschen Prosastücks in dem schon erwähnten Brief an Zellweger vom 31. Dezember 1752 gezeigt, daß die »Messiade« nur pars pro toto für die ganze, in diesem Fall profanierte Bibeldichtung steht und daß Bodmer selbst sich durch Geßners Verfahren verletzt fühlt: »Der Verleger des Noah, ein Mensch von 22 Jahren hat unter dem Titel der Nacht ein anacreontisches Trink- und Liebesstück publiciert, von seiner eignen *façon* in Prosa und doch in poetischem Stylo, nicht sehr moralisch und gleichsam zur Verspottung der noachischen Poesie und Denkart. Das ist die Frucht von meinen und Wielands Bemühungen.«

Ausgaben:

[E] Die Nacht [anonym, ohne Angabe von Ort und Verlag, d. i.: Zürich: Geßner] 1753. – 10 [unpaginierte] Seiten, Antiqua, mit 1 unsignierten Radierung Geßners auf der ersten Textseite oben: Luna mit dem Drachenwagen. 4°.

[S₁] Die Nacht. In: S. Gessners Schriften. Zürich: Orell, Gessner u. Comp. 1762. II. Teil, S. 161–176.

[G₁] Die Nacht. In: Gedichte von S. Gessner. Zürich: Orell, Geßner u. Comp. 1762, S. 247–260.

[G₂] Die Nacht. In: Gedichte von S. Gessner. Zürich: Orell, Geßner u. Comp. ²1765, S. 234–247.

[S₂] Die Nacht. In: S. Gessners Schriften. Zürich: Orell, Gessner u. Comp. ²1765. II. Teil, S. 153–166.

[S₃] Die Nacht. In: Salomon Geßners Schriften. Zürich: Orell, Geßner u. Comp. ³1767. I. Band, S. 321–334.

[S₄] Die Nacht. In: Sal. Gessners Schriften. Zürich: Orell, Gessner, Füssli u. Comp. ⁴1770. II. Teil, S. 153–166.

[S₅] Die Nacht. In: Salomon Geßners Schriften. Zürich:

Orell, Geßner, Füßli u. Comp. ⁵1770. I. Band, S. 257
bis 268.

[S₆] Die Nacht. In: Salomon Geßners Schriften. Zürich:
Orell, Geßner, Füßli u. Comp. ⁶1774. I. Band, S. 257
bis 268.

[S₇] [In der Ausgabe: Salomon Gessners Schriften. Zürich:
»Beym Verfasser«. ⁷1777/78 (2 Bde) war *Die Nacht*
nicht enthalten.]

[S₈] Die Nacht. In: Sal. Geßners Schriften. Zürich: Orell,
Geßner, Füßli u. Comp. ⁸1782. II. Band, S. 221–230.

[S₉] Die Nacht. In: Sal. Gessners Schriften. Zürich: Orell,
Gessner, Füssli u. Comp. ⁹1788. I. Band, S. 297–307.

Lesarten:

7,18 f. welch sanftes Taumeln] Welch sanfter Taumel
    S₁,162

7,20 f. ruht auf lichten Stellen] ruhet auf lichten Stellen
    S₄,154] ruht auf lichten Stellen *S₅,260*

8,2 erschrökt] erschrekt *S₃,324*] erschreckt *S₅,260*

8,6 Dann Luna fährt] Denn Luna fært *S₁,163*

8,13 und wieget schlummernde Zephirs] *gestrichen S₁,163*

8,15–18 Ihr witzlose Mädchens *bis* bey finstrer Nacht.]
    gestrichen und dafür: Ihr wieget im weichen Schoose
    [Schooße *S₄,155*] schlummernde Zephir [Zephire *S₈,224*],
    die in sanften Spielen um euch her den langen Tag sich
    ermydet [ermüden *S₈,224*]; und wenn *[164]* sie erwa-
    chen, dann finden sie um sich her gesammelten Thau, in
    reinlichen Schalen der Blætter. *S₁,163–164*

8,19 Aber was vor ein sanftes gezwitscher] Aber was vor
    ein sanftes Gezwitscher *S₁,164*] Aber welch sanftes Ge-
    zwitscher *S₃,325*] Aber was für ein sanftes Gezwitscher
    S₈,224

8,23 auf den Rücken schwimmender Stämme] auf dem
    Rücken schwimmender Stämme *S₅,261*

8,24 im Schilf ruhen,] im Schilfe ruhen, *S₈,224*

8,24 f. *zwischen* im Schilf ruhen, *und* so froh beym heischern Gesang] *eingefügt*: oder das gryne Haupt aus dem
Sumpf emporheben, und dem Mond zusingen; $S_1,164$

8,25 beym gefühlfollen Lied] bey Gefyhl-vollem Lied
$S_1,164$] bey gefühlvollem Lied $S_5,261$

8,25–27 so lächelt ein elender Dichter *bis* beym Göttlichen
Lied.] So læchelt und singt ein elender Dichter seinem
Mecænas zu, begeistert, so stark es sein blœder Kopf
vermag, wenn er in sysser Hoffnung den Sylberglanz der
Schysseln, und die lang gemissete Wein-Flasche seines
Gœnners im *[165]* Geiste sieht, und dynkt sich beym
blœden Gesang nicht kleiner als – – – und – – – beym gœtt-
lichen Lied. $S_1,164$–*165*

8,28 der strauchichte Hügel] der buschreiche Hügel $S_8,224$

8,32 f. und trängt sich schäumend durch enge Wege.] und
eilet schæumend ins Thal, und kyßt mit hypfenden Wellen die Blumen des Ufers. $S_1,165$

8,34 am blumichten Ufer] am grasreichen Ufer $S_1,165$

9,1 eine Cither ruhte] eine Lauthe ruhete $S_1,165$

9,3 hellklingenden] hell klingenden $S_1,166$

9,4 f. Thöne deren jeder mehr entzückte, als das ganze
schöne Lied von tausend entzückenden Mädchen.] Thœne,
die mehr entzykten, als der Philomele ganzes schmachtendes Lied. $S_1,166$

9,6 Sie sang dem Amor ein Lied,] Sie sang; $S_1,166$

9,19 auf dem laubichten Ast] auf dem dichtbelaubten Ast
$S_8,225$

9,23 sank ich neben sie hin] sank ich neben ihr hin $S_4,158$]
sank ich neben sie hin $S_5,263$

9,26 verräthrische Spiele] verrätherische Spiele $G_1,252$] verräthrische Spiele $S_4,159$] verrätherische Spiele $S_5,263$

9,26 f. indem der andre Arm] indeß der andre Arm $S_1,167$

9,30 sah schmachtend nieder,] da sah sie schmachtend nieder, $S_1,167$

9,33 Bald förcht ich,] Bald fürcht ich, $G_2,240$] Bald förcht
ich $S_2,159$] Bald fürcht ich, $S_8,226$

9,35 zum ew'gen Sklaven] zum ewigen Sklaven $S_1,168$
10,1 jetzt tanzen sie im Kreise, jetzt fliegen sie,] izt tanzen
    sie im Kreise, izt fliegen sie, $S_1,168$
10,5 des Nachts] bey Nacht $S_4,160$] des Nachts $S_5,264$
10,9–13 und lasset sie watend im Sumpf.
    Wie schön ist jetzt der Himmel *bis* Liebes-Götter, sie las-
sen Thau hernieder träufeln,]
    und lasset sie watend [wattend $G_2,241$] wartend $S_8,226$]
    im Sumpf.
Aber, wo seyd ihr hin, flychtige Gottheiten! Meinem
Auge verschwunden seh' ich auf dysterner Gegend [auf
dunkler Gegend $S_3,329$] auf der ganzen dunkeln Gegend
$S_8,227$] kein Licht mehr; nur dort hængt, wie eine kleine
Lampe, ein Wyrmgen im Gras; dystern, wie die sterbende
Lampe auf dem Museo des ernsten Gelehrten, der yber
Folianten einschlief, indeß daß sein Weib unberathen im
œden Ehe-Bette schlæft. Muse! du kannst es mir sagen,
warum Wyrmer ein Licht in ihrem Hinterleib haben, und
woher es entstand [entstund $S_8,227$]. Zeus liebt' einst,
wie er oft that, ein schœnes sterbliches Mædchen, und
Juno verfolgt' ihn mit altmœdiger [altmodischer $S_8,227$]
Eifersucht, der sanftern Sitten der heutigen Damen unbewußt, die mit zorn-*[170]*losem Læcheln ihre syssere
Rache nehmen, wenn der Herr seine Haus-Gœttin vor-
beyschleicht, und bey der jyngern Dienstmagd seine wilden Flammen kyhlt. Mit heftigem Zorn und scharffor-
schendem Auge verfolgte sie jeden seiner Tritte. Einst
beym Mond-Schein, in einem verstekenden [versteken-
den $S_5,264$] Gebysch [Gebüsche $S_4,161$], fand sie ihn, wie
er auf dem Busen und in den Falten des Kleides einer
schœnen jungen Sterblichen, als Kæfer, muthwillig flatterte.
Mit aufschæumendem Zorn sah sie lange von einer Wolke
die wunderbare Scene. Sonst lieben Kæfer nur Kæfer;
wunderbar, daß ein geflygelter Wurm gegen ein Mædchen entbrennet; so sprach sie mit grimmigem Spott, als
plœtzlich Zeus Zeus ward, und das erschrokene [er-

schrockene S_5,265] Mædchen in seine Arme schloß. Was
er vor war, sollst du izt seyn, sprach grimmig Juno; und
schnell *[171]* ward das Mædchen, den ehelichen Schimpf
zu ræchen, zum kriechenden Wurm; aus des bestyrzten
Jupiters Umarmung kroch sie an einem zerknikten [zer-
knickten S_5,265] Lilien-Stengel empor; und auf ewig ein
Andenken der Schmache zu stiften, hat aus dem Abend-
Stern Juno einen Strahl in seinen Leib gebannet, der
durch das ganze Wurm-Geschlecht [dies ganze Wurmge-
schlecht S_8,228] unauslœschlich sich mittheilt.

Izt schwimmen am Sterne-besæten [sternebesäten S_5,265]
Himmel kleine Wolken daher: Glænzendes Silber ist ihr
Rand. Auf der silbernen Oberflæche gaukeln [gaugeln
S_9,305] kleine Liebes-Gœtter; sie lassen Thau hernieder
træufeln [herniederträufeln S_8,228]; S_1,169–170

10,17 Aber warum verbirgst du dich Luna,] Aber, sie ver-
blassen, die Wolken! Warum verbirgst du dich, Luna,
S_1,171] Aber izt erblassen die Wolken! Warum verbirgst
[verbirgest S_4,163] verbirgst S_5,265] du dich, Luna, S_3,331

10,25–27 wo ich oft im kühlen Schatten, an die grüne Wand
hingelehnt, mit Brüdern trank.] wo ich oft im kyhlen
Schatten, an die gryne Wand hingelehnt, beym mit Rosen umkrænzten Kelch-Glase, mit Freunden Lieder sang,
die Hagedorn und Gleim mit der Freude und den Liebes-
Gœttern dichten. S_1,172

10,28 die heilige Laube!] die hochgewœlbte Laube! S_1,172]
die hoch gewölbte Laube! G_1,257] die hochgewölbte Laube!
S_3,332

10,28–30 Sanfter Schauer mischt sich in das Dunkel, das in
dem Heiligthum ruht, dann Bachus hat] Sanfter Schauer
mischet sich in das Dunkel, das unter ihrem Gewœlbe
ruht; *[173]* denn Bachus hat S_1,172–173

10,30 in den Schutz genohmen.] in den Schuz genommen.
S_1,173

10,31 mit heilgem Erstaunen] mit schauerndem Erstaunen
S_1,173

11,4 f. Zephirs sinds, und – – – glaubts der heilgen Muse!
und Seelen der künftigen Trinker,] Zephirs sinds, und
– – – glaubt es der Muse! und [Atomen G_2,245] kynfti-
ger Freunde; S_1,173] Zephire sinds, und – glaubt es der
Muse! und Atomen künftiger Freunde; S_8,229

11,5–12 dienstbare Zephirs tragen sie auf balsamischen Flügeln *bis* die junge Mädchen auf den Busen pflanzten.]
dienstbare Zephirs [Zephire S_8,229] tragen sie auf balsamischen Flygeln, sie flattern mit Liebes-Gœttern, und
sammeln sich auf den Ryken *[174]* [Rücken S_5,267] der
Trauben, und scherzen und spielen, und haschen sich im
Labyrinthe der duftenden [düftenden G_2,245] Traube;
myde sammeln sie sich dann im holen Reb-Blatt [im holen Weinblatt S_8,229], oder baden im Thau in dem holen
Busen der Rose, oder schummern [schlummern S_3,333]
auf Nelken, und lachen, wen[n] sie beym Erwachen
sehn, daß ein junges Mædchen sie gepflykt [sie samt der
Blume gepflückt S_8,229], und vor den Busen gepflanzt
hat. S_1,173–174

11,13 Ihr Brüder, die ihr jetzt] Ihr Freunde, die ihr izt
S_1,174

11,17 eingemischt] eingemischet S_1,174

11,18–21 Allein! wie wird mir? Was seh ich? *bis* Besuchen
Gœtter die Laube? Oder – – –] Allein, wie wird mir!
Was hœr ich? Froher Scherz und muntres Gelæchter *[175]*
kommen den Hygel hinauf. Vielleicht ists Lyeus, mit
seinem ganzen frohen Gefolge! S_1,174–175

11,22–24 Euch seh ich ihr Brüder! *bis* und Hügel singens den
Hügeln.] Euch seh' ich, ihr Bryder! Ihr steiget den Hygel
hinan! Auf! laßt mit Reb-Schossen [mit Weinblättern
S_8,230] uns krænzen! laßt in der Laube im Kreis uns
sizen! Wer stimmt ein frohes Trink-Lied an? Es soll durch
nahe Haine wiederschallen, und Klyfte sollens den Klyf-
ten singen. S_1,175

11,25 Der Faun, der jetzt in den Klüften schläft,] Der Faun,
der izt in den Hœlen schläft, S_1,175

11,26 f. hüpft auf, und öfnet den Schlauch.] hypft auf, singt
nach, und œfnet den Schlauch. *S₁,175*

11,29 f. Ach! ruft er dann, so lang ich wieder Phœbus bin,
hab ich nie solche Freude genossen! – – – –] Ach! (ruft er
dann) so froh war *[176]* ich nie, so lang ich wieder Phœbus bin! *S₁,175–176*

IDYLLEN. 1756

Zur Entstehung und Veröffentlichung:

Als frühestes Stück der ganzen Sammlung können wir mit
Wölfflin (S. 119) und Bergemann (S. 34 bzw. S. 98, Anm.
46) die Idylle *Der Frühling* annehmen, von der hier schon
im Zusammenhang mit Geßners ›Frühen Gedichten‹ die
Rede war (vgl. S. 140). Zwei Briefen Geßners an J. G. Schultheß vom Mai 1752 zufolge⁸ geht sie auf den Frühling des
gleichen Jahres zurück, auf die Zeit also vor der Veröffentlichung der *Nacht* (1753) und des *Daphnis* (1754), als Geßner noch an die Veröffentlichung seiner lyrischen Gedichte
dachte und andrerseits gleichsam wider Willen schon zu der
ihm gemäßeren Form der rhythmischen Prosa gelangt war.
Die Entstehung der meisten Idyllen dieser ersten Sammlung,
welche Geßners Ruhm recht eigentlich begründet hat, scheint
sich auf die Zeit vom Winter 1754/55 bis Sommer 1755 zu
konzentrieren. In Briefen Wielands an Johann Heinrich
Schinz vom 6. Dezember 1754 und 22. Januar 1755 (Wielands Briefwechsel, 1. Bd., hrsg. von H. W. Seiffert, S. 219

8. 5. Mai 1752: »[...] ich hab den Lenzen besungen, da ist er, aber
send ihn bald zurück, ich habe keine Copie davon, [...]« (Wölfflin,
S. 150–151); und 19. Mai 1752: »Mein Frühling gefällt dir also, wo du
doppelt gestrichelt hast, da hats dir gefallen, und du hast viel doppelt
gestrichelt, das andre werd ich ausbessern, das ist mir ohnmöglich, ich habs versuchen wollen, aber ich brachte
nicht 3 Linien zusammen. Dr. Hirzel [d. i. Johann Kaspar H.] und
andere meinen, ich dörf ihn meinen Liedern unversivi[c]irt anhängen, was
meinst du?« (ebd., S. 153).

bis 220 und 225), aus der Zeit von Wielands näherem Umgang mit Geßner in Zürich, ist die Rede von neuentstandenen Idyllen, die Geßner ihm vorgelesen habe; am 6. Dezember 1754 nennt Wieland unter einigen »sehr schönen Stükken« ausdrücklich die Idylle *Palemon* (ebd. S. 219), und am 22. Januar 1755 ist die Rede von der »Vorlesung dreier neuer Allerliebster Stücke« (ebd. S. 225). Vom 25. Januar 1755 sind bereits sieben fertige Idyllen und darunter schon *Der zerbrochene Krug* bezeugt; in einer Tagebuchnotiz von Wielands Züricher Gesprächspartner Friedrich Dominicus Ring ist nämlich festgehalten, daß Wieland ihm an diesem Tage erzählt habe: »Herr Gessner, sagte er, habe nun sieben Idyllen fertig, und wenn es zwölf sind, wolle er sie drukken lassen; es sei das Beste nach dem Theocrit, und was er uns von dem Faunus, der seinen zerbrochenen Krug besingt, gesagt, ist sehr naiv.« (Gespräche mit Wieland, mitget. von Heinrich Funck, Arch. f. Lit.gesch. XIII, 1885, S. 494). Anfang April 1755 scheint bereits die Widmungsidylle *An Daphne* vorgelegen zu haben, denn in einem Brief an Gleim vom 5. April 1755 kündigt Geßner an, er werde ihm bald berichten »von neuen Idyllen, von einer liebenswürdigen Daphne, und von einem Kranze, den sie mir für eine Idylle gab, und noch von vielem andern« (Körte, S. 238). Am »4. Brachmond« (= Juni) 1755 ist es schon so weit, daß Geßner in seinem Brief an Ramler, dem er zuvor vom Erfolg des kürzlich erschienenen *Daphnis* berichtet hat, schreiben kann: »[...] nur eins muß ich ihnen noch offenbaren, ich habe schon bald wieder ein Bändgen Idyllen beysamen, schon wieder; war mein Winter nicht zukurz? Ein Autor, wenn er fruchtbar gewesen ist, sollte allemahl einen langen Winter haben und ruhen und Kräfte sammeln, sonst steht er in Ge[fahr] daß seine Werke denen Blumen gleichen die im Winter durch Zwang hervorgetrieben werden, es fehlt ihnen meist an Geruch und Lebhaftigkeit der Farbe« (C. Schüddekopf, Aus dem Briefwechsel zwischen Gessner und Ramler, S. 100). Einzelne Idyllen scheint Geßner bereits handschriftlich mitgeteilt zu haben, ein Umstand, der für uns besonders interessant ist, da der in diesem Fall bezeugte, bisher als verloren angesehene Brief Geßners für die *Idyllen* von 1756 das leisten könnte, was ein Brief an Ramler von 1770 für die *Neuen Idyllen* leistet, nämlich wenigstens exemplarisch eine Vorstellung von manuskriptnahen Zuständen einzelner Idyllentexte zu vermitteln, da die Manuskripte und Entwürfe der Geßnerschen Dichtungen ja insgesamt verloren sind. Bekannt ist nur die Antwort Kleists auf jenen von ihm soeben empfangenen Brief Geßners, der zumindest die Abschrift einer Idylle, nämlich *Lycas, oder die Erfindung der Gärten* enthalten haben muß. Kleist schreibt am 19. Oktober 1755 aus Potsdam: »Ihr Ursprung der Gärte [!] ist sehr schön. Sie sind ein Meister in der poetischen Mahlerey, wie in der Mahlerey mit dem Pinsel, und ich bin sehr begierig ihre Idyllen zu sehen« (Vierteljahrschrift für Litteraturgeschichte 3, 1890, S. 282). Daß diese Idylle erst im Herbst 1755 entstanden sei, ist damit natürlich nicht gesagt. Jedenfalls scheint sie nicht zu den letzten, noch unmittelbar vor der Drucklegung geschriebenen Stücken zu gehören, zu denen wir möglicherweise auch die Vorrede *An den Leser* zählen können, die noch in einem Brief an Ramler vom 23. Dezember 1755, als der Druck schon im Gange ist, erwähnt wird; Geßner berichtet darin wie folgt von den *Idyllen*: »[...] sie sind izt unter der Presse, meine Freünde, Hr. Bodmer, Wieland und andre, haben mich so dreist gemacht, zwar nicht ohne sorgsames durchgehen hab ichs gewagt; sie sind en Prose, aber ich habe gesucht sie wohlklingend zu machen. Ich habe in einer kleinen Vorrede meine Begriffe von dieser Dichtarth und von den Schönheiten des Theokrit kurz gesagt« (F. Wilhelm, Briefe an Karl Wilhelm Ramler, S. 227). Am 10. Februar 1756 ist es dann so weit, daß Geßner an Ramler schreiben kann: »Heüt wird der lezte Bogen von meinen Idyllen die Presse verlassen« (Schüddekopf, S. 102), und am 24. März 1756 schreibt Geßner an Kleist: »Da haben Sie meine ›Idyllen‹; sie sollen im Geschmack der Al-

ten seyn. Aber man darf den Theokrit nur lesen, um zu
sehen, wie sehr ich zurük geblieben bin und wie oft ich diesen, so selten betretenen Fusspfad verloren habe. Werden Sie
mir noch nicht sagen, ich solle die Schreibsucht unterdrüken,
um mich nicht wieder um mein bischen Ruhm zu bringen?
Finden Sie das, dann sagen Sie mirs doch! Sie sind ja mein
Freund und folglich für meine Ehre besorgt. Viel lieber will
ich so unbekant seyn, wie ein Dorf-Priester, der nur halb
schreiben und lesen kan, als dass ich der ganzen Welt sage,
ich sey ein mittelmässiger Kopf. Sie müssens mir nicht un-
gütig nehmen, dass ich in dem letzten Stük [d. i. *Der Wunsch*]
gesagt habe, wie sehr ich Sie hochschäze« (Leemann-Van
Elck, S. Geßners Freundschaft zu E. von Kleist, S. 11).
1758 und 1761 konnten die zweite bzw. die dritte Auflage gedruckt werden, die bereits Gelegenheit zu zahlreichen Korrekturen und Abänderungen des ursprünglichen Textes geben.
Die gewichtigsten Änderungen allerdings sind der Idyllensammlung bei ihrer Aufnahme in die erste Ausgabe der gesammelten *Schriften* von 1762 zuteil geworden. Zum einen
wurde die Sammlung angereichert durch die in unserer Ausgabe gesondert mitgeteilten, bis 1762 unveröffentlicht gebliebenen Idyllen und Gedichte (s. hier S. 75 ff. und 266 ff.).
Zum andern wurden Veränderungen vorgenommen an insgesamt 23 Idyllen der ersten Sammlung, die dann, gemeinsam
mit den neu hinzugefügten Stücken, auch in den weiteren, bei
Lebzeiten Geßners erschienenen Ausgaben der *Schriften* immer wieder, wenn auch zumeist geringfügiger, geändert
wurden. Besonders schwerwiegend unter den Änderungen
von 1762 waren die, die Geßner an den folgenden drei Idyllen vorgenommen hatte: *Palemon, Als ich Daphnen auf dem
Spaziergang erwartete* und *Der Wunsch.* – Die Überarbeitung der Idylle *Als ich Daphnen auf dem Spaziergang erwartete* muß noch eben kurz vor der Veröffentlichung der
Schriften von 1762 erfolgt sein, denn nach Hottinger (S. G.,
S. 156–157) war es die im Pariser *Journal des savants* er-

schienene Besprechung der kurz zuvor, noch im Winter 1761
bis 1762, publizierten, von Michael Huber in Paris unter
Teilnahme von Grimm, Turgot und Diderot geleisteten
französischen Übersetzung der *Idyllen*, deren Beanstandun-
gen gerade an dieser Idylle Geßner eingeleuchtet und ihn
veranlaßt hatten, die Idylle noch zu ändern. An der Idylle
En attendant Daphné à la promenade war nämlich gerügt
worden, daß die Ausführlichkeit der liebevollen Naturschil-
derung schlecht dazu passe, daß diese einem jungen Manne
in den Mund gelegt sei, der soeben ungeduldig sein Mädchen
erwartet. So verzichtete Geßner auf die in der Überschrift
angezeigte Situation, pointierte den Beginn und den Schluß
nun erst eigentlich auf die Betrachtung der »Welt im kleinen« hin und gab der Idylle ihre neue Überschrift *Die Gegend im Gras*, womit allerdings die innerhalb der ganzen
Idyllensammlung immer wieder auftauchende Verbindung
mit dem eingangs angeschlagenen Daphne-Motiv in diesem
Fall aufgelöst ist. – Der Anstoß zur Überarbeitung der
Schlußidylle *Der Wunsch* kam vermutlich nicht von außen;
die an diese Idylle gewandte Sorgfalt zeugt immerhin für
die Bedeutsamkeit, die Geßner noch zu dieser Zeit dieser
schon gleich anfangs nicht zufällig am Ende der ganzen
Sammlung stehenden Idylle zumaß. – Von außen aber kam
wiederum der Anstoß zur Veränderung der Idylle *Palemon*.
Gegen die am Schluß der Idylle erzählte Verwandlung des
Greises in eine Zypresse hatte schon während Michael Hubers Übersetzung der *Idyllen* Diderot Einwände erhoben,
von denen Geßner durch Huber auch Kenntnis erlangte,
worauf der Schluß mit der Verwandlung für die neue Ausgabe gestrichen wurde. »Erst später«, berichtet Hottinger in
seiner Geßner-Biographie (S. 157–158), »übersandte ihm
Huber einen ihm gleich Anfangs von Diderot mitgetheilten
Entwurf, nach welchem das Gedicht sich abändern liesse. Er
hatte ihn vorher zurückbehalten, weil er besorgte, daß die
Ausführung desselben weniger poetisch ausfallen möchte, als
die Verwandlung. Vermuthlich war Geßner damit auch

nicht ganz zufrieden. Wenigstens machte er davon keinen
Gebrauch. Freilich ist, wie Herr Huber richtig bemerkt, die
von Geßnern selbst gemachte Veränderung auch nicht be-
friedigend. So wie das Idyll ist, sollte der Greis sterben:
denn man ist auf seinen Tod vorbereitet.« Wir teilen Diderots Entwurf für den Schluß der Idylle, den Hottinger im
Anhang zu seiner Biographie überliefert hat – »wie ihn
Herr Huber auf einem von Diderot selbst geschriebenen
Blatte, Geßnern überschickt hat« (S. 244) – hier mit.

[Diderots – von Geßner nicht genutzter – Entwurf für den
Schluß der Idylle *Palemon*; nach J. J. Hottinger, S. G. 1796,
S. 245:]
»*Palémon le soir auroit embrassé ses enfants; il se seroit
couché, endormi, et endormi pour toujours.*

*Le matin ses enfants ne l'auroient point vu sortir de da
cabane, pour admirer la nature et louer son auteur. Leur
coeur se seroit ému, ils auroient tremblé d'entrer dans sa
cabane: ils seroient entrés cependant. Ils l'auroient trouvé
mort.*

Quelle ne fut pas leur douleur!

*Cependant le vieillard n'étoit point défiguré: il étoit mort,
et il paroissoit sommeiller encore. Ses mains étoient restées
jointes, et élevées vers le ciel.*

*Ses enfants ne furent pas bien certains d'abord, que leur
pere n'étoit plus: ils l'apellèrent envain: il n'étoit plus.*

*Ils le pleurèrent trois jours de suite. Le troisième jour ils le
portèrent à coté de Mirtha.*

Le reste comme dans l'Idylle.«

[Kommentar Michael Hubers auf dem gleichen Blatt von
Diderots Entwurf; Hottinger, S. 245:]
»Mais peut-être, que ce détail, tout pathetique qu'il est,
allongeroit, et qu'en finissant l'Idylle, comme Monsieur Geßner l'a fait, il y a plus de simplicité et plus de gout.«

Ausgaben:

[E₁] Idyllen von dem Verfasser des Daphnis [anonym, jedoch mit der Signatur: »S. Geßner fec.« unter dem von Geßner radierten Titelblatt, in unserer Ausgabe reproduziert auf S. 13]. Zürich: Geßner 1756. – 134 S., Antiqua, mit 11 Radierungen Geßners. 8°.

[E₂] Idyllen von dem Verfasser des Daphnis [mit dem gleichen Titelblatt »Zürich bei Gessner 1756«, jedoch mit dem ausdrücklichen Innentitel »Idyllen. Zweyte Auflage. MDCCLVIII.«, demnach also:] Zürich: Geßner ²1758. – 134 S., Antiqua, mit 11 Radierungen Geßners. 8°.

[E₃] Idyllen von dem Verfasser des Daphnis [immer noch mit dem Titelblatt »Zürich bei Gessner 1756«, nun mit dem Innentitel »Idyllen. Dritte Auflage. MDCCLXI.«] Zürich: Geßner ³1761. – 134 S., Antiqua, mit 10 Radierungen Geßners. 8°.

[E₄] Idyllen von S. Gessner. Zürich: Orell, Geßner u. Comp. ⁴1765. – 134 S., Antiqua, mit 11 Radierungen Geßners. 8°.

[S₁] Idyllen. In: S. Gessners Schriften. Zürich: Orell, Gessner u. Comp. 1762. III. Teil. – XVI und 168 S., Antiqua, mit 12 [neuen] Radierungen Geßners. Gr. 8°.

[S₂] Idyllen. In: S. Gessners Schriften. Zürich: Orell, Gessner u. Comp., ²1765. III. Teil. – 166 S., Antiqua, mit (abermals neuen) Radierungen Geßners. Kl. 8°.

[S₃] Idyllen. In: Salomon Geßners Schriften. Zürich: Orell, Geßner u. Comp. ³1767. II. Band [gemeinsam mit anderen Schriften Geßners]. – 135 S. [von insgesamt 317 S.], Fraktur (ohne Radierungen). 8°.

[S₄] Idyllen. In: Sal. Gessners Schriften. Zürich: Orell, Gessner, Füssli u. Comp. ⁴1770. III. Teil. – 166 S., Antiqua, mit (abermals neuen) Radierungen Geßners. 8°.

[S₅] Idyllen. In: Salomon Geßners Schriften. Zürich: Orell, Geßner, Füßli u. Comp. ⁵1770. II. Band [gemeinsam

mit anderen Schriften Geßners]. – 120 S. [von insgesamt 274 S.], Fraktur, mit 1 Titelvignette Geßners. 8°.

[S₆] Idyllen. In: Salomon Geßners Schriften. Zürich: Orell,
Geßner, Füßli u. Comp. ⁶1774. II. Band [gemeinsam
mit anderen Schriften Geßners]. – 120 S. [von insgesamt 274 S.], Fraktur, mit 1 Titelvignette Geßners. 8°.

[S₇] Idyllen u. Vermischte Gedichte. In: Salomon Gessners
Schriften. Zürich: [»Beym Verfasser«] Geßner ⁷1777/78.
I. Band [von zweien: 1777; gemeinsam mit dem Epil-
lion *Der erste Schiffer*]. – 140 S. [von insgesamt 191 S.],
Antiqua, bes. reich ausgestattet, mit 43, z. T. ganz-
seitigen Radierungen Geßners. 4°.

[S₈] Idyllen. In: Sal. Geßners Schriften. Zürich: Orell, Geßner, Füßli u. Comp. ⁸1782. II. Band [gemeinsam mit
den in dieser Ausgabe zum ersten Male ohne Zwischentitel angefügten *Neuen Idyllen* und anderen Schriften
Geßners]. – 85 S. [von insgesamt 253 S.], Fraktur
(ohne Radierungen). 8°.

[S₉] Idyllen u. Vermischte Gedichte. In: Sal. Gessners
Schriften. Zürich: Orell, Gessner, Füssli u. Comp.
⁹1788. II. Band. – 79 und 37 S. [von insgesamt 304 S.],
Antiqua, mit 16 Radierungen Geßners. 8°.

Lesarten:

An den Leser

E n t s t e h u n g : etwa Dezember 1755, nach Vollendung
aller Idyllen dieser Sammlung, die zumeist schon im
Sommer 1755 vorlagen.

15,7 und sanftem ungestöhrtem Glük] und sanftem unge-
störtem Glücke *S₇,3*

15,10 mit unsern seligsten Stunden] mit den seligsten Stunden *S₇,4*

15,14 f. die mich aus der Stadt verfolgt haben;] die mich
aus der Stadt verfolgt hatten; *S₇,4*

15,26 bey unverdorbenem Herzen] bey unverdorbenem

Herz S_1,VIII] bey unverdorbenem Herzen S_3,[8]] bey
unverdorbenem Herz S_4,5] bey unverdorbenen Herzen
S_5,6] bey unverdorbnen Herzen S_6,6] bey unverdorb-
nem Herz S_7,5

16,9 ausspüren kann] ausspüren könne S_7,6

17,24 Naivität] Naifetet E_2,9] Naivität S_5,7] Naivitet S_7,7

18,20 für unsre umgearte-[12]ten Sitten] für unsre ausgearteten Sitten S_4,11] für unsre umgearteten Sitten S_5,9]
für unsre ausgearteten Sitten S_7,9

18,20 f. sich allgemeinern Beyfall zu gewinnen] sich allgemeinen Beyfall zu gewinnen S_3,[10]] sich allgemeinern
Beyfall zu gewinnen S_4,11] sich allgemeinen Beyfall zu
gewinnen S_5,9] sich allgemeinern Beyfall zu erwerben
S_7,9

18,27 dergleichen Umständgen hab ich auszuweichen getrachtet.] dergleichen Umständgen hab ich zu vermeiden getrachtet. E_2,12

An Daphnen

Entstehung: etwa Anfang April 1755.

19,6 der heilgen Wälder] der heiligen Wälder S_3,12

19,15–17 seitdem umglänzt ein Sonnenschein von Freude,
mein Leben vor mir her, und jeder Tag, gleicht einem
hellen Lieder-reichen Morgen.] seitdem seh ich die Zukunft hell und glänzend, und jeden Tag begleiten Freud
und Wonne. E_2,14

20,4 bringt Geschichte[!] her] bringt Geschichten her E_2,14

20,7 dichtverwebner Sträuche] dicht verwebter Sträuche
S_2,15

20,8 Er horchet denn ihr Lied,] Er horchet dann ihr Lied,
E_2,15

20,14 den Ruhm der späten Enkel zu ersingen;] den Ruhm
der späten Enkel zu ersinnen; S_7,15] den Ruhm der späten Enkel zu ersingen; S_8,10

20,15 f. und kühlen Schatten über den verwesnen Pflanzen!]
und kühlen Schatten über den verweßten Pflanzen! S_2,15]

und kühlen Schatten über den verwesten Pflanzen! $S_4,15$]
und grünen Schatten über den verwesten Pflanzen! $S_5,11$

Milon

21,3 f. schön wallt dein dunkles Haar] schön wallet dein
dunkles Haar $E_2,16$

21,6 f. Ich habe dich behorcht, Chloe! o ich habe dich behorcht!] Ich habe dich behorcht, Chloe, dich hab ich behorcht! $E_3,16$

21,10 f. Izt hab ich neunzehn Ernden gesehen,] Izt hab ich
neunzehn Erndten gesehen, $S_2,14$] Izt hab ich neunzehn
Ernden gesehen, $S_4,16$] Izt hab ich neunzehn Erndten gesehen, $S_5,12$

21,24 f. sammelt er sich zur kleinen See] sammelt sie sich
zur kleinen See $S_7,23$

21,32 Apfelbäume] Aepfel-Bäume $S_4,18$] Apfelbäume $S_5,13$

21,34 f. *Fußnote:* Crotalen, waren *etc.*] *gestrichen* $S_4,17$] *wie-
deraufgenommen* $S_5,13$] *gestrichen* $S_7,23$

22,6 f. hinsehn, ins glänzende Meer,] hinsehn, ins [7] glæn-
zende Meer hin, $S_1,6–7$

22,8 und singen, daß es weit umher] und wollen singen, daß
es weit umher $S_2,19$

Idas. Mycon

22,19 f. Wenn ich dich sehe,] Wann ich dich sehe, $S_3,17$]
Wenn ich dich sehe, $S_4,20$] Wann ich dich sehe, $S_5,15$]
Wenn ich dich sehe $S_7,25$

22,30 Äste herum trägt] Æste umher trägt $S_1,9$

23,6 f. die Helfte der ganzen Herde, und er opferte dem
Pan] die Helfte der ganzen Herde, da opfert' er dem
Pan $E_2$21] die Helfte der ganzen Herde. Da opfert' er
dem Pan $S_1,9$

23,10 segne die Eiche, daß ich jährlich in ihrem Schatten
dir opfere;] segne die Eiche, die ich hier pflanze; sie sey
mir ein heiliges Denkmal; alle Jahre will [10] ich dann
in ihrem Schatten dir opfern. $S_1,9–10$

23,23 daß es empor schleiche] daß es emporschleiche $S_1,10$]
　daß es empor schleiche $S_7,27$
23,25 f. du solt] du sollst $S_1,11$
23,29 f. Kind auf der Schooß] Kind auf dem Schooß $S_7,27$
23,30 f. O pflanzt solche Denkmal' ihr Hirten! daß wir
　einst voll heilgen Entzükens, in dunkeln Hainen einher-
　gehn.] O pflanzt der Redlichkeit so manch Denkmal ihr
　Hirten! daß wir einst voll heiligen Entzykens in dun-
　keln Hainen einhergehn. $S_1,11$

Daphnis
24,3 die lodernde Flammen] die lodernden Flammen $S_3,20$]
　die lodernde Flamme $S_4,24$] die lodernden Flammen
　$S_5,18$
24,8 f. dünnbenebelte Luft] dynn-benebelte Luft $S_1,12$]
　dünn benebelte Luft $S_2,24$] dünn-benebelte Luft $S_3,20$]
　dünnbenebelte Luft $S_5,18$
24,9 f. wie glänzet der Schnee!] flimmernder Schnee-Staub
　flattert umher, wie in Sommer-Tagen yber dem Taich
　kleine Myken im Sonnen-Schein tanzen. $S_1,12$
24,16 aus dem Schnee empor hebt] aus dem Schnee empor-
　hebt $S_3,21$] aus dem Schnee empor hebt $S_4,25$] aus dem
　Schnee emporhebt $S_5,18$] aus dem Schnee empor hebt
　$S_7,29$
24,19 die dünnen umherflatternden Faden] die dynnen um-
　her flatternden Faden $S_1,13$] die dünnen umherflattern-
　den Faden $S_3,20$] die dünnen umher flatternden Faden
　$S_4,25$] die dünnen umher flatternden Fäden $S_7,29$
24,25 f. und der braune Sperling kömmt] und der braune
　Sperling kommt $S_3,21$
24,26 f. piket die hingestreuten Körner] biket die hinge-
　streuten Körner $S_3,21$] piket die hingestreuten Körner
　$S_4,25$] bicket die hingestreuten Körner $S_5,19$] piket die
　hingestreuten Körner $S_7,29$] picket die hingestreuten Kör-
　ner $S_9,23$

24,31 f. Aber, nicht nur deine Schönheit] Aber, nicht bloß
   deine Schönheit S_7,29

24,32 f. O wie liebt ich dich da! als dem jungen Alexis] O
   wie liebt' ich dich, seit jenem Tag, da dem jungen Alexis
   S_1,14

25,1 f. in die Hütte zurük kehren] in die Hütte zurükkeh-
   ren S_3,21] in die Hütte zurük kehren S_4,26] in die Hütte
   zurückkehren S_5,19] in die Hütte zurük kehren S_7,30

25,5 nimm diese Ziegen] nihm diese Ziegen S_1,15] nimm
   diese Ziegen S_2,26

25,9 ich will dannoch] ich will dennoch S_1,15

25,12 f. du solt es nicht hindern, daß ich nicht einen Kranz
   flechte;] du sollt [sollst S_1,15] es nicht hindern, daß ich
   einen Kranz flechte, E_2,26] du sollst es nicht hintern, daß
   ich einen Kranz flechte, S_3,22] du sollst es nicht hindern,
   daß ich einen Kranz flechte, S_4,27

25,13 das schlanke Ewig-Grün] das schlanke Ewiggrün S_5,20]
   das schlanke immergrün S_7,30

25,19 weil du von mir kömmst!] weil du von mir kommst!
   S_3,22] weil du von mir kömmst! S_4,27] weil du von mir
   kommst! S_5,20] weil du von mir kömmst! S_7,31

Mirtil

26,6 und fande] und fand da S_7,36

26,9 f. Lang stand er da] Lang stund er da S_7,36

26,10 auf dem Greisen] auf dem Greise S_7,36

26,12 Freuden-Thränen rollten dem Sohn vom Auge.] Freuden-Thränen flossen dem Sohn vom Auge. E_2,28

26,19 warum ruht unsere Hütte] warum ruhet unsere Hütte
   E_2,29] warum ruhet unsre Hütte S_4,29] warum ruhet
   unsere Hütte S_5,20] warum ruhet unsre Hütte S_7,37

26,20 f. warum ist der Segen auf unserer Herde] warum
   ruht der Segen auf unserer Heerde S_7,37

26,23 wann du dann] wenn du dann E_2,29] wen du dann
   S_1,18] wenn du dann S_2,29

27,4 f. sah mit thränendem Aug auf den Greisen] sah mit
thrænendem Aug auf den Greis $S_1,19$

Lycas und Milon

27,13 stunden] stuhnden $S_1,21$] stunden $S_2,32$] stuhnden
$S_3,26$] stunden $S_4,32$] stuhnden $S_5,24$] stunden $S_7,16$

27,13 f. stunden die Haare noch selten] stunden die Haare
noch sparsam $S_7,16$

27,17 blökenden Herde] blöckenden Heerde $S_5,24$

27,18 Buchwald] Buchenwald $E_2,31$

27,20 indeß irrt unsere Herde] indeß irret unsere Herde
$E_2,31$

27,23 f. hier unter dem gewölbten stozigten Felsen] hier
unter dem gewölbten Felsen $S_8,18$

27,26 staubend] stäubend $S_2,33$

27,30 Buchwalds] Buchenwalds $E_2,32$

28,16 der Echo] dem Echo $S_4,34$] der Echo $S_5,25$] dem Echo
$S_7,17$

28,16 f. Nie entsteht mir ein liebliches Lied] Nie entsteht
mir ein lieblichers Lied *Frey*,73

29,2 f. Seit Daphne ihren Freund mich nennt,] Seit Chloe
ihren Hirt mich nennt, $S_1,25$] Seit Chloe ihren Hirten
mich nennt, $S_4,36$] Seit Chloe ihren Hirt mich nennt,
$S_5,26$] Seit Chloe ihren Hirten mich nennt $S_7,19$

29,5 Daphne, die sanft lächelt,] Chloe, die sanft læchelt,
$S_1,25$

29,10 f. Aber seit ich Chloen sah, die unempfindliche Chloe,]
Aber seit ich Amarillis sah, die unempfindliche Amarillis,
$S_1,25$

29,15 seit ich Chloen beym blühenden Schlehenbusch sah]
seit ich sie beym blyhenden Schlehen-Busch sah $S_1,26$

29,17 f. streuten sie auf Chloen hin,] streuten sie auf das
Mædchen hin, $S_1,26$

29,21 f. dorthin treibt Daphne oft ihre Herde.] dorthin
treibt Chloe oft ihre Herde. $S_1,26$

29,31 und Daphne stund lächelnd da,] und Chloe stuhnd

læchelnd da, S_1,27] [...] stund [...]S_2,38] [...] stuhnd
[...] S_3,30] [...] stund [...] S_4,38] [...] stuhnd [...]
S_5,27] [...] stund [...] S_7,20

30,7 f. Diß, Chloe! diß gaben mir die Götter,] Dies, ô Amarillis! dies alles gaben mir die Gœtter, S_1,28

30,9 wilt du, o Chloe! wilt du mich nicht auch lieben] willt
[willst E_3,37] du, o Chloe! willst du mich nicht auch lieben E_2,37] willst du, ô! willst du mich nicht auch lieben
S_1,28

30,14 von rosenfarbigten Lippen.] von rosenfarbigen Lippen. S_7,21

30,15 das schwarzgeflekte Rind] das schwarz gefleckte Rind
S_5,28

Amyntas
31,7 stund] stuhnd S_1,29] stund S_2,40] stuhnd S_3,32] stund
S_4,40] stuhnd S_5,29] stund S_7,39

31,16 lächelte noch einmal zu frieden] lächelte noch einmal
zufrieden E_3,39

31,24 seit der Ernde] seit der Erndte S_2,41

Damon. Daphne
32,3 die schrökende Stimme] die schrekende Stimme S_2,43]
die schreckende Stimme S_5,31

32,5 durchs schwarze Gewölk;] durch schwarze Gewölke!
S_4,43] durchs schwarze Gewölk: S_5,31] durchs schwarze
Gewölke! S_7,41

32,7 von der triefenden Wolle] von der triefelnden Wolle
E_2,40] von der triefenden Wolle S_4,43] von der triefelnden Wolle S_5,31

32,13 wie herrlich glänzt die Gegend!] wie herrlich glænzet
die Gegend! S_1,32

32,17 f. izt flieht der Schatten] izt flieht der Schatte S_1,33

32,28 f. die beflügelten Würmchens] die beflügelten Würmchen E_2,41

33,5 die manigfaltigen Blumen] die mannigfaltigen Blumen

$S_1,34$] die manigfaltigen Blumen $S_4,45$]die mannichfaltigen Blumen $S_7,43$] die manichfaltigen Blumen $S_8,24$]
die manigfaltigen Blumen $S_9,33$
33,21 sich mischt.] sich mischet. $E_3,43$

Damon. Phillis
33,24 keiner, noch keiner war so schön] noch keiner war so
schön $S_2,47$
33,25 Ich hüt' izt] Ich hüte izt $S_7,49$
33,28 weißst du warum?] weissest du warum? $S_1,37$] weißt
du warum? $S_7,49$
33,31 hör wie die Quelle rauscht;] hör wie die Quelle
rauscht? $E_2,44$] hœr, wie die Quelle rauschet? $S_1,37$]
höre, wie die Quelle rauschet? $S_4,47$] höre, wie die Quelle
rauscht! $S_5,34$
34,10 Nimm Damon, nimm] Nihm, Damon! nihm $S_1,38$]
Nimm, Damon! nimm $S_2,48$
34,12 f. mich durchzittert dann etwas, ich weiß nicht was es
ist, dann pochet mir das Herz.] wie fährts durch mich,
ich weiß nicht was es ist, dann pochet mir das Herz.
$E_2,45$] wie fährts durch mich; ich weiß nicht, was es ist!
Wie pochet dann mein Herz! $E_3,45$] Wie fahrts durch
mich; [etc.] $S_2,48$] Wie fährts durch mich; [etc.] $S_3,38$]
Wie fahrts durch mich; [etc.] $S_4,48$] Wie fährts durch
mich! [etc.] $S_5,35$] Wie fahrts durch mich; [etc.] $S_7,51$]
Wie fährts durch mich; [etc.] $S_8,26$
34,15 Dauben} Tauben $E_2,45$] Dauben $S_1,38$] Tauben $S_2,48$
34,24 f. Habt Dank, habt Dank, ihr kleinen Dauben [Tau-
ben $E_2,46$] !] Euch dank ichs, euch, ihr kleinen Dauben!
$S_1,39$] Euch dank ichs, euch, ihr kleinen Tauben! $S_2,49$
34,25 Dauben] Tauben $E_2,46$] Dauben $S_1,39$] Tauben $S_2,49$
34,5 f. mein Haar zerzaußt!] mein Haar zerzausst! $E_2,47$]
mein Haar zerzaußt! $S_3,39$

Der zerbrochene Krug

E n t s t e h u n g : Januar 1755.

35,8 Ein ziegenfüssigter Faun] Ein ziegenfüssiger Faun
S_2,51

35,11 f. banden ihn an dem Stamm der Eiche fest] banden
ihn an den Stamm der Eiche fest S_3,40] banden ihn an
dem Stamm der Eiche fest S_4,52] banden ihn an den
Stamm der Eiche fest S_5,37] banden ihn an dem Stamm
der Eiche fest S_7,45

35,16 da liegen die Scherben] da ligen die Scherben S_1,41]
da liegen die Scherben S_3,40] da ligen die Scherben S_4,51]
da liegen die Scherben S_5,37

35,27 f. da liegen die Scherben umher!] Da ligen die Scherben umher. S_1,42] Da ligen die Scherben umher. S_3,41]
Da ligen die Scherben umher. S_4,52] Da liegen die Scherben umher. S_5,37 *[entsprechend auch w. u. im Refrain!]*

36,13 f. Er schnitt da Flöten] Er schnitte da Flöten S_4,53]
Er schnitt da Flöten S_5,38] Er schnitte da Flöten S_7,47

36,14 f. kleibte mit Wachs] klebte mit Wachs S_2,53

36,20 stund] stuhnd S_1,44] stund S_2,54] stuhnd S_3,42] stund
S_4,54] stuhnd S_5,39] stund S_7,47

36,24 die gaukelnden Zephire] die gauckelnden Zephire
S_5,39

36,35 f. aus den kleinen Händen der Amors;] aus den kleinen Händen der Amor. E_2,51] aus der Liebes-Götter
kleinen Händen. S_2,55

Daphnis. Chloe

37,18 f. Wilt du zuhören, Alexis?] Willst du zuhören, Alexis? E_2,53

37,32 f. vom Berg] vom Berge S_7,54

38,14 f. dein dunkles Haar durchirrt] dein dunkles Haar
durchirret E_2,55

38,16 wenn es lächelnd mir winket.] wenn es mir læchelnd
winkt. S_1,50

38,20 f. Indeß standst du] Indeß stundst du S_7,55

39,9 f. eure Blike und euer Entzüken habens mir gesagt.]
eure Blicke und euer Entzücken haben mir's gesagt. *S₅,57*

Lycas, oder die Erfindung der Gärten
E n t s t e h u n g : nicht später als Oktober 1755.
39,25 hier standst du] hier stundst du *S₇,62*
39,26 als meine zitternden Arme dich umschlangen,] *gestrichen S₃,48*] *wiedereingesetzt S₄,62*] *gestrichen S₅,44*] *wiedereingesetzt S₇,62*
39,28 meine Thränen im Aug.] meine Thränen im Auge.
E₂,59] meine Thränen im Aug. *S₃,48*] meine Thränen im
Auge. *S₄,62*] meine Thränen im Aug. *S₅,44*] meine Thränen im Auge. *S₇,63*
39,29 f. da sankst du] da sankest du *S₃,48*] da sankst du
S₄,62] da sankest du *S₅,44*] da sankst du *S₇,63*
40,13 Insul] Insel *E₂,60*
40,14 f. daß die Ziegen und die Schafe ihn *[= den »Blumen-
Hain«]* nicht verwüsten.] daß die Ziegen und die Schafe
die Blumen nicht verwysten. *S₁,55*
40,25 müd von der Jagd] müde von der Jagd *S₄,64*] müd
von der Jagd *S₅,46*] müde von der Jagd *S₇,64*

Palemon
E n t s t e h u n g : Dezember 1754
41,6 f. auch ich scheine verjüngt;] auch ich scheine verjünget;
S₄,65] auch ich scheine verjüngt; *S₅,47*] auch ich scheine
verjünget *S₇,65*
41,8 f. der kommenden Sonne gegenüber sezen] der kommenden Sonne gegenübersezen *S₃,51*] der kommenden
Sonne gegenüber sezen *S₄,65*] der kommenden Sonne ge-
genübersetzen *S₅,47*]der kommenden Sonne gegenüber
setzen *S₇,65*
41,22 Ach fließt ihr Thränen, fließt die Wangen herunter!]
Ach fliesset ihr Thränen, fliesset die Wangen herunter! *E₂,63*
41,32 f. wenn ich die jungen Sprossen] wenn ich diese jungen
Sprossen *S₁,59*

42,5 die Apfel-Bäume] die Aepfel-Bäume S_2,67

42,11 sturbest] starbest S_7,67

42,11 Zwölf male] Zwölf mal S_2,68

42,16 herunter wallt] herunter wallet E_2,65

42,16 f. ein herrliches Merkmal der Güte der Götter!] *gestrichen* E_2,65

42,32 Der stille Abend kam *bis* Thräne fällt ihm vom Auge.] *gestrichen* S_1,61

Mirtil. Thyrsis

43,11 f. einsam ins Gras gestrekt] einsam ins Gras gestreket E_2,67] einsam ins Gras gestrecket S_5,50

43,27 diß schenk ich dir,] Dies schenk ich dir, S_1,63] Dis schenk ich dir, S_3,56] Dieß schenk ich dir, S_4,71

43,30 zu ernsten Gesängen lokt] zu ernsten Gesängen loket E_2,68] zu ernsten Gesängen lockt S_5,51

43,31 f. daß das wärmende Feuer nicht erlöscht.] daß das wärmende Feuer nicht erlöschet. E_2,68

44,3 stund] stuhnd S_1,64] stund S_2,71] stuhnd S_5,51] stund S_7,78

44,12 Ungedult] Ungeduld S_7,78

44,20 O ihr Nymphen,] Ach ihr Nymphen! S_1,65

44,28 und eine schauernde Stille herrschte [herrschete E_2,70] umher, aber sie erwachte wieder,] und eine schauernde Stille herr-[66]schete umher; aber sie erwachete wieder, S_1,65–66

44,29 ein schrökliches Erwachen!] ein schrekliches Erwachen! S_2,73] ein schreckliches Erwachen! S_5,52

45,2 f. die die Freude meines Lebens geraubt haben!] die mir die Freude meines Lebens geraubt haben! S_1,66

Chloe

45,27 aus euren Urnen gießt,] aus euren Urnen giesset, E_2,73

46,1 seine gefleketen Kühe] seine gefleckten Kühe S_5,54] seine gefleckten Kühe S_7,85

46,6 von der frohen Ernde] von der frohen Erndte S_2,77

46,17 f. um des schlafenden Haar] um des Schlafenden Haar
S_2,77

46,23 stund] stuhnd S_1,71] stund S_2,78

Menalkas und Äschines, der Jäger

47,15 Brod] Brodt S_7,58

47,18 f. und der Mann erfrischte sich und der Hirt führte
ihn aus dem Gebürg.] und der Mann erfrischete sich, und
der Hirt führte ihn aus dem Gebürge. E_2,77

47,22 dort wohnt man nicht] dort wohnet man nicht E_2,78

47,22 f. in ströhernen Hütten] in strohernen Hütten S_2,81

47,24 f. du solt bey mir wohnen,] du sollst bey mir wohnen,
E_2,78

47,29 und stehn nicht Säulen umher, so stehn doch] und
stehen nicht Säulen umher, so stehen doch E_2,78

48,8 schattichte Hain] schattigte Hain S_3,64] schattichte
Hain S_4,82] schattigte Hain S_5,58] schattichte Hain S_7,60

48,9 mit seinen gekrümmten Gängen] mit seinen gekrümme-
ten Gängen E_2,79

48,9 f. mit tausendfältigen Blumen] mit tausendfältigen Blumen S_8,43]mit tausendfältigen Blumen S_9,45

48,10 f. Blumen um die Hütte gepflanzt] Blumen um die
Hütte gepflanzet E_2,79

48,16 Mädchens] Mädchen S_7,60

48,32 diß goldne Hüfthorn] dies goldne Huft-Horn S_1,77]
dies goldne Hüft-Horn S_2,84] dieß goldne Hüft-Horn
S_4,84] dies goldne Hüfthorn S_5,59] dieß goldne Hüfthorn
S_7,61

48,35 f. oder soll ich von meiner Herde die Milch erkaufen?] oder soll ich die Milch von meiner Heerde kaufen?
S_4,84

Phillis. Chloe

49,19 Hu – – roth?] Ha – – – roth? S_7,32

49,22 Hu! – – Phillis] Ha! Phillis! S_7,32

50,19 fuhr Phillis lachend fort,] fuhr Phillis lächelnd fort,

S_4,90] fuhr Phillis lachend fort S_5,64] fuhr Phillis lächelnd fort S_7,34

Tityrus. Menalkas

51,5 stund] stuhnd S_1,88] stund S_2,92] stuhnd S_3,74] stund S_4,92] stuhnd S_5,66] stund S_7,88

51,28 mein heischeres Ruffen] mein heischeres Rufen E_2,87] mein heischeres ruffen S_4,93] mein heischeres Rufen S_5,67

51,30 diß Lied] dies Lied S_1,90] dieß Lied S_4,94] dies Lied S_5,67] dieß Lied S_7,89

51,31 mir grauen Greisen!] mir grauem Greise! S_7,89

51,35 die Apfel- und die Birnen-Bäume] die Aepfel- und die Birnen-Bäume S_2,94

52,2 durchmischt] durchmischet E_2,88

52,3 f. Ein röthlichtes Gemisch] Ein röthlichtes Gemische E_2,88] Ein röthliches Gemische S_8,49] Ein röthlichtes Gemische S_9,69

52,6 unter des Wandelnden Füssen] unter des wandelnden Füssen S_2,94] unter des Wandelnden Füssen S_3,76

52,8 röthlichte Zeitlose] röthliche Zeitlose E_3,88] röthlichte Zeitlose S_2,94] röthliche Zeitlose S_3,76] röthliche Zeitlose S_4,94] röthliche Zeitlose S_7,90

52,8 der einsame Botte des Winters] der einsame Bote des Winters E_2,88

52,8 f. Izt kommt die Ruhe des Winters] Izt kœmmt die Ruhe des Winters S_1,91] Izt kommt die Ruhe des Winters S_4,94

52,12 er habe denn süsse Früchte getragen] er habe dann süsse Früchte getragen S_3,76] er habe denn süsse Früchte getragen S_4,95] er habe dann süsse Früchte getragen S_5,68] er habe denn süsse Früchte getragen S_7,90

52,19 f. die traurig krächzende Nacht-Rabe] der traurig krächzende Nachtrabe S_5,68

52,31 wenn du wieder kömmst] wenn du wieder kommst S_3,77] wenn du wieder kömmst S_4,96

Die Erfindung des Saitenspiels und des Gesanges

53,3 In der ersten Jugend der Tage,] In der ersten Jugend
der Tagen, E_2,91] In der ersten Jugend der Tage, S_3,78]
In der ersten Jugend der Tagen, S_4,97] In der ersten Jugend der Tage, S_5,70

53,29 O lehrt mich die wechselnden Töne,] O! lehrt mich
die wechselnde Tœne, S_1,96] O! lehrt mich die wechselnden Töne! S_3,79] O! lehrt mich die wechselnde Töne,
S_4,99] O! lehrt mich die wechselnden Töne, S_5,71

53,3 So sang sie,] So sange sie, E_2,92] So sang sie, S_5,71

53,35 f. Wo bist du, der diß alles schuf?] O du, der dieses
alles schuf! S_1,96

54,8 stund] stuhnd S_1,97] stund S_2,99

54,12 um die Raubvögel zu tödten,] um die Raubvögel zu
töden E_2,93] um die Raubvögel zu tödten S_5,72

54,13 Dauben] Tauben E_2,93] Dauben S_1,97] Tauben S_2,100

54,16 das so bang in meinem Herzen sizt?] das so lang in
meinem Herzen sizt. S_3,80] das so bang in meinem Herzen sizt. S_4,100

54,35 f. und für Freude zu hüpfen.] und voll Freude zu
hüpfen. E_2,95

55,3 die er von dem Mädchen im Hain gehorchet hatte,] die
er dem Mädchen im Hain abgehorchet hatte, S_7,73

55,28 liebliche Blümchens] liebliche Blümchen E_2,97

55,30 die summenden Bienchen] die sumsenden Bienchen
E_2,97

56,6 Ich war es, der deinen Gesang] Ich bin es, der deinen
Gesang S_3,84] Ich war es, der deinen Gesang S_4,104] Ich
bin es, der deinen Gesang S_5,75] Ich war es, der deinen
Gesang S_7,75

56,15 f. deinen Gesang mit diesen Saiten zu folgen!] deinem
Gesang mit diesen Saiten zu folgen! E_2,98

56,20 f. in meinem düsternen Schatten] in meinem düsteren
Schatten E_2,98] in meinem dystern Schatten S_1,103

56,33–36 *Fußnote:* Minerva war die Erfinderin der Flöte.
etc.] *gestrichen* S_1,103

Der Faun

57,7 zertretten] zertreten $S_7,82$

57,8 zertretten] zertreten $S_7,82$

57,9 Izt zertrat sein Fuß, da kam] Sein Fuß zertrat, da kam $E_3,100$

57,12 f. und komme zu dem Fest,] und komm zum Fest, $E_2,100$

57,17 sie flohe bis an den Fluß,] sie floh bis an den Fluß, $E_2,101$

57,18 stund] stuhnd $S_1,107$] stund $S_2,110$

58,5 f. ein wildes Geräusche von Tyrsus-Stäben und Trommeln und Flöten,] ein wildes Geräusche von Tyrsus-Stäben und Klapper-Schaalen und Flöten; $E_2,102$

58,9 f. welch ein Getöse von Tyrsus-Stäben und Klapper-Schaalen und Flöten!] welch frohes Getöse! $E_2,102$

Der veste Vorsatz

58,16 Die röthlichten Stämme] Die röthlichen Stämme $S_7,104$

58,24 die summenden Bienen,] die sumsenden Bienen, $E_2,103$

58,25 ihr Honig sammeln,] ihren Honig sammeln, $S_7,104$

59,6–8 Ich will in das Thal hinunter steigen, und mit traurig irrendem Fuß da wandeln, ich will an dem Fluß wandeln, der durch das Thal schleicht.] Ich will in das Thal hinunter steigen, und mit traurig irrendem Fuß neben den Wellen des Flusses wandeln, der durch das öde Thal schleicht. $E_2,104$

59,15 f. in mein bisher unverwahrtes Herze] in mein bisher unverwahretes Herze $E_2,105$

59,34 ach! wenn ich dich fände,] O! wenn ich dich fände, $E_2,106$

60,3 und kömmt lächelnder] und kommt lächelnder $S_8,100$] und kömmt lächelnder $S_9,161$

Der Frühling

E n t s t e h u n g : (frühere Fassung?) Frühling 1752.

60,13 f. Auf den röthlichsten Stralen der Morgen-Sonne] Auf den glänzenden Stralen der Morgen-Sonne $E_2,107$

60,17 f. mit offener Schoos] mit offenem Schooß $S_7,123$

60,19 Die Zephirs] Die Zephire $S_7,123$

60,27 f. die geißfüssigten Satyren] die geißfüssigen Satyren $S_7,124$

60,29 mit der vielröhrichten Pfeiffe.] mit der vielröhrigen Pfeife. $S_7,124$

60,32 f. von büschichten Hügeln] von buschichten Hügeln $E_2,108$] von buschigen Hügeln $S_7,124$

61,6 unser wankendes Schiff] unser wankendes Schif $S_1,133$] unser wankendes Schiff $S_4,134$

61,8 frohe Zephirs] frohe Zephir $E_2,109$] frohe Zephire $S_5,96$

61,8 f. um das Schiff her] um das Schif her $S_1,133$] um das Schiff her $S_4,134$

61,9 f. aufhüpften und klatschten] aufhüpften und klatschen $S_4,134$] aufhüpften und kla[t]schten $S_5,96$

61,10 sie jagten sie vom Schiff] sie jagten sie vom Schif $S_1,133$] sie jagten sie vom Schiff $S_2,134$] sie jagten sie vom Schif $S_3,108$] sie jagten sie vom Schiff $S_4,134$

61,10 ans schattichte Ufer] ans schattige Ufer $S_7,125$

61,12 ans Schiff] ans Schif $S_1,133$] ans Schiff $S_2,134$] ans Schif $S_3,108$] ans Schiff $S_4,134$

61,14 Auch da herrschte der Lenz,] Auch da herrschete der Lenz, $E_2,109$

61,22 Eile, o Lenz!] Eile, Lenz! $E_2,110$

61,25 Amor besucht ihn oft] Amor besuchet ihn oft $E_2,110$

61,31 f. im Raub-Schiff] im Raub-Schif $S_1,135$] im Raub-Schiff $S_2,136$

61,34 und süssen Wein habe sprizen lassen;] und süssen Wein habe sprudeln lassen; $E_2,110$

62,3 f. ich hätte beym Stix das Mädchen nicht erreicht,] beym Styx! ich hätte das Mädchen nicht erreicht, $E_2,111$

62,6 f. und klatscht ihm freundlich die Wangen,] und streichelt' ihm freundlich die Wangen, $S_7,126$

62,14 Pan lähnt sich auf das mosichte Polster,] Pan lehnt sich auf das moosichte Polster, $S_5,98$

62,18 der jezt des Streiches noch lachet,] der izt des Streiches noch lachet, $E_2,112$

62,19 f. nach der siebenröhrichten Pfeife,] nach der sieben-
röhrigen Pfeife $S_7,125$

Als ich Daphnen auf dem Spaziergang erwartete] Die Gegend im Gras $S_1,142$

63,3–6 Sie kömmt noch nicht, *bis* Indes will ich die Gegend
umher betrachten, und mein Verlangen täuschen. *gestrichen* $S_1,142$

63,7 röthlichen Stämme] rœthlichten Stæmme $S_1,142$] röthlichen Stämme $S_7,108$

63,9 und du Fluß, der du mit majestätischem Silberglanz]
und du Fluß, der du mit blåndendem Silberglanz $E_2,113$]
und du Fluß! der du mit blendendem Silber-Glanz
$S_1,142$

63,11 f. *zwischen* izt sey das Gras um mich her meine Gegend. *und* Wie sanft rieselst du vorüber, kleine Quelle,]
eingefügt: Diese bewundernswyrdige Welt im kleinen,
von unendlich mannigfaltiger [mannichfaltiger $S_7,108$]
Schœnheit; unendliche Arten Gewæchse, Millionen verschiedene [verschiedne $S_4,142$] Bewohner, theils fliegen
von Blume zu Blumen, theils kriechen und laufen umher,
in Labyrinthen des Grases; unendlich mannigfaltig [man-
nichfaltig $S_7,108$] an Bildung und Schœnheit, findt jeder
hier seine Nahrung, jedes seine Freuden, Mitbyrger dieser
Erde, jeder in sei-*[143]*ner Art vollkommen und gut.
$S_1,142–143$

63,16 mit Blumen vermischt] mit Blumen vermischet $E_2,114$

63,20 das manigfaltige Grün] das mannichfaltige Grün
$S_7,109$

63,23 und manigfaltigem Laub] und mannichfaltigem Laub
$S_7,109$

63,28 Fliegende Würmchens] Fliegende Würmchen $E_3,114$

63,35 Izt rauscht ein Würmchen] Izt rauschet ein Würmchen $E_2,115$

64,4 ihr Zephirs!] ihr Zephir! $E_2,115$] ihr Zephirs! $S_5,104$]
  ihr Zephir $S_7,110$
64,5 den zärtesten Gesang] den zartesten Gesang $S_8,75$
64,10 aus ihrer fernen Wohnstadt] von ihrer fernen Wohnstadt $E_2,115$
64,27 f. dann gleichst du] dann gleichest du $S_1,146$
64,32 kleine Zephirs?] kleine Zephir? $E_2,117$] kleine Zephirs? $S_5,106$] kleine Zephire? $S_7,111$
65,1 die Zephirs] die Zephire $S_7,111$
65,8 beym Spiel-Tisch] beym Spiel-Tische $E_2,117$
65,13 tumm] dumm $S_1,148$
65,17–20 verzeihen sie der Natur, die einem Wurm ein schöner Kleid gab, als keine Kunst ihnen liefern kan, ihnen
  der doch so ausnehmenden Witz hat, Gewissen und Religion dem tummen Pöbel zu überlassen.] verzeihen sie
  der Natur, die einem Wurm ein schöner kleid gab, als die
  feineste Kunst ihnen nicht liefern kan. $E_3,118$
65,26 in unauflöslicher Umarmung zusehn.] in unauflöslicher Umarmung zu sehn. $E_2,118$
65,21–30 Aber izt kömmt sie, die schöne Daphne! *bis* verriethen sie nicht die schöndenkende Seele und das edelste
  Herz.] O wie schœn bist du, Natur! In deiner kleinsten
  Verzierung, wie schœn! Die reinesten Freuden misset der,
  der nachlæssig deine Schœnheiten voryber geht; dessen
  Gemyth durch tobende Leidenschaften und falsche Freuden verderbt, *[149]* der reinesten Freuden unfæhig ist.
  Selig ist der, dessen Seele durch keine trybe Gedanken
  verfinstert, durch keine Vorwyrfe verfolgt, jeden Ein-
  druk deiner Schœnheiten empfindt. Wo andre mit ekler
  [eckler $S_5,107$] ekler $S_8,77$] Unempfindlichkeit voryber-
  gehn, da læcheln mannigfaltige [mannichfaltige $S_7,113$]
  Freuden um ihn her. Ihm schmykt sich die ganze schœne
  Natur, alle seine Sinnen finden immer unendliche Quellen von Freude, auf jedem Fußsteig, wo er wandelt, in
  jedem Schatten, in dem er ruhet. Sanfte Entzykungen
  sprudeln aus jeder Quelle, dyften aus jeder Blum ihm zu,

ertœnen und lispeln ihm aus jedem Gebysche. Kein Ekel
[Eckel $S_5,107$] Ekel $S_7,113$] Eckel $S_9,166$] verderbt ihm
die immer neuen Freuden, die die Schœnheiten der Natur
in End-loser Mannigfaltigkeit [Mannichfaltigkeit $S_7,113$]
ihm anbieten. Auch in der kleinsten Verzierung unendlich mannigfaltig [mannichfaltig $S_7,113$] und schœn, jedes
zum besten Endzweck in *[150]* allen seinen Verhæltnissen
schœn und gut. Selig! ô selig! wer aus diesen unerschœpf-
lichen Quellen seine unschuldigen Vergnygen schœpft; heiter ist sein Gemythe, wie der schœnste Fryhlings-Tag;
sanft und rein jede seiner Empfindungen, wie die Zephir,
die mit Blumen-Gerychen ihn umschweben. $S_1,148–149$

65,28 f. wie schön ist ihr Aug!] wie schön ist ihr Auge! $E_2,119$

Der Wunsch

66,2 f. die Erfüllung meines einigen Wunsches] die Erfüllung meines einzigen Wunsches $S_3,122$] die Erfüllung meines einigen Wunsches $S_4,150$] die Erfüllung meines einzigen Wunsches $S_5,109$] die Erfüllung meines einigen Wunsches $S_7,128$

66,13 unbeneidet und unbemerkt] unbeneidet, unbemerkt
$S_7,128$

66,14 stünde dann] styhnde dann $S_1,152$] stünde dann $S_2,150$]
stühnde dann $S_3,122$] stünde dann $S_4,150$] stühnde dann
$S_5,109$] stünde dann $S_7,128$

66,18 eine kühle Brunn-Quelle] ein kühler Brunnquell $S_7,129$

66,20 die Ente mit ihren Jungen spielte, oder die sanften
Dauben [Tauben $E_2,121$] Dauben $S_1,152$] Tauben $S_2,151$]
vom beschatteten Dach herunter flögen, und nikend im
Gras wandelten,] die Ente mit ihren Jungen spielt, oder
die sanften Dauben vom beschatteten Dach herunter fliegen, und nikend im Gras wandeln, $S_3,123$] die Ente mit
ihren Jungen spielte, oder die sanften Tauben vom beschatteten Dach herunter flögen [herunter fliegen $S_5,109$]
herunter flögen $S_7,129$], und nikend im Gras [nickend im
Grase $S_5,109$] wandelten, $S_4,151$

66,25 Speise von ihrem Herrn fordern.] Speise von ihrem
Herrn fodern. $S_1,152$] Speise von ihrem Herrn fordern.
$S_7,129$

66,33 wo Fried und Ruhe in der Wirthschaft herrscht.] wo
Fried und Ruhe in der Wirthschaft herrschet. $E_2,122$

67,1 f. zum dienstbaren Stoff sich macht] zum dienstbaren
Stoff sich machet $S_1,153$

67,9 neben mir stühnde] neben mir stünde $S_1,153$] neben
mir stühnde $S_3,124$] neben mir stünde $S_4,153$] neben mir
stühnde $S_5,111$] neben mir stünde $S_7,130$

67,16 f. selbst bewachete.] selbst bewachet. $S_3,124$] selbst
bewachete. $S_4,153$] selbst bewachet. $S_5,111$] selbst bewachete. $S_7,130$

67,20 f. ein kleiner Reb-Berg] ein kleiner Weinberg $S_7,130$

67,30 f. fernher sammelt sich Wein in seinen Keller,] fernher sammelt sich Wein in seinem Keller, $S_3,123$] fernher
sammelt sich Wein in seinen Keller, $S_4,154$] fernher sammelt sich Wein in seinem Keller, $S_5,111$] fernher sammelt
sich Wein in seinen Keller $S_7,131$

67,35 der tumme Nachbar] der dumme Nachbar $S_1,156$

68,21 der frohe Gruß des Manns,] der frohe Gruß des Mannes, $S_8,81$] der frohe Gruß des Manns, $S_9,187$

68,25 seinem eingekerkerten Blik] seinem eingekerkerten
Auge $S_4,156$] seinem eingekerkerten Blick $S_5,113$] seinem
eingekerkerten Auge $S_7,132$

68,32 manigfaltigen Schönheiten] mannichfaltigen Schönheiten $S_7,133$

68,32 Zukühner Mensch!] zu kühner Mensch! $S_2,157$] Zukühner Mensch! $S_3,127$] zu kühner Mensch! $S_4,157$

68,36 die Gänge seyen reiner Sand,] die Gänge seyn reiner
Sand, $E_2,126$

69,3 Manigfaltigkeit] Mannichfaltigkeit $S_7,133$

69,4–6 *zwischen* die unsere Seele voll sanften Entzükens
empfindt. *und* Oft würd' ich bey sanftem Mondschein]
eingefügt: Auch wyrd' ich in einsamen [einsame $S_4,157$]
einsamen $S_5,114$] einsame $S_7,113$] Gegenden irren, im

Labyrinthe des Gestræuches, am verfyhrenden Ufer eines
Baches. Da wyrde ein dunkler Schatte zur Ruhe mich
loken, dort ein rauschender Wasserfall von jedem Fußsteig fern. O wie ist es lieblich! wenn, fern von allem
Getymmel, kein ander Geræusch um uns her tœnt, als ein
naher Bach, oder das Sumsen der Biene, oder das Rauschen der Eidechse, die durch das Gras wischt. Wenn unter dem einsamen Laub-Dach Schatten und seltenes Licht
auf dem Dichtrischen Blatt auf meiner Schoos [meinem
Schooße S_7,*134*] spielen, und nichts mich *[160]* stœrt, als
wenns ein sanfter Wind yberwælzt, oder die kleine Heu-
schrek [Heuschreke S_4,*158*] Heuschreck S_5,*114*] Heu-
schreke S_7,*134*] Heuschrecke S_8,*82*] mit verirretem Sprung
auf selbigem sich hinsezt, sich wundert, und schnell wieder abspringt. S_1,*159–160*

69,10 Auch besucht' ich den Landmann,] Auch den Landmann wyrd' ich besuchen, S_1,*160*

69,12 f. ihre frohen Geschichtchens] ihre frohen Geschichtgen E_2,*127*] ihre frohen Geschichten S_1,*160*

69,13 f. wenn der Herbst kommt,] wenn der Herbst kœmmt,
S_1,*160*] wenn der Herbst kommt, S_3,*129*] wenn der Herbst
kömmt, S_4,*159*] wenn der Herbst kommt S_5,*115*] wenn
der Herbst kömmt S_7,*134*

69,15 die Mädchens] die Mädchen E_2,*127*

69,21 izt kommt der ländliche Scherz] izt kömmt der ländliche Scherz S_9,*189*

69,28 f. und wie die Bauern da mit grünen Spizen-Hüten
gehn.] und wie die Bauern da mit grünen spizen Hüten
gehn. E_2,*128*

70,10 Der lehrte mich die Sitten ferner Nationen,] Der lehrt
mich die Sitten ferner Nationen, E_3,*129*

70,23 f. denen Irrlichtern entgegen] den Irrlich-*[137]*tern
entgegen S_7,*136–137*

70,30 f. zu frieden ist dann mein Herz,] zufrieden ist dann
mein Herz, E_2,*130*

70,34 Doch soll ich euch alle nennen] Doch sollt’ ich euch alle nennen, *S₁,164*

70,34 f. die verwöhnte Nation mißkennt [mißgönnt *E₂,130*] mißkennt *E₃,130*] euern *[131]* Werth, euch zu schätzen ist einer bessern Nachwelt vorbehalten.] Euch zu verkennen ist Schande; der spæteste Enkel wird eure Namen mit Ehrfurcht nennen. *S₁,165*

71,1 Auch ich schriebe dann oft die Lieder hin] Auch ich schriebe dann oft die Lieder hin *S₄,163*] Auch ich schriebe dann oft die Lieder hin *S₅,117*] Auch ich schriebe dann oft die Lieder hin *S₇,137*

71,4 im Kupferstich] im Kupferstiche *S₇,137*

71,6 f. ihre schönen Auftritte auf dem gespanneten Tuch nachzuschaffen.] ihre schönen Auftritte auf dem gespanneten Tuch nachzuschatten. *S₄,163*] ihre schönen Auftritte auf dem gespannten Tuch nachzuschaffen. *S₅,117*] ihre schönen Auftritte auf der gespanneten Leinwand nachzuschatten. *S₇,137*

71,8–10 Zuweilen störte mich ein lautes Klopfen vor meiner Thüre, wie entzükt wär ich, wenn ein Freund beym Eröfnen in die offenen Arme mir eilte;] Oft wyrd’ ein lautes Klopfen vor meiner Thyr mich stœren. Wie entzykt wær’ ich, wenn dann beym Erœfnen ein Freund in die offenen Arme mir eilte! *S₁,165*

71,13–15 nicht mürrisch ernsthafte Gespräche mit freundlichem Scherz gemischt [gemischet *E₂,131*], machten uns die Stunden vorbey hüpfen,] unter mannigfaltigen [mannichfaltigen *S₇,138*] Gesprächen, oft ernsthafter, oft froher, mit freundschaftlichem Entzyken und munterm Scherzen vermischet, wyrden die Stunden uns zu schnell vorbey hüpfen. *S₁,166*

71,18 f. in der schattichten Hütte] in der leimichten Hütte *S₃,133*] in der schattichten Hütte *S₄,164*] in der schattigen Hütte *S₇,138*

71,25 dich, eitelen Traum!] dich, eiteln Traum! *S₁,167*

71,25 f. Eiteler Wunsch!] Eiteler Wunsch! *S₃,133*] Eiteler

Wunsch! S_4,*164*] Eitler Wunsch! S_5,*118*] Eiteler Wunsch!
S_7,*138*

71,27 f. frömde Gefilde] fremde Gefilde E_2,*132*] frömde
Gefilde E_3,*132*] fremde Gefilde S_1,*167 und* E_4,*132*

72,3 f. vorbey geht] vorbeygeht S_3,*134*] vorbey geht S_4,*166*]
vorbeygeht S_5,*119*] vorbey geht S_7,*139*

72,4 f. Hier ligt sein Staub,] Hier liegt sein Staub, S_7,*139*

72,7 auch da ligen] auch da liegen S_5,*119*

72,9 vorüber gehest] vorübergehest S_3,*134*] vorüber gehest
S_4,*166*] vorübergehest S_5,*119*] vorüber gehest S_7,*139*

[WEITERE IDYLLEN UND GEDICHTE] 1762.

Ausgaben:

[S_1] S. Gessners Schriften. Zürich: Orell, Gessner u. Comp.
1762. III. Teil [= Idyllen]. – XVI und 168 S., Antiqua,
mit 12 (neuen) Radierungen Geßners. Gr. 8°.
Die bis dahin nicht bekanntgewesenen Idyllen und Gedichte wurden an den folgenden Stellen des dritten
Bandes dieser ersten Gesamtausgabe von Geßners Werken in die ursprüngliche Folge der *Idyllen* von 1756
eingefügt:

Mirtil und Daphne	S. 79–82. Zwischen: *Menal-kas und Äschines, der Jäger* und *Phillis. Chloe.*
Mylon	S. 104–105. Zwischen: *Die Er-findung des Saitenspiels und des Gesanges* und *Der Faun.*
Die ybel belohnte Liebe	S. 110–119. Zwischen: *Der Faun* und *Der veste Vorsatz.*
Morgenlied	S. 125–126.
An Chloen	S. 127–130.
	Beide hintereinander zwi-schen: *Der veste Vorsatz* und *Der Fryhling.*

An den Wasserfall	S. 138–139. Gemeinsam mit dem darauffolgenden (S. 140 bis 141), nicht eigentlich neuen, deshalb bei uns S. 148 f. in der 1. Fassung von 1751 mitgeteilten *Lied eines Schweizers an sein bewafnetes Mädchen* zwischen: *Der Fryhling* und *Die Gegend im Gras.*

Im gleichen Jahr 1762, kurz nach dem Erscheinen des soeben angeführten dritten Teils von Geßners *Schriften* (S₁), in dem die sechs neuen Stücke zum ersten Male überhaupt und dabei sogleich als Bestandteil der damit vermehrten Idyllensammlung veröffentlicht waren, und kurz vor dem Erscheinen des vierten und letzten Teils der *Schriften*, der ausschließlich neue Werke Geßners enthielt (die beiden Schäferdramen *Evander und Alcimna* und *Erast*, die Prosaphantasie *Ein Gemähld aus der Syndfluth* und die idyllische Erzählung in zwei längeren Prosagesängen *Der erste Schiffer*), erschien der Band:

[G₁] Gedichte von S. Gessner. Zürich: Orell, Gessner u. Comp. 1762. – 260 S., Antiqua, mit 5 Radierungen Geßners. 8°.

Dieser Band vereinigte alle neuen Texte von 1762 – die im dritten Teil der *Schriften* mitgeteilten Idyllen und Gedichte ebenso wie die im vierten Teil der *Schriften* alsdann gedruckten neuen Dichtungen von den Schäferdramen bis zum *Ersten Schiffer*. Überdies enthielt der Band die dem größten Teil des Publikums bis zum Jahre 1762 unbekannt gebliebenen frühesten Veröffentlichungen Geßners, das *Lied eines Schweizers* von 1751 und den Prosagesang *Die Nacht* von 1753, in nunmehr zweiten Fassungen (vgl. hier S. 148 f. u. 231 f.), wie sie im zweiten und dritten Teil der *Schriften* er-

schienen waren. – Die neuen Idyllen und Gedichte
stehen in dem Band *Gedichte* in der Abfolge von S₁
hintereinander auf den Seiten 223–244.

Im Gegensatz zu dieser Ausgabe, in der nur sehr ver-
einzelt geringfügige Abweichungen gegenüber dem
Erstdruck der sechs Idyllen und Gedichte (S₁) zu finden sind und die sich von diesem sonst nur durch die
modernere Orthographie unterscheidet, weisen die Ab-
drucke der sechs neuen Stücke in den folgenden Ausgaben der *Schriften* aus den Jahren danach eine ganze
Anzahl von (hier w. u. im einzelnen verzeichneten)
Abweichungen auf. Wichtige Änderungen enthält überraschenderweise allerdings schon die 2. Auflage des
Bandes *Gedichte*, der noch vor den *Schriften* von 1765
erschienen ist.

[G₂] Gedichte von S. Gessner. Zürich: Orell, Gessner u.
Comp. ²1765. – 247 S. Antiqua, mit 5 Radierungen
Geßners. 8°.

[S₂] S. Gessners Schriften. Zürich: Orell, Gessner u. Comp.
²1765. III. Teil [= Idyllen]. – Antiqua, mit neuen Radierungen Geßners. Kl. 8°.

[S₃] Salomon Geßners Schriften. Zürich: Orell, Geßner
u. Comp. ³1767. II. Band [= Idyllen, gemeinsam mit
anderen Schriften Geßners]. – Fraktur, mit 1 Titelvignette Geßners. 8°.

[S₄] Sal. Gessners Schriften. Zürich: Orell, Gessner, Füssli
u. Comp. ⁴1770. III. Teil [= Idyllen]. – Antiqua, mit
neuen Radierungen Geßners. 8°.

[S₅] Salomon Geßners Schriften. Zürich: Orell, Geßner,
Füßli u. Comp. ⁵1770. II. Band [= Idyllen, gemeinsam
mit anderen Schriften Geßners]. – Fraktur, mit 1 Titelvignette Geßners. 8°.

[S₆] Salomon Geßners Schriften. Zürich: Orell, Geßner,
Füßli u. Comp. ⁶1774. II. Band [= Idyllen, gemeinsam
mit anderen Schriften Geßners]. – Fraktur, mit 1 Titelvignette Geßners. 8°.

[S$_7$] Salomon Gessners Schriften. Zürich: [»Beym Verfasser«] Geßner. [7]1777/78. I. Band [(1777) = Idyllen u. Vermischte Gedichte]. – Antiqua, mit neuen, z. T. ganzseitigen Radierungen Geßners. 4°.

[S$_8$] Sal. Geßners Schriften. Zürich: Orell, Geßner, Füßli u. Comp. [8]1782. II. Band [= Idyllen, gemeinsam mit anderen Schriften Geßners]. – Fraktur, ohne Radierungen. 8°.

[S$_9$] Sal. Gessners Schriften. Zürich: Orell, Gessner, Füssli u. Comp. [9]1788. II. Band [= Idyllen u. Vermischte Gedichte, gemeinsam mit anderen Schriften Geßners]. – Antiqua, mit Radierungen Geßners. 8°.

In den Ausgaben der *Schriften* von 1777 (S$_7$) und 1788 (S$_9$) sind die Stücke *Morgenlied, An Chloen* und *An den Wasserfall* aus dem Komplex der *Idyllen* herausgelöst und gemeinsam mit frühen Idyllen wie *Der veste Vorsatz, Der Frühling, Die Gegend im Gras* und *Der Wunsch* als *Vermischte Gedichte* abgedruckt, während die drei Idyllen *Mirtil und Daphne, Mylon* und *Die ybel belohnte Liebe* ihren Platz innerhalb des eigentlichen Idyllenkomplexes in allen Ausgaben behalten haben. Die postumen Ausgaben von 1789 an, einschließlich derer von Klee und Frey, setzten das Prinzip des getrennten Abdruckes der *Vermischten Gedichte* fort.

Lesarten:

Mirtil und Daphne

75,10 Majen-Blumen] Majblumen S$_7$,92] Mayblumen S$_8$,45
75,12 auf ihr Beth hinstreuen] auf ihr Bette hinstreuen G$_2$,210] auf ihr Bethe hinstreuen S$_3$,67] auf ihr Bette hinstreuen S$_4$,85
75,19 styhnd eine Laube dort] stünd eine Laube dort S$_2$,86
76,2 bis er es selber sieht] bis er es selbst sieht G$_2$,211
76,6 zu ihrem Beth mich hin] zu ihrem Bette mich hin

G_2,*212*] zu ihrem Bethe mich hin S_3,*68*] zu ihrem Bette
mich hin S_4,*86*

76,11 vor unserm Erwachen] vor unserem Erwachen S_4,*87*

76,12 Wenn er denn] Wenn er dort G_2,*212*] Wenn er denn
S_2,*86*] Wenn er dann S_8,*45*] Wenn er denn S_9,*72*

Mylon

76,23 f. und bracht' voll Freud] und bringt voll Freud'
G_2,*213*

76,28 wenn ich izt, so sprach der Hirt,] wenn ich nun, so
sprach der Hirt, S_7,*95*

76,28 f. das schœne Kefiçt hab] das schöne Kefiçt habe
S_2,*107*

76,29 f. Fyr dies Geschenk begehr' ich denn von ihr] Für
dies Geschenk begehr ich dann von ihr G_2,*213*

77,4 f. und seine Kysse waren mit dem Vogel weg.] und mit
dem Vogel waren seine Küsse weg. S_2,*108*

Die ybel belohnte Liebe

77,8 im Schilf des Sumpfes] im Schilfe des Sumpfes G_2,*215*

77,8 f. stak ybersich] stak über sich G_2,*215*] stack über sich
S_2,*113*] stack übersich S_9,*74*

77,11 f. die quakenden Frœschen] die quackenden Fröschen
S_7,*96*] die quackenden Frösche S_8,*58*] die quackenden
Fröschen S_9,*74*

77,14 Kæhle] Kehle S_7,*96*

77,22 f. Um aller Gœtter willen! rief der Faun[!]] Um aller
Götter willen! rief der Satyr! G_2,*216*

77,24 f. lig ich hier] lieg ich hier S_7,*97*

77,25 Aber der Faun stand da] Aber der Faun stund da
S_7,*97*

77,26 f. zusammengewikelte Gestalt] zusammen gewikelte
Gestalt S_4,*114*] zusammengewickelte Gestalt S_9,*74*

77,27 sein eines Bein] das eine Bein S_7,*97*

77,29 los zu wikeln] loszuwickeln S_8,*59*] los zu wickeln
S_9,*75*

78,2 f. zum ersten mal] zum erstenmal S_8,*59*] zum ersten mal S_9,*75*

78,4 mein eines Bein] das eine Bein S_7,*97*

78,11 und seufzte, und jammerte,] und seuft' und jammert' G_2,*217*] und seuft' und jammert S_8,*59*

78,12 Quærpfeife] Queerpfeife G_2,*217*] Quärpfeife S_2,*115*] Queerpfeife S_7,*98*

78,24 Wißtest du] Wüßtest du S_7,*99*

78,26 in holem Stamm wohnt] in holem Stamme wohnt G_2,*218*] im holen Stamme wohnt S_2,*116*

78,29 O wißtest du es!] O wüßtest du es! S_7,*99*] O wißtest du es! S_9,*76*

79,1 yber den [!] schœnen Pracht erstaunest,] über der schönen Pracht erstaunest. G_1,*232*] du über der schönen Pracht erstaunest. G_2,*219*

79,4 Hasel-Nyssen] Hasel-Nüsse G_2,*219*

79,10 f. Quærpfeife] Queerpfeife G_2,*220*

79,12 und danzet, wie ich danze.] und tanzet, wie ich tanze G_2,*220*] und danzet, wie ich danze S_2,*118*] und tanzet, wie ich danze. S_7,*100*] und tanzet, wie ich tanze. S_8,*60*

79,13 Seit meine Liebe mich so heftig plagt,] Seit meine Liebe mich so sehr heftig plagt, S_3,*93*] Seit meine Liebe mich so heftig plagt, S_4,*118*

79,13 seitdem] seit dem S_3,*93*] seitdem S_4,*118*

79,14 mein Wein-Schlauch ligt] mein Weinschlauch liegt S_7,*100*

79,22 f. an der brennenden Sonne ligen.] an der brennenden Sonne liegen. S_7,*100*

79,23 f. O komm, komm, du Milch-weiße Nymphe!] O komm, du Milchweisse Nymphe! S_8,*61*] O komm, komm, du Milchweisse Nymphe! S_9,*77*

80,4 nach meiner einsamen Hœle nehmen] nach meiner einsamen Höle tragen S_2,*120*

80,6 aber sag mir,] aber sage mir, S_2,*120*

80,11 zurykgieng] zurück gieng S_8,*62*] zurückgieng S_9,*78*

80,11 stak mein eines Bein] stack das eine meiner Beine S_7,*102*

80,14 entstand] entstund $S_7,102$
80,15 standen] stunden $S_7,102$
80,17 stand] stund $S_7,102$] stand $S_9,78$
80,18 und du kœmmst nicht] und du kommst nicht $S_4,121$
80,26 f. geh, danze mit deinem Ziegen-Bok] geh, tanze mit deinem Ziegen-Bok $G_2,222$

Morgenlied
80,30 Willkommen, fryhe Morgen-Sonne;] Willkommen du Morgen-Sonne, du, $G_2,224$] Willkommen, frühe Morgen-Sonn! $S_3,101$] Willkommen, früher Morgen-Glanz; $S_4,126$
81,6 Beth] Bett $G_2,224$
81,6 schwermt] schwärmt $S_3,101$] schwermt $S_4,126$] schwärmt $S_7,117$
81,7 Von Blum zu Blum,] Um Blumen her $G_2,224$
81,11 schwermten] schwärmten $G_2,224$
81,17 Beth] Bett $G_2,225$
81,23 Hab' ich Einsamer ihren Nam] Hab' ihren Namen einsam ich $G_2,225$] Hab einsam ihren Namen ich $S_2,127$

An Chloen
82,5 Zephirs] Zephire $S_7,114$] Zephir $S_8,66$] Zephire $S_9,167$
82,9 Zephirs] Zephire $S_7,114$] Zephir $S_8,66$] Zephire $S_9,167$
82,10 des Blumen-Strauses] des Blumen-Straußes $S_4,129$
82,13 legt' er sich da hin!] legt' er sich dahin! $S_8,66$] legt' er sich da hin! $S_9,167$
82,21 tœdender Gedanke!] tödtender Gedanke! $S_3,104$] tödender Gedanke! $S_4,129$] tödtender Gedanke! $S_7,115$
82,24 læhnte] lehnte $S_4,130$
83,5 Flammen in seinem Busen nehrt] Flammen in seinem Busen nährt $S_2,131$

An den Wasserfall
83,17 Auf Schaum und Moos herab sich styrzt,] Auf Schaum und Moos sich stäubend stürzt; $S_2,138$

83,19 Vom unterhœlten Fels herab.] Vom hohlen Felsen
hoch herab. $S_2,138$

83,24 Daß schnell-verschwundne Sonnen-Stralen] Daß
schnell-verschwundne Sonnen-Stralen $G_2,230$] Daß schnell
verschwundne Sonnenstralen $S_7,121$] Daß schnellver-
schwundne Sonnenstralen $S_9,172$

83,26 Wie Lichter durch den Schatten blizten,] Wie Lichter
durch den Schatten blitzen; $S_8,71$] Wie Lichter durch den
Schatten blitzten; $S_9,172$

84,11 Und, kœnnt' ich einen Fyrst beneiden,] Und, könnt'
ich Könige beneiden, $G_2,231$

NEUE IDYLLEN. 1772

Zur Entstehung und Veröffentlichung:

Den genauen Hinweis darauf, wann die ersten Idyllen der
neuen Sammlung entstanden sind, zu welchem Zeitpunkt
also nach so langer poetischer Schaffenspause seit 1762 Geßners Produktivität sich wieder regte, enthält sein Brief an
Ramler vom 9. April 1770, der gleiche Brief, der die bereits
(S. 209) erwähnten frühen, manuskriptnahen Fassungen von
Idyllen enthält, die dann in die Sammlung der *Neuen Idyllen* aufgenommen wurden.
In der Zeit von 1762 bis 1770 hatte Geßner nur dann und
wann zur Feder gegriffen: 1762 schrieb er außer der bei seinen Lebzeiten nie im Druck erschienenen Ode auf die Geburt des Prinzen von Wales (des späteren Königs George IV.)
auch die Zueignung seiner *Schriften* von 1762 an die Königin von England (vgl. dazu Geßners Briefe an Zimmermann
im Zürcher Taschenbuch 1862, bes. S. 164–165, und R. Hamel, G.s Briefe an Tscharner, S. 28–55, ebd. auf S. 44–46
auch der Text der [Prosa-]Ode); die Zueignung stand dann
am Beginn dieser ersten Geßnerschen Gesamtausgabe, in der
neben den früher veröffentlichten nun auch die seit dem
Erscheinen des Bibelepos *Der Tod Abels* entstandenen Dich-

tungen gedruckt waren. 1763 verfaßte Geßner im Auftrage
der »Helvetischen Gesellschaft« die *Antwort auf die letzten
Wünsche eines Helvetischen Patrioten* [d. i. Franz Urs Bal-
thasar]. 1766 scheint Geßner einmal den nie ausgeführten
Plan eines »helvetischen Heldengedichts oder irgend eines
größeren, erzählenden Gedichts aus den mittleren Zeiten«
erwogen zu haben, von dem Wieland in einem Brief an
Geßner vom 18. September 1766 spricht (Wieland, Auswahl
denkwürdiger Briefe, Wien 1815, Bd. 1, S. 49). Vielleicht
fällt in diese Zeit auch der Plan Geßners, »amerikanische
Idyllen« zu schreiben, den C. F. Meyer erwähnt (*Kleinstadt
und Dorf um die Mitte des vorigen Jahrhunderts*. In: Zürcher Taschenbuch 1881). 1767 schrieb Geßner die Vorrede
zur zweiten, im Geßnerschen Verlag erschienenen Auflage
von Gleims Schäferspiel *Der blöde Schäfer*. 1770 erschien
die einzige bedeutsame Schrift dieses Zeitraumes zwischen
der ersten Gesamtausgabe der *Schriften* und den *Neuen
Idyllen,* sein *Brief über die Landschaftsmahlerey.* Der einzige Text, den Geßner nach den *Neuen Idyllen* noch geschrieben hat, ist die kurze Vorrede zu den im Jahre 1787
im Geßnerschen Verlag erschienenen *Fischergedichten und
Erzählungen* seines Schützlings Franz Xaver Bronner, eines
entlaufenen Mönchs, der in Zürich Zuflucht gesucht hatte.
Der *Brief über die Landschaftsmahlerey,* für den Johann
Caspar Füßli als Adressat fungiert, weist gleichsam auf das
Wiedererwachen von Geßners schriftstellerischem Sinn hin,
welcher sich im gleichen Jahr 1770 dann vollends und damit
allerdings auch zum letzten Male überhaupt beweist. Ausdrücklich weist der *Brief* natürlich auf die Tätigkeit hin, der
Geßner vom Beginn der sechziger Jahre an immer stärkeren
Vorzug vor der schriftstellerischen gegeben hatte, seine
Tätigkeit als Maler, Zeichner und Kupferstecher, die letztlich zur ausschließlichen Beschäftigung seiner freien Stunden
wird.
Am Rückgang der poetischen Produktion in der Zeit von
1762 bis 1770 ist allerdings auch und wahrscheinlich vor

allem die gerade in diesen Jahren immer stärker zunehmende
Beanspruchung durch Verpflichtungen öffentlicher, familiä-
rer und geschäftlicher Art schuld. Nach der Heirat im Jahre
1761 hatte er, da diese die Trennung vom Verlag des Vaters
und die Teilhaberschaft in der dem Schwiegervater nahe-
stehenden Firma Orell mit sich gebracht hatte, der Arbeit im
Verlag, die ihm später seine Frau oft abgenommen hat, zunächst mehr Zeit als zuvor widmen müssen – der Briefwechsel mit Wieland in den sechziger Jahren z. B. beweist
seinen Anteil an den Verlagsgeschäften –; 1763 beteiligt sich
Geßner praktisch und finanziell an der neu gegründeten
Porzellanfabrik in Schooren-Bendlikon am Zürichsee, für
die er auch Entwürfe zeichnet und eigenhändig Porzellane
bemalt; fünf Kinder werden in den Jahren 1762, 1763,
1764, 1767 und 1768 geboren, von denen nur drei das erste
Jahr überleben und erwachsen werden; 1765 wird Geßner
zum Mitglied des Großen Rates, 1767 zum Mitglied des
Kleinen Rates der Stadt Zürich gewählt; 1768 übernimmt er
das Amt des Obervogts von Erlenbach bei Zürich; im Jahre
1769 ist Geßner schwer erkrankt. – Offensichtlich ist es diese
Krankheit und die damit eintretende zeitweilige Loslösung
von allen Geschäften dieser Jahre, der wir letztlich das Zustandekommen des *Briefes über die Landschaftsmahlerey*
einerseits und der *Neuen Idyllen* andrerseits verdanken.
Gemeinhin setzt man die Entstehungszeit der »*Neuen Idyllen*« auf den Sommer und den Herbst 1770 an, die Monate,
die Geßner nach seiner Krankheit vom Vorjahr zur Erholung
auf dem Lande zubrachte. Dem Geßnerschen Brief an Gleim
vom 18. April 1772 zufolge, auf den man sich bei dieser
Datierung zumeist stützt, hat Geßner die Sammlung nach
der Rückkehr in die Stadt noch angereichert und dann ab-
geschlossen. Zurückblickend auf die Zeit des Landaufenthaltes von 1770 schreibt Geßner in diesem Brief: »Seit etlichen
Jahren hatte ich auch nicht den kleinsten Versuch in der
Dichtkunst mehr gewagt. Ich lachte, wie die ehrliche Sarah,
wenn man sagte, ich sollte noch Kinder gebären. Vor zwei

Jahren bracht' ich den ganzen Sommer und Herbst mit Weib und Kind auf dem Lande zu, von allen Geschäften entfernt, ausser, die ich mir aus eigener Wahl machte. Götter, wie war ich da glücklich! Meine ländliche Muse besuchte mich wieder, und in dieser glücklichen Lage machte ich die Meisten von diesen Idyllen; die andern nachher in der Stadt, denn nichts konnte die Muse wieder verscheuchen« (W. Körte, Briefe der Schweizer, S. 404).

Geßners oben erwähnter Brief an Ramler vom 9. April 1770 führt uns demgegenüber in das Stadium der ersten Anfänge selbst zurück und erlaubt es, die Entstehungszeit zumindest bis auf das Frühjahr 1770, also noch vor die Zeit des Landaufenthaltes, zurückzudatieren. In dem Brief heißt es: »Gedichtet habe ich seit vielen Jahren nicht. Pläne loffen mir zwar oft, aber nur wie Schatten durch den Kopf, keinen hab ich jemahls gehäget um ihn nur recht anzusehn; vor weniger Zeit hats mich ein paar mal angewandelt, es zu versuchen, obs mir auch noch gelingen würde, und es entstanden ein paar Kleinigkeiten draus. Ich wagt' es mit Furchtsamkeit, wie einer der das 2te Mahl heürathet, ob er sich, wie das erste auch noch gut aus der Sache ziehen werde. Ich möchte sehr gerne von ihnen wissen, ob ichs weiter wagen darf, oder ob ich, als veraltet, diesen Muthwill bleiben lassen soll. Hier sind sie« (F. Wilhelm, Briefe an Ramler, S. 234). Es folgen im Brief die Frühfassungen der Idyllen *Die Zephyre*[9], *Das Gelübd* und das Gedicht *An den Amor*.

---

9. Daß die alsdann in veränderter Fassung gleichzeitig im Göttinger Musenalmanach und im *Almanach der deutschen Musen* für 1771 erschiene Idylle *Die Zephyren* der Erbprinzessin von Braunschweig zugeeignet war, geht darauf zurück, daß J. G. Zimmermann bereits im August 1769 die Verbindung zum Braunschweig-Wolfenbütteler Hof hergestellt hatte. Zimmermann hatte am 4. August 1769 (vgl. Zürcher Taschenbuch 1931, S. 155 f.) Geßner zunächst von einem Gespräch mit der Herzogin Philippine Charlotte, der Mutter Anna Amalias von Sachsen-Weimar, berichtet, die bisher nur den *Tod Abels* gekannt hatte und schon unter diesem Eindruck Geßner ihre Hochachtung übermitteln ließ. Zimmermann empfiehlt Geßner sodann nachdrücklich, ein Exemplar seiner Gesamtausgabe für die Herzogin und ein weiteres eben für die

Geßner ist sich in diesem Stadium offenbar seiner Sache
noch nicht sicher; an eine neue Sammlung von Idyllen wagt
er in diesem frühen Stadium noch nicht recht zu glauben.
Eine ermutigende Reaktion Ramlers auf diese ersten tasten-
den Versuche ist nicht überliefert, scheint auch nicht erfolgt
zu sein, denn selbst auf die Übersendung der fertigen Ausgabe der *Neuen Idyllen* am 18. April 1772 hat Ramler, obschon von Geßner danach wiederholt um seine ehrliche Meinung gebeten, erst dreieinhalb Jahre später, am 5. November
1775, ziemlich ausweichend geantwortet (vgl. C. Schüddekopf, Aus dem Briefwechsel zwischen Gessner und Ramler,
S. 108 f., 111 und 113). Für den Leser der *Neuen Idyllen*
ist der frühere Brief an Ramler, der vom 9. April 1770, in-
sofern wichtig, als er den Blick darauf lenkt, daß nicht alle
Idyllen dieser Sammlung Geschenke jenes glücklichen Sommers und Herbstes sind, sondern daß eine Werkschicht exi-
stiert, die Geßner selbst, furchtsam und ungewiß, was daraus
werden solle, als »Kleinigkeiten« bezeichnet hat: Die scheinbar zufällige Verwendung des Ausdruckes »Kleinigkeiten«

Erbprinzessin, »eine Schwester des Königs von England«, wie Zimmermann nicht zu sagen vergißt (d. i. Auguste Friederike 1737–1813), zu
übersenden; außerdem regt er an, »für diese liebenswürdigste aller
Prinzessinnen in der Welt« (ebd. S. 156) einen besonderen Brief hinzu-
zufügen. Trotz der schlechten Erfahrungen, die Geßner im Jahre 1762
mit seiner Huldigung an die Königin von England gemacht hatte, an die
er nun Zimmermann auch ausdrücklich erinnert (Zürcher Taschenbuch
1862, S. 164 f.), sagt er die Übersendung der beiden Exemplare seiner
Schriften zu, die dann vom Abt Jerusalem ausgehändigt worden sind
(vgl. Zürcher Taschenbuch 1862, S. 169–170 und Zürcher Taschenbuch
1931, S. 181–182). Offensichtlich hatte dann die kürzlich entstandene, im
Brief an Ramler vom 9. April noch zusammen mit anderen mitgeteilte
Idylle *Die Zephyren* die Rolle des von Zimmermann angeregten besonderen Huldigungsbriefes an die Erbprinzessin übernommen: Am 29. Mai
1770 spricht Geßner in seinem Brief an Zimmermann (Zürcher Taschenbuch 1862, S. 165) von einem Brief an die Herzogin und fährt dann
fort: »von der kleinen Idylle, die selbigem beygefügt ist, möcht ich von
Ihnen gar sehr gerne wißen, ob Sie glauben, daß es rathsam wäre, noch
etwas in der Art zu wagen.« Als Geßner in den beiden Almanachen für
1771 dann die Idylle *Die Zephyren* veröffentlicht, geschieht es mit der
ausdrücklichen Widmung an die Erbprinzessin.

erinnert an einen frühen Brief Geßners an Schultheß vom 4. Juli 1752, in dem von dem damals gerade erschienenen (Lessingschen) Gedichtband »Kleinigkeiten« als einem (in Geßners Augen) typischen Beispiel der seinerzeit herrschenden Zeitmode anakreontischer Lyrik die Rede war (vgl. Wölfflin, S. 156), und offensichtlich weiß Geßner selbst, daß er jetzt, beim Wiederansetzen, in die früherprobte, aber schon damals nicht ohne innere Zweifel geübte Rokokomanier zurückgeglitten war. Möglicherweise hätten die an Ramler übersandten Stücke dann auch nur ein Schattendasein am Rande von Geßners eigentlichem Gesamtwerk geführt und das Beispiel eines vergeblichen, späten Versuches, nach frühem Ruhm noch einmal dichterisch produktiv zu werden, dargestellt, wäre ihm nicht zu seiner eigenen Überraschung im Sommer des gleichen Jahres eine Fülle ganz anders gearteter Idyllen »zugefallen«, die ihm wert schienen, die Hauptmasse einer neuen Idyllensammlung zu bilden. Erst als diese dann, vermehrt durch die danach »in der Stadt« noch entstandenen, vorlagen, hatten auch die allerersten Stücke einen Ort bekommen. So kommt es, daß in der Sammlung der *Neuen Idyllen* dem Datum ihrer Entstehung nach zwar wirklich nur »neue« Idyllen vereinigt sind, der inneren und äußeren Gestalt nach jedoch Allerfrühestes und wirklich Neues nebeneinandersteht: die als Lockerungsübungen nach langjähriger Pause aufzufassenden Routinestückchen zum einen, mit denen Geßner sich im Jahre 1770 wohl zu Recht als »veraltet« vorkam und denen gegenüber der Spott des jungen Goethe über die »elfenbeinernen Nymphenfüßchen« verständlich sein mag, und zum andern die durchaus neuartigen und mit sicherem Strich gemeisterten Stücke von der Art des *Herbstmorgens* und der Idylle *Mycon* mit ihren hinreißend schönen Eingängen, deren einzigartige Verbindung von idealer Vision und plastisch-konkret gesehener Bildlichkeit u. a. in Lyrik und Prosa des jungen Goethe ihre Wirkung gehabt hat und die selbst im Vergleich mit den besten Idyllen der ersten Sammlung noch eine Stei-

gerung darstellen. Es sind diese wirklich »neuen« Idyllen
– und das dürfte die im Rückblick auf die ganze Sammlung
nunmehr ausschließliche Betonung der erfüllten Sommer-
und Herbstmonate des Jahres 1770 erklären –, an die Geßner selbst denkt, wenn er z. B. am 28. Mai 1771 an Zimmermann schreibt: »[...] letzteres Jahr, bey einem Aufenthalt
von einigen Monaten auf dem Lande hab ich einige Idyllen
geschrieben, und seitdem fortgefahren, und ich denke sie auf
künftige Ostermesse 1772 druken zu lassen. Es wird ein
5. Bändgen zu meinen Schriften werden; ich hoffe, ich sey
nicht hinter mir selbst zurücke geblieben, und daß ich, da ich
in Absicht auf Kunst die Natur genauer als je beobachtet
habe, auch für die Poesie etwas dabey gewonnen habe«
(Zürcher Taschenbuch 1862, S. 168 f.). Vollends wird dies
deutlich in dem späteren Brief an Ramler, der nach dem
Erscheinen der *Neuen Idyllen* geschrieben ist und der das
Ramler zugedachte Exemplar der Ausgabe begleitet; er ist
übrigens am gleichen Tag geschrieben wie der soeben schon
zitierte an Gleim, nämlich am 18. April 1772, und sagt manches ähnlich, anderes jedoch ausdrücklicher: »Ich habe für
gewiß geglaubt, ich werde nie wieder als Dichter erscheinen.
In vielen Jahren hatte ich auch nicht den kleinsten Versuch
gemacht, abgeänderte Umstände, andre Beschäftigungen, besonders hatte ich mich der Zeichnung mit Eifer gewiedmet
und gab dieser jede meiner Übrigen Stunden. Ein Aufenthalt auf dem Lande vo[n?] einigen Monaten, wo ich ganz
seyn konte, was ich wollte, brachte mich wieder zurück.
Muße und die schönste Natur um mich her, thaten ihre
ganze Würkung. Ich entwarf mit dem gleichen Griffel meine
Zeichnungen und meine Poetischen Gemählde, und solte man
nicht etwa hier und da Spuren finden, daß ich die Natur
mehr in der Nähe gesehen habe, als ein und andrer unsrer
Dichter? Mich dünkt, ich empfinde selbst, daß diese lezten
Idyllen, in ihrem Charakter und vielleicht auch Thon etwas
andres haben als die ersten. Sagen sie mir doch, theürester
Freünd, wie finden sie diese in Vergleichung mit jenen«

(C. Schüddekopf, Aus dem Briefwechsel zwischen Gessner
und Ramler, S. 108 f.). Ähnlich hatte Geßner schon am
1. März 1771 an Heinrich Meister geschrieben: [...] ich arbeite an Idyllen, von denen ich hoffe, sie werden in keiner
Absicht hinter den ersten [von 1756] zurück sein, in ein
paar Absichten vielleicht die ersten übertreffen« (P. Usteri,
Briefwechsel Salomon Geßners mit Heinrich Meister, S.
345).[10]

10. Als weiterer Beleg führen wir hier noch die in beiden Fällen sehr
ähnlich klingenden Stellen aus Geßners Briefen an Fr. Nicolai und
J. G. Zimmermann an. – An Nicolai, 4. April 1772: »In kurzem werden
Sie ein kleines Geschenk von mir erhalten, den neuen 5. Theil von meinen Schriften. Möchten diese Dingergen ganz nach ihrem Geschmake
seyn! Das Publicum wars nun schon gewohnt, nichts mehr von mir zu
erwarten und dennoch wag' ich wieder. Ich selbst hatte es ganz aufgegeben, noch einmahl als Dichter zuerscheinen, aber ein glüklicher Aufenthalt auf dem Lande vor 2 Jahren, eine glükliche ungestöhrte Ruhe in
einer schönen Gegend, machte, mag es nicht in einer unglüklichen Stunde
geschehen seyn, daß ichs wieder versuchte. Ich wollt' es nur versuchen,
aber wie ein Fieber wandelte es mich wieder an und verließ mich bis
jezt nicht. Ich wählte wieder die Dichtart, die die Deutschen mir zu
überlassen schienen, um so viel mehr, weil ich damahls vorzüglich beschäftigt war, die Schönheiten der Natur als Mahler zustudieren. Diese
beyderley Beschäftigungen stöhrten einander nicht, sie nuzten eine der
andern. Sollte man nicht etwa hier und da eine Spur finden, daß der
Dichter ein Mahler ist, der die Natur gesehen hat? Etwas wünschte ich
von meinen critischen Freunden, und zwahr vorzüglich wünsch' ichs von
Ihnen, daß Sie mir treuherzig sagen würden, wie sich diese neuen
Idyllen zu den erstern verhalten. Mehrers Alter, abgeänderte Umstände,
müssen ihren Einfluß gehabt haben, und das ist doch eines critischen
Blickes werth. Wie sehr werden Sie mich verpflichten, wenn Sie mir
Ihre ganze Meinung sagen« (Zürcher Taschenbuch 1934, S. 150 f.). – An
Zimmermann, 3. April 1772: »Wißen Sie denn, mein liebster Freund! ich
werde wieder als Dichter vor der Welt erscheinen, schon ists fast ganz
aus der Preße, ganz niedlich gedruckt, und – nun, das hätte er können
bleiben lassen, werden Sie vielleicht denken. Aber, da die Sache nun
einmal geschehen ist, so wollen wirs von der guten Seite ansehen. Ich
würde selbst darauf gewettet haben, daß es nie wieder mit mir dahin
kommen würde. Geschäfte und die Raserey als Künstler noch groß zu
werden, hatten mich ganz von der Dichtkunst weggenommen. Ungestöhrte Ruhe auf dem Lande brachte mich wieder zurück, aber wie es
mir gelungen sey, das bin ich ganz ungeduldig von Ihnen zu wißen, und
der größeste Beweis Ihrer Freundschaft soll seyn, daß Sie mir mit Of-

Nach allem läßt sich die Entstehungszeit der *Neuen Idyllen*
ziemlich genau festlegen: Sie beginnt mit den ersten tasten-
den Versuchen vom Frühjahr 1770 in der von Geßner selbst
seither eigentlich längst überwundenen Rokokomanier; sie
hat ihren Höhepunkt in den Monaten des Landaufenthaltes
vom Sommer und Herbst 1770, in denen »die Meisten« der
wirklich »neuen« Idyllen entstanden sind; weitere Idyllen
sind dann »nachher in der Stadt« geschrieben worden, dies
ist die letzte Phase der Produktion, die sich offensichtlich
vom Herbst 1770 bis zum Frühjahr 1771 erstreckt, denn in
der soeben zitierten Äußerung aus dem Brief an Heinrich
Meister vom 1. März 1771 sehen wir Geßner noch im Stadium des Schreibens (»ich arbeite [d. h. noch immer] an Idyllen«), während die ebenfalls hier zitierte Äußerung aus dem
relativ kurze Zeit danach, am 28. Mai 1771, geschriebenen
Brief an Zimmermann annehmen läßt, daß Geßner von seinen neuen Idyllen bereits als von einem inzwischen abge-
schlossenen Komplex spricht, zumal er mit der »künftigen
Ostermesse 1772« schon einen so definitiven Erscheinungs-
termin nennt.
Zur »Ostermesse 1772« sind die *Neuen Idyllen* dann auch
tatsächlich erschienen. Am 3. April 1772 heißt es von dem
neuen Bändchen: »schon ists fast ganz aus der Preße«, und
am 18. April kann Geßner ein Exemplar der Ausgabe sowohl an Gleim (»[...] ein Geschenk [...], mit einigen Din-
gerchen, mit denen ich vor der Welt zu erscheinen wage.«
Körte, Briefe der Schweizer, S. 403) wie auch an Ramler

fenherzigkeit sagen, was Ihnen an meinen neuen Idyllen vorzüglich
gefällt und mißfällt, und besonders, wie [s]ie Ihnen in Vergleichung mit
jenen gefallen, die ich vor so viel Jahren und so viel jünger gemacht
hatte. Damahls ein junger Schwärmer, izt ein glüklicher Ehemann, damahls für alles unbekümmert, izt ein Mann, der für die Seinigen zu
sorgen hat; das alles muß doch seinen Einfluß haben, und diese Untersuchung ist doch Ihres Blickes werth. Ich glaube zu empfinden, daß
meine Beschäftigung mit der Kunst nicht wenig Einfluß auf meine poetische Sprache müsse gehabt haben. Wie sehr werden Sie mich verbinden,
wenn Sie mir hierüber Ihre Gedanken sagen!« (Zürcher Taschenbuch
1862, S. 171 f.).

schicken (»Hier, mein Theürester Freünd, send ich ihnen ein
kleines Geschenke, aber ich send es ihnen mit einiger Furchtsamkeit. Wie werden sie diese neüen Idyllen finden? [...]
Ich habe diese Dichtarth wieder gewählt, weil man mir so
oft gesagt hat, daß ich vorzüglich zu diesem ein gut Geschike
habe, und weil ich sah, daß Deütschland von guten Sachen
in dieser Arth seither eben nicht überschwemmt worden ist.«
C. Schüddekopf, Aus dem Briefwechsel zwischen Gessner
und Ramler, S. 108). Wenig später dürfte auch Wieland das
ihm von Geßner übersandte Exemplar bekommen haben,
wie sein Dankbrief vom 20. Juni 1772 bezeugt. Schon am
13. Dezember 1771 hatte er begeistert auf Geßners Mittei-
lung von der bevorstehenden Veröffentlichung der neuen
Idyllensammlung reagiert: »Es bedurfte nur eines so freundschaftlichen, so angenehmen, und mit der reizenden Hoffnung, bald neue Idyllen von dem Günstlinge der schönen
Natur und ihren naiven Grazien zu sehen, begleiteten Briefs,
wie derjenige, womit Sie mich endlich erfreut haben, um die
Wunde auf einmal zu heilen, welche der Gedanke, vergessen
zu seyn, in mein Herz gemacht hatte. Empfangen Sie, mein
liebenswürdiger Geßner, meinen zärtlichen Dank für das
Vergnügen, das Sie mir durch die Versicherung von Ihrer
unveränderten Zuneigung und durch das süße Erwarten der
sehnlich gewünschten Früchte Ihrer ländlichen Muse im Jahre
1770 gegeben haben. Ich habe nicht zu sagen nötig, daß ich
die Tage zähle, bis ich dieses neue Geschenk, das Sie den
Liebhabern des Schönen und Guten machen, verschlingen
werde« (Chr. M. Wieland, Auswahl denkwürdiger Briefe,
S. 101 f.). Anders als die Vertreter der jüngeren Generation,
z. B. Goethe in seiner im Sommer 1772 in Wetzlar geschriebenen und sodann in den *Frankfurter Gelehrten Anzeigen*
anonym erschienenen Rezension der *Neuen Idyllen*, äußert
sich Wieland in seinem Brief an Geßner vom 20. Juni 1772
enthusiastisch, als er das Exemplar dann in Händen hat:
»Tausend, tausend Dank, mein vortrefflichster Freund, für
Ihre neuen Idyllen, welche, wiewohl man von Ihnen nichts

als Meisterstücke erwartet, meine Erwartung selbst übertroffen. Ich habe sie erst einmal, und also dieses erstemal bloß als ein empfindsamer Leser gelesen, oder vielmehr verschlungen, und jetzt schon danke ich Ihnen für einige der süßesten Augenblicke meines ganzen Lebens. Aber sobald ich sie eingebunden wieder haben werde, will ich sie studieren; denn schon die erste hinreißende Lektüre hat mich auf allen Seiten neue Schönheiten, neue Farbenmischungen, neue Arten, die reinsten Eindrücke der Natur in die Seelen der Leser überzutragen, neue Geheimnisse der psychagogischen Kunst wahrnehmen gemacht, welche die Natur ihrem vertrautesten Lieblinge entdeckt hat. Die beygefügten Erzählungen von Diderot sind ein kostbares Geschenk, das Sie und Ihr Freund der Welt machen, und die Übersetzung ist ein wahres Original. Mein Verlangen nach der neuen Ausgabe einer französischen Übersetzung aller Ihrer Idyllen mit Vignetten und Kupfern ist unbeschreiblich« (Chr. M. Wieland, Auswahl denkwürdiger Briefe, S. 107 f.).

Die von Wieland erwähnten, den neuen Idyllen Geßners »beygefügten Erzählungen von Diderot« sind keineswegs, wie man es immer wieder, vor allem von älteren Geßnerliebhabern zu lesen und zu hören bekommt, eine bloße Kuriosität oder gar Zufälligkeit in der Geschichte des Geßnerschen Werkes. Geßner selbst hat die beiden »contes moraux« Diderots, *Die beyden Freunde von Bourbonne* und *Unterredung eines Vaters mit seinen Kindern. Oder: Von der Gefahr sich über die Gesetze hinwegzusetzen*, offensichtlich als integralen Bestandteil der Erstausgabe seiner neuen Idyllensammlung angesehen und in den gleichzeitig gedruckten Ergänzungsbänden zu den verschiedenen Gesamtausgaben seiner *Schriften* auch stehengelassen; lediglich eine billige Volksausgabe aus dem gleichen Jahre 1772, die übrigens auch keine Vignetten enthielt, erschien ohne Diderots *Moralische Erzählungen* unter dem einfachen Titel *Salomon Geßners Neue Idyllen*. Immer wieder wurden danach die

Diderotschen Erzählungen in den Gesamtausgaben von Geßners Schriften mit abgedruckt.

Mehr als die Germanisten, die mit dieser höchst bemerkenswerten Gemeinschaftspublikation nicht viel anzufangen
wußten, haben sich die Romanisten und Komparatisten für
diese Ausgabe interessiert, so z. B. Daniel Muller, der 1928
die französische Diderotforschung darauf hinwies, daß
nicht – wie u. a. der Diderot-Herausgeber Assezat fälschlich
angibt (Oeuvres complètes de Diderot, ed. par J. Assezat,
tome 5, 1875, S. 264) – die von Geßner in Zusammenarbeit
mit Heinrich Meister im Jahre 1773 veranstaltete französische Ausgabe der *Contes Moraux et Nouvelles Idylles* die
Erstausgabe der beiden ›Contes‹ darstelle, sondern die deutsche Ausgabe von 1772 mit Geßners eigener Übersetzung der
Diderotschen Erzählungen. Aber schon 1908 hatte Paul
Usteri den Briefwechsel Geßners mit Heinrich Meister (s.
Bibliographie, S. 309) veröffentlicht, der bis in die z. T. hochinteressanten Details hinein das Zustandekommen der gemeinsamen Veröffentlichung von neuen Dichtungen des gro
ßen französischen Aufklärers und des Schweizer Idyllikers
vermittelt; Heinrich Meister, ein aus seiner Heimatstadt als
Autor der Schrift *De l'origine des principes religieux* (1769)
verbannter und im Kreis der Pariser Enzyklopädisten seitdem heimisch gewordener Zürcher, war es gewesen, der die
schon 1760 zustande gekommene Beziehung Diderots zu Geßner neu belebt und Diderots Vorschlag übermittelt hatte,
die zur gleichen Zeit wie Geßners neue Idyllen im Sommer
1770 entstandenen beiden ›Contes‹ im gleichen Band zu veröffentlichen.

Leider ist hier nicht der Raum, Diderots Rolle im Kontext
mit Geßner eingehend zu schildern, eine Aufgabe, die bisher
nur aus der Perspektive der Diderot-Forschung (vgl. vor
allem: Roland Mortier, Diderot en Allemagne, frz. 1954,
dt. 1967; ebd. auch vollständiger bibliographischer Nachweis
der bisherigen Bemühungen) in Angriff genommen worden
ist, wobei natürlich Diderot mehr als (der dabei zumeist

unterschätzte) Geßner im Vordergrund des Interesses gestanden hat. Eine übergreifende Darstellung der mit Geßners und Diderots Verbindung gegebenen und in der zeitgenössischen Kritik z. T. durchdachten Problematik werde ich
demnächst an anderer Stelle veröffentlichen.

Wer die beiden, auf ihre Art beunruhigenden und tiefere
Unruhe beabsichtigenden Erzählungen Diderots nach den
vermeintlich so affirmativ gearteten Idyllen Geßners liest,
wird die Verblüffung der Zeitgenossen verstehen, wie sie
sich auf exemplarische Weise bei dem Rezensenten des Pariser *Journal encyclopédique* artikulierte, der sich angesichts
des Kontrastes Diderot-Geßner an das Horazische Bild »Tiger mit Lämmern« erinnert fand.

Vorstufen einzelner Idyllen:

[Br] *Das Gelübd, Die Zephyre* und *An den Amor.* Manuskriptnahe Fassung in Geßners Brief an Ramler vom
9. April 1770; abgedruckt bei F. Wilhelm, Briefe an
Karl Wilhelm Ramler. In: Vierteljahrschrift für Litteraturgeschichte 4 (1891), S. 234 f.

[Ala] *Die Zephyren. Ihro Königlichen Hoheit der Erbprinzessin* [Auguste Friederike, 1737–1813] *von Braunschweig gewidmet.* In: Göttinger Musenalmanach auf
1771, S. 31–34 (hier zitiert nach dem Neudruck des
Musenalmanachs 1771 in: Dt. Literaturdenkmäler des
18. und 19. Jh.s Bd. 52/53. Hrsg. von Carl Redlich.
Stuttgart 1895, S. 19 f.).

[Alb] *Die Zephyren.* [etc.] In: Almanach der Deutschen
Musen auf das Jahr 1771. S. 83 f.

Ausgaben:

[Eᵃ]   [Neue Idyllen. In:] Moralische Erzählungen und
       Idyllen von Diderot und S. Gessner. Zürich: Orell,
       Gessner, Füssli u. Comp. 1772. – 273 S., Antiqua, mit
       10 neuen Radierungen Geßners. 8°.
       [Darin: Geßners (Neue) Idyllen, S. 3–130. – An den
       Leser, S. 133–134. Erzählungen von Diderot: Die
       beyden Freunde von Bourbonne, S. 135–159. Brief
       von Herrn Papin, Doktor der Gottesgelehrtheit und
       Pfarrer bey St. Maria zu Bourbonne, S. 160–170.
       Unterredung eines Vaters mit seinen Kindern, S. 171
       bis 228. – (Geßners) Brief über die Landschaftsmahle-
       rey. An Herrn Fuesslin, den Verfasser der Geschichte
       der besten Künstler in der Schweitz, S. 229–273].

[Eᵇ]   Moralische Erzählungen und Idyllen von Diderot und
       S. Geßner. Zürich: Orell, Geßner, Füßli u. Comp.
       1772. – 273 S., Fraktur, ohne die Radierungen. 8°.

[Eᶜ]   Salomon Geßners Neue Idyllen. Zürich: Orell, Geß-
       ner, Füßli u. Comp. 1772. – 174 S. [ohne die Erzäh-
       lungen Diderots, aber noch mit dem *Brief über die
       Landschaftsmahlerey*], Fraktur, ohne Radierungen.
       8°.
       Im gleichen Jahr 1772 erschienen Diderots *Erzählun-
       gen* und Geßners *Neue Idyllen* mitsamt dem *Brief
       über die Landschaftsmahlerey* in der jeweils passenden
       Form eines Ergänzungsbandes zu den allesamt noch
       im Handel befindlichen Ausgaben der *Schriften* aus
       den Jahren 1765 bis 1770: im Antiqua-Satz zur Kom-
       plementierung der jeweils 4bändig erschienenen Aus-
       gaben ²1765 und ⁴1770, im Fraktursatz zur Komple-
       mentierung der jeweils 2bändig erschienenen Ausgaben
       ³1767 und ⁵1770; mit der Jahreszahl 1772 stellt sich
       sogar der 3. Band der 1774 in zwei Fraktur-Bänden
       erschienenen 6. Ausgabe der *Schriften* als einer jener
       Erzählungsbände heraus. Offensichtlich hat Geßner

von den Einzelausgaben in Antiqua (Eᵃ) und Fraktur
(Eᵇ) entsprechend mehr Exemplare drucken lassen und
dann mit dem entsprechenden Titelblatt versehen.
Textlich und typographisch sind die Ergänzungsbände
der Antiqua-Ausgaben S₂ und S₄ mit Eᵃ, die Ergänzungsbände der Fraktur-Ausgaben S₃, S₅ und S₆ mit
Eᵇ identisch:

[EᵃS₂] [EᵃS₄]	S. Gessners Schriften. V. Teil. Zürich: Orell, Gessner, Füssli u. Comp. 1772. – 273 S., Antiqua, mit den 10 neuen Radierungen Geßners. 8°.

[EᵇS₃] [EᵇS₅] [EᵇS₆]	Salomon Geßners Schriften. III. Band. Zürich: Orell, Geßner, Füßli u. Comp. 1772. – 273 S., Fraktur, ohne die Radierungen. 8°.

Wenig bekannt – und so auch nicht in dem Verzeichnis der Geßnerschen Ausgaben bei Leemann-Van
Elck berücksichtigt – ist der Umstand, daß Geßner
für einen Teil der Auflage der 1774 in zwei Frakturbänden erschienenen 6. Ausgabe der *Schriften* anstelle
des offensichtlich vorzeitig zur Neige gegangenen
3. Bandes von 1772 im Jahre 1777 den 3. Band mit
den *Neuen Idyllen* noch einmal hat drucken lassen,
der bereits fast alle Änderungen enthält, die man zunächst der Prachtausgabe von 1777/78 zugute halten
möchte. Deren Abweichungen von diesem Band sind
denn auch nicht sehr zahlreich. Ungleich mehr Änderungen finden sich dann noch in den beiden danach
erschienenen, nunmehr letzten Ausgaben der *Schriften*
von 1782 und 1788. Somit hätten wir vier Ausgaben,
welche Revisionen der ursprünglichen Ausgabe von
1772 enthalten:

[R₁] [Neue Idyllen. In:] Salomon Geßners Schriften.
Zürich: Orell, Geßner, Füßli u. Comp. ⁶1774/77.
3. Band [1777], S. 5–94.

[R₂] [Neue Idyllen. In:] Salomon Gessners Schriften. Zürich: [»Beym Verfasser«] Gessner. ⁷1777 bis 1778. II. Band [1778], S. 5–99.

[R₃] [Neue Idyllen. In:] Salomon Geßners Schriften. Zürich: Orell, Geßner, Füßli u. Comp. ⁸1782. II. Band, S. 86–146.

[R₄] [Neue Idyllen. In:] Sal. Gessner Schriften. Zürich: Orell, Gessner, Füssli u. Comp. ⁹1788. II. Band, S. 80–156.

Im Jahr darauf, 1773, erschienen zwei französische Ausgaben der gemeinschaftlichen Veröffentlichung Geßners und Diderots in Geßners Züricher Verlagen, in denen die Erzählungen Diderots am Anfang standen und in denen die Übersetzung der Geßnerschen Idyllen eigentlich von Michael Huber, dem Übersetzer aller zuvor in Frankreich erschienenen Werke Geßners, stammte, die aber wiederum noch einmal durchgesehen und schließlich völlig überarbeitet war von Heinrich Meister in Verbindung mit Turgot, Watelet und Diderot. Bei der hier zuerst aufgeführten Quartausgabe handelt es sich um eine in 20 Exemplaren gedruckte Luxusausgabe mit ganzseitigen Radierungen und weiteren Vignetten. Eigentliche Verbreitung in Frankreich fand die auffallend bescheiden ausgestattete Oktavausgabe.

Contes Moraux et Nouvelles Idylles de D... et Salomon Gessner. Zuric: Gessner. 1773. – VI und 184 S., Antiqua, mit 10 ganzseitigen Radierungen und 26 radierten Vignetten. 4°.

Contes Moraux et Nouvelles Idylles de Mrs. D... et Gessner. Zuric: Orell, Gessner, Fuessli u. Comp. 1773. – 262 S., Antiqua, mit 1 Radierung. 8°.

Lesarten:

Daphne. Chloe
89,11 ihr mannigfaltigen Pflanzen] ihr mannichfaltigen
   Pflanzen R_1,8
89,26 sie stand stille.] Sie stund still. R_1,9] sie stund stille.
   R_2,9
89,32 die schattigten Aeste] die schattigen Aeste R_1,9] die
   schattigten Aeste R_3,90] die schattigen Aeste R_4,83
90,4 gestand] gestund R_1,9

Der Blumenstraus
90,18 stand] stund R_1,10
91,1 stand] stund R_1,11
91,7 stand] stund R_1,11
91,10 stand] stund R_1,12
91,16 f. O mögtet ihr, kleine Tauben, mögtet ihr] O möchtet ihr, kleine Tauben, möchtet ihr R_1,12

Daphne. Micon
91,28 du weissest es] du weißt es R_1,13
91,32 in unsern Busen] in unserm Busen R_1,13
92,1 Weissest du was?] Weißt du was? R_1,13
92,5 Weissest du noch? Weißt du noch? R_1,13
92,8 f. von Haselnüssen] von Hasselnüssen R_1,14] von Haselnüssen R_2,92
92,23 f. weissest du noch?] weißt du noch? R_1,14
92,30 f. inner unsern Zaun] in unsern Zaun hinein R_1,15
92,32 Beth] Bett R_1,15
93,2 Beth] Bett R_1,15
93,5 Kefigt] Käficht R_1,15] Kaeficht R_2,16] Käfich R_3,88

Der Herbstmorgen [in R_2 nicht mitabgedruckt]
95,8 standen] stunden R_1,19
95,11 standen] stunden R_1,19
95,17 stand] stund R_1,20

95,34 f. mit einer Gattin theilt, die] mit einer Gattin theilt,
    welche R_1,20] mit einer Gattin theilt, die R_3,97
96,29 ihr anmuthsvolle Kinder] ihr anmuthsvollen Kinder
    R_1,22
97,1 f. mich ruffet] mich rufet R_1,22

Das Gelübd] Das Gelübde R_1,19
Entstehung : Frühjahr 1770.
Br,235 mein Blut wasche, das von der Wunde floss; gebt
    daß sie unschädlich sey, ihr Nymphen, dieser Quelle!]
98,19–21 mein Blut wasche, das aus der Wunde floß! Laßt,
    o laßt mirs heilsam seyn, ihr Nymphen dieser Quelle:

Br,235 Da unter meinen Streichen der Wolf noch range,]
98,24 f. Als unter meinen Streichen der Wolf noch rang,

Br,235 verwundt]
98,26 verwundet

Br,235 wenn ich die reine Quelle, mit meinem Blut jetzt
    trübe, das aus der Wunde floss.]
98,27–29 wenn ich die reine Quelle trübe, mit Blut das aus
    der Wunde floß! Ein junges Böckgen [Böckchen R_1,19]
    will ich morgen früh euch hier am Ufer opfern, weiß wie
    der Schnee der eben fiel.

Die Zephyren *Al*ᵃ,31] Die Zephyre
Entstehung : Frühjahr 1770.
Br,234 1.ᵗʳ Zephir *[so durch die ganze Idylle]*]
99,2 Erster Zephyr.

Br,234 Komm fliege mit mir ins Thal, dort baden Nymphen
    sich im Teich.]
*Al*ᵃ,31 Komm! Komm! Ich fliege mit dir ins Thal; dort ba-
    den Nymphen sich im schattigten Teich.]
99,3 f. Komm, fliege mit mir ins schattigte Thal; dort baden
    Nymphen sich im Teich.] Komm, fliege mit mir ins schat-
    tige Thal; dort baden Nymphen sich im Teich. R_1,20]

Komm, fliege mit mir ins schattige Thal; dort baden sich
Nymphen im Teiche. *R₂,100*] Komm, fliege mit mir ins
schattige Thal; dort baden Nymphen sich im Teiche.
R₃,95

Br,234 2.^{tr} Zephir *[so durch die ganze Idylle]*]
99,5 Zweyter Zephyr.

Br,324 Ich fliege nicht mit dir; ein süsser Geschäft will ich
verrichten, als müssige Nymphen zu umflatern, hier kühl
ich meine Flügel im Thau der Rosen, und sammle liebliche Gerüche.]
Ala,32 Nein, ich fliege nicht mit dir; ein süsser Geschäft
will ich verrichten, als müßige Nymphen zu umflattern;
hier kühl ich meine Flügel im Rosenthau, und sammle
liebliche Gerüche.]
99,5–8 Nein, ich fliege nicht mit dir. Fliege du zum Teich,
umflattre deine Nymphen; ein süsseres Geschäft will ich
verrichten. Hier kühl ich meine Flügel im Rosenthau, und
sammle liebliche Gerüche.

Br,324 Was ist denn dein Geschäft, das süsser ist, als in die
muthwilligen Spiele der Nymphen sich zumischen?]
Ala,32 ebenso
99,9 f. Was ist denn dein Geschäft, das süsser ist, als in die
Spiele froher Nymphen sich zu mischen?

Br,324 Mit einem Korb geht sie mit jedem Morgen-Roth zu
jener Hütte, und reicht der Armuth Trost und jeden Tages Nahrung; dort wohnt ein Weib, fromm, krank und
arm.]
Ala,32–33 Mit einem Korb geht sie mit jedem Morgenroth
zu jener Hütte, die dort am Hügel steht; die Morgen-
sonne glänzt an das bemooste *[33]* Dach; dort reichet sie
der Armuth Trost und jedes Tages Nahrung; dort wohnt
ein Weib, fromm, krank und arm;]
99,13–17 Mit einem vollen Korb [Korbe *R₁,21*] geht sie bey
jedem Morgenroth zu jener Hütte, die dort am Hügel

steht: Sieh, die Morgensonne glänzt an ihr bemoostes Dach; dort reichet sie der Armuth Trost, und jeden [jedes $R_1,21$] Tages Nahrung; dort wohnt ein Weib, fromm, krank und arm;

Br,234 Zwey unschuldvolle Kinder würden hungernd an ihrem Bette weinen.]

*Al*ª,33 *ebenso*

99,17–19 zwey unschuldvolle Kinder würden hungernd an ihrem Bethe [Bette $R_1,21$] weinen, wäre Daphne nicht ihr Trost.

Br,234 glänzende Thränen im Unschuldvollen Auge,]

*Al*ª,33 glänzende Tropfen im dunkelblauen Auge,]

99,20 Thränen im unschuldvollen Auge;

Br,234 Hier wart ich ihr im Rosenbusch, bis ich sie kommen seh. Mit kühlen Schwingen flieg ich ihr dann entgegen, und mit süssen Gerüchen, erquike ihre Wangen, und küsse Thränen von ihren Augen;]

*Al*ª,33 Hier wart ich, hier im Rosenbusch, bis ich sie kommen seh; mit kühlenden Schwingen flieg ich ihr dann entgegen, und mit süssen Gerüchen, erquick ihre Wangen, und küsse die Thränen von ihren Augen.]

99,22–25 Hier wart' ich, hier im Rosenbusch, bis ich sie kommen sehe: Mit dem Geruche der Rosen, und mit kühlen Schwingen flieg' ich ihr dann ent-*[36]*gegen; dann kühl' ich ihre Wangen, und küsse Thränen von ihren Augen.

Br,234 Du rührest mich, welch süss Geschäft ist das! Auch ich will meine Flügel kühlen, will mit dir fliegen, wenn sie komt.]

*Al*ª,33–34 Du rührst mich. Welch süsses Geschäft ist das! Auch ich will meine Flügel kühlen, will mit dir fliegen, *[34]* wenn sie kömmt.]

99,27–29 Du rührest mich: Wie süß ist dein Geschäft! Mit dir will ich meine Flügel kühlen, mit dir Gerüche sammeln, mit dir will ich fliegen, wenn sie kömmt.

Br,234–235 Doch sieh, am Weiden-Busch komt sie daher;
welch ernste Unschuld reizt auf ihren Wangen, welch
nachlässiger *[235]* Reiz in jeder Geberde! Auf, schwinge
deine Flügel; so schöne Wangen hab ich noch nie gekühlt.]

*Al*ª,34 Doch sieh, am Weidenbusch kömmt sie daher! Welche
ernste Unschuld reizt auf ihren Wangen, welch nachlässiger Reiz in jeder Gebärde! Auf schwinge deine Flügel!
So schöne Wangen hab ich noch nie gekühlt.]

99,30–34 Doch – – – sieh, am Weidenbusch herauf kömmt
sie daher; schön ist sie wie der Morgen; Unschuld lächelt
sanft auf ihren Wangen, voll Anmuth ist jede Gebehrde
[Geberde R_1,22]. Auf, da ist sie, schwinge deine Flügel;
so schöne Wangen hab ich noch nie gekühlt!

Daphnis. Chloe
100,24 Weissest du noch?] Weißt du noch? R_1,29
100,29 f. zu seinem Bethe] zu seinem Bette R_1,29
101,2 Kefigt] Käficht R_1,29] Kaefich R_2,77
101,10 stand] stund R_1,30
101,17 möcht' ichs erreichen] könnt' ichs erreichen R_1,30

Erythia
104,3 stand] stund R_1,35
104,5 stand] stund R_1,35

Mycon
104,26 stand] stund R_1,36
104,28 lächzend] lechzend R_1,36
105,6 ein grosses Beth] ein grosses Bett R_1,37
105,23 f. und pflanzte diese Bäume.] und pflanzt' diese
Bäume. R_4,98
105,31 f. ein zuweiter Weg] ein zu weiter Weg R_3,109
105,35 f. Wir bedörfen] Wir bedürfen R_1,38
107,12 stand] stund R_1,40] stuhnd R_2,28] stund R_3,111
107,22 Gegen dem Ende seines Lebens] Gegen das Ende
seines Lebens R_1,41

108,7 standen] stunden $R_1,42$
108,20 zum Tempel des Apoll.] zum Tempel des Apolls.
$R_1,42$

Thyrsis
108,30 an dessen blumigtem Bord] an dessen blumigem Bord
$R_1,43$
109,18 standen] stunden $R_1,44$

An den Amor
E n t s t e h u n g : Frühjahr 1770.
Br,235 Und Geiss-Blatt drüber her.]
· 110,7 Und Myrthen drüber her:

Br,235 Wie an dem ersten May.]
110,15 Spröd wie am ersten May.

Daphnis
111,15 balsamdüftende Blumen] balsamduftende Blumen
$R_1,35$] balsamdüftende Blumen $R_3,115$

Thyrsis und Menalkas
112,27 der du alle Deutungen weissest] der du alle Deutungen weißt $R_1,51$

Daphne
113,31 darfür] dafür $R_1,53$] darfür $R_2,41$] dafür $R_3,119$

Daphnis und Micon
116,12 aus dem Schilf] aus dem Schilfe $R_1,57$
116,12 f. ans grasigte Bord] ans grasige Bord $R_1,57$
117,11 wie da ein junger Frosch] wie da an ihrer Vorder-
seite ein junger Frosch $R_2,50$] wie da ein junger Frosch
$R_3,123$
118,5 f. In diesen anmuthsvollen Schattenplatz] In diesem
anmuthsvollen Schattenplatz $R_2,52$

Daphne und Chloe

119,32 du weissest es,] du weißt es, $R_1,64$

120,3 stand] stund $R_1,64$

120,17 ihre[!] sanften Winde] ihr sanften Winde $R_1,65$

120,30 o mögt ich] o möcht ich $R_1,65$

120,36 mögt ihr sie wol halten,] möcht ihr sie wol halten,
    $R_1,65$

121,2 stemmen sich gegen ihr] stemmen sich gegen sie $R_1,66$

121,19 Beth] Bett $R_1,66$

121,30 wirdst[!] du] wirst du $R_1,67$

222,4 du weissest es,] du weißt es, $R_1,67$

Menalkas und Alexis

123,22 stand] stund $R_1,71$

125,8 zur Pfülbe gedient.] zum Pfühle gedient. $R_2,67$

Der Sturm

127,12 des Leuchtethurms] des Leuchterthurms $R_2,71$] des
    Leuchtethurms $R_3,135$

Die Eifersucht

129,22 verdrüssig] verdrüßlich $R_1,83$

130,22 seine Gutthäter] seine Wohlthäter $R_1,85$

130,23 fromme Gutthätigkeit] fromme Wohlthätigkeit $R_1,85$

131,11 und dann lasse mich Elenden sterben!] und dann laß
    mich Elenden sterben! $R_1,86$

131,12 Mit verschlungenen Armen] Mit ineinander geschlun-
    genen Armen $R_1,86$

131,35 schwarzeste Untreue] schwärzeste Untreue $R_3,141$]
    schwarzeste Untreue $R_4,145$

132,4 schlich er in dem Schatten] schlich er sich in den Schat-
    ten $R_1,87$

Das hölzerne Bein

133,4 denn sein eines Bein] denn eines seiner Beine $R_1,89$

134,1 das letzemal [!]] das letztemal $R_1,91$

134,11 stand] stund R_1,91

134,12 auf dem *[125]* Felse] auf dem Felsen R_1,91

134,13 standen] stunden R_1,92

134,22 standen] stunden R_1,92

135,3 zu töden] zu tödten R_1,93] zu töden R_4,154

135,5 sein Pferd zertrat mein eines Bein.] sein Pferd zertrat
     das eine meiner Beine. R_1,93

135,11 f. Sie ward gewonnen. Kinder, sie ward gewonnen!]
     Sie wurd' gewonnen. Kinder, sie wurd' gewonnen. R_1,93

135,14 Ich ward gepflegt, ich ward geheilt:] Ich wurde ge-
     pflegt, ich wurde geheilt. R_1,93

135,21 f. ihm nicht mehr danken?] ihm nicht mehr danken!
     R_2,98] ihm nicht mehr danken? R_3,146

135,23 weissest du denn] weißt du denn R_1,93

136,4 seine Gutthat] seine Wohlthat R_1,94

Zeittafel

1730   1. April: Salomon Geßner geboren in Zürich als Sohn des Verlegers und Buchdruckers Conrad Geßner.

um 1740   Schulbesuch in Zürich und Unterricht bei Hauslehrern. Lektüre von Defoes *Robinson Crusoe*. Der junge Geßner schreibt »eine Robinsonade nach der andern« (Hottinger).

1746   Privatunterricht (vor allem in den alten Sprachen) beim Pfarrer Vögeli in Berg bei Winterthur. Geßner liest Brockes, Hagedorn und Gleim. »Erste Epoche« seiner frühen Dichtung: (nur z. T. überlieferte) »Gedichte mit und ohne Reimen, Prosa mit Versen untermischt, Fabeln, Erzählungen, Satyren und Anakreontische Lieder« (Hottinger).

1748   Rückkehr nach Zürich; (bis 1752) »Zweite Epoche seiner Poesie« (Hottinger): anakreontische Lieder.

1749   Geßner nach Berlin als Lehrling in der Spenerschen Buchhandlung. Verläßt diese Stellung bald und versucht sich in der Malerei, schreibt weiter Gedichte. Freundschaftlicher Umgang mit dem Schweizer J. G. Schultheß und mit K. W. Ramler.

1750   Rückreise über Halberstadt (Besuch bei Gleim, dort Begegnung mit Klopstock), Hamburg (bei Hagedorn), Amsterdam, Straßburg; Abstecher nach Frankreich hinein (Paris?).

      Herbst: Wieder in Zürich. Wiederbegegnung mit Klopstock, der Zürich im Februar 1751 verläßt.

      (zunächst bis 1760) Redaktion der im Geßnerschen Verlag erscheinenden *Montags-Zeitung*.

1751   Erste (anonym) gedruckte Veröffentlichungen, in der Züricher Zeitschrift *Crito*: 1. ein als Brief fingierter Aufsatz [*»von dem Nutzen und der Schönheit in der Mahlerey«*], 2. die erste Fassung des Gedichts, das

1762 in den *Schriften* als *Lied eines Schweizers an sein bewafnetes Mädchen* erscheint.

1752 Mai: Geßners erste Prosaidylle *Der Frühling* entstanden (1756 in *Idyllen*). Plan eines Gedichtbandes, der erst im Herbst 1755 ausdrücklich aufgegeben wird.

Juli: Geßner zeigt seine anakreontischen Gedichte Bodmer. Zur gleichen Zeit etwa vermutlich der Prosagesang *Die Nacht* entstanden.

Oktober: Freundschaft mit E. v. Kleist und Wieland, die beide zu dieser Zeit nach Zürich gekommen sind (Kleist bleibt bis Dezember 1752, Wieland bis 1759).

Weihnachten: Als erste selbständige (noch anonyme) Veröffentlichung *Die Nacht*, mit der Jahreszahl 1753.

1753 Dezember: Der Hirtenroman *Daphnis* im Druck.

1754 Frühjahr: *Daphnis* (ebfs. noch anonym) erschienen, [2]1756, [3]1759.

Dezember: Idylle *Palemon* entstanden (1756 in *Idyllen*).

1755 Januar: Neben einigen weiteren Idyllen auch *Der zerbrochene Krug* entstanden (1756 in *Idyllen*).

März: Gedicht *Die Viole* in der Züricher Zeitschrift *Das Angenehme mit dem Nützlichen* erschienen.

April: Widmungsidylle *An Daphne* entstanden (1756 in *Idyllen*).

Juni: Die *Idyllen* liegen handschriftlich im wesentlichen vor.

Dezember: vermutliche Entstehungszeit der Vorrede *An den Leser* (1756 in *Idyllen*).

Weihnachten: Die *Idyllen* sind »izt unter der Presse« (an Ramler, 23. Dezember 1755).

1756 Februar: *Idyllen. Von dem Verfasser des Daphnis* ausgedruckt.

Inkle und Yariko. Zweyter Theil erschienen (Geßners Prosafortsetzung von Bodmers ebenfalls 1756 erschienenem Gedicht nach Steeles Bericht im *Spectator*).

1757   Januar: *Der Tod Abels* in Arbeit, zu dieser Zeit
        schon zur Hälfte fertig.

1758   *Der Tod Abels. In fünf* [Prosa-]*Gesängen* erschienen,
        erste Veröffentlichung Geßners unter seinem Namen.
        Sommer: Wiederholt mit Wieland nach Winterthur
        zu den Aufführungen der Ackermannschen Schau-
        spielertruppe, u. a. Uraufführung von Wielands *La-
        dy Johanna Gray.*
        Etwa zur gleichen Zeit Entstehung von Geßners
        Schäferspielen *Evander und Alcimna* und *Erast.*
        November: Niederschrift der Vorrede zu der noch
        1758 im Geßnerschen Verlag erschienenen Schrift
        F. v. Cronegks *Einsamkeiten.*

1759   Vorrede zu der im gleichen Jahr bei Geßner erschie-
        nenen Übersetzung von Sophokles' *Electra* seines Zü-
        richer Freundes J. J. Steinbrüchel.
        Moses Mendelssohn über Geßners *Idyllen* im 85.–86.
        Literaturbrief.

1760   *Der Tod Abels* in der französischen Übersetzung Mi-
        chael Hubers in Paris erschienen, mit einer anonymen
        Vorrede Turgots. Damit Beginn der Ausbreitung von
        Geßners Ruhm in Frankreich und, von dort ausge-
        hend, schließlich in ganz Europa.

1761   22. Februar: Heirat mit Judith Heidegger (1736 bis
        1818), der Tochter des Züricher Ratsherrn und
        Kunstsammlers Heinrich H.
        Trennung vom Verlag des Vaters und Eintritt als
        Teilhaber in die Firma Orell u. Comp., die von da an
        als »Orell, Geßner u. Comp.« erscheint.

1762   Erste Gesamtausgabe: *Schriften* in 4 Bden., gleichzei-
        tig der Band *Gedichte.* Darin neu: *Evander und Al-
        cimna, Erast*, die Prosaerzählung in zwei Gesängen
        Der erste Schiffer, das Prosagedicht *Ein Gemähld aus
        der Syndfluth* und die 2., veränderte Fassung von
        Die Nacht, überdies die (hier S. 75–84 abgedruckten)
        zur Sammlung der *Idyllen* hinzugekommenen wei-

teren Idyllen, z. B. *Die ybel belohnte Liebe.* – [2]1765, [3]1767, [4]1770, [5]1770, [6]1774, [7]1777/78, [8]1782, [9]1788 bis [21]1836.

Anfang Oktober: Ode an die Königin von England, auf die Geburt des Prinzen von Wales.

(bis 1770/72, und danach bis 1788) Fast ausschließlich noch künstlerische Arbeiten Geßners: Zeichnungen, Radierungen (meist Buchillustrationen, aber auch selbständige Landschaften), Gemälde, Porzellanmalereien.

Idyllen in französischer Übersetzung (Huber, unter Beteiligung von Turgot, Melchior Grimm und Diderot).

Geburt einer Tochter, die im gleichen Jahr stirbt.

1763   Januar: Geßners Parteinahme für die Verfasser der (illegal publizierten) Klageschrift gegen den Landvogt Felix Grebel in Grüningen: *Der ungerechte Landvogt oder die Klagen eines Patrioten* von J. C. Lavater und J. H. Füßli, die zur Absetzung des Landvogts führt.

Im Auftrage der »Helvetischen Gesellschaft« erwidert Geßner das Sendschreiben Franz Urs Balthasars *Die letzten Wünsche eines helvetischen Patrioten mit seiner Antwort auf die letzten Wünsche eines helvetischen Patrioten* (beide Schriften in: Verhandlungen der Helvetischen Gesellschaft 1763).

Praktische und finanzielle Beteiligung an der neu begründeten Porzellan- und Fayencefabrik in Schooren-Bendlikon.

Geburt einer Tochter, Anna Dorothea (1790 Heirat mit J. C. Zellweger, 1823 gest.).

1764   Folge von 10 radierten Landschaften: *X Paysages dediés A Mr.* [Claude-Henri] *Watelet, Auteur du Poême sur l'Art de Peindre. Par son ami S. Gessner. Gravé à l'eau forte par S. Gessner Auteur de la Mort d'Abel et de plusieurs Pastorales*, Basel und Paris.

Geburt eines Sohnes, Conrad, der später Maler wurde (1784–85 Kunststudium in Dresden, 1787–88 in Rom, 1819 Heirat, 1826 gest.).

1765   Geßner Mitglied des Großen Rates der Stadt Zürich.

1766   Unausgeführter Plan eines »helvetischen Heldengedichts oder irgend eines größeren erzählenden Gedichts aus der mittleren Zeit« (vgl. Wielands Brief an Geßner vom 18. September 1766).

Herbst: Familie Mozart auf Konzertreise in Zürich, von Geßner zu Gast gebeten.

1767   (bis 1768) Folge von 12 radierten Landschaften im antiken Geschmack im Selbstverlag.

Vorrede zur 2., bei Orell, Geßner u. Comp. erschienenen Ausgabe von Gleims Schäferspiel *Der blöde Schäfer* (1754).

Herders Vergleich *Theokrit und Geßner* in *Fragmente* II, 5.

Mitglied des Kleinen Rates der Stadt Zürich.

Geburt einer Tochter, die im gleichen Jahr stirbt.

(bis 1768) Augenleiden.

1768   Geßner Obervogt von Erlenbach b. Zürich (betraut mit der niederen Gerichtsbarkeit).

Geburt eines Sohnes, Heinrich (später Buchdrucker und Erbe des Verlags, 1795 Heirat mit Wielands Tochter Charlotte Louise, 1813 gest.).

1769   (bis 1771) Folge von 10 radierten Landschaften mit mythologischen Figuren, im Selbstverlag.

Schwere Krankheit und Entfernung von allen Geschäften.

1770   *Brief über die Landschaftsmahlerey* erschienen (1770 zuerst in J. C. Füßlis *Geschichte der besten Künstler in der Schweiz*, 1772 dann in den Ausgaben der *Neuen Idyllen*).

Frühjahr: Die ersten der »Neuen Idyllen« (*Die Zephyre, Das Gelübd* und *An den Amor*) entstanden.

Sommer: Mehrmonatiger Erholungsaufenthalt auf dem Lande. Entstehung der meisten der »Neuen Idyllen«.

Herbst und Winter: Die letzten der »Neuen Idyllen« entstanden.

Fusion des Verlags mit der Buchdruckerei Füßli u. Comp.; von nun an (bis 1798, da Geßners Sohn Heinrich seine Anteile zurückzieht): »Orell, Geßner, Füßli u. Comp.«

1771 Als Vorabdruck aus den *Neuen Idyllen*: *Die Zephyren* im Göttinger Musenalmanach und im Almanach der Deutschen Musen.

Frühjahr: Beginn der über Heinrich Meister mit Diderot geführten Verhandlungen.

Winter: Geßner übersetzt Diderots *Contes moraux* ins Deutsche.

1772 Frühjahr: *Moralische Erzählungen und* [Neue] *Idyllen von Diderot und S. Gessner* in vier gleichzeitigen Ausgaben, nebst einer Separatausgabe der *Neuen Idyllen*, erschienen.

August: Goethes (anonyme, negative) Rezension der *Neuen Idyllen* in den *Frankfurter Gelehrten Anzeigen.*

Zusammenfassung der bisherigen Radierungsfolgen: *Paysages dessinès et gravès par Gessner* (32 Bll. in 4°). Wiederaufnahme der Beziehungen zum Verlag des Vaters und (mißlungener) Versuch, den Verlagskomplex Orell, Geßner, Füßli u. Comp. auch mit diesem Verlag zu verbinden.

(bis 1780) Erneute Übernahme der seit 1760 vom Vater besorgten Redaktion der *Montags-Zeitung*, die von 1780 an unter anderer Leitung als *Zürcher Zeitung* weitergeführt wird.

Halbjährige Tätigkeit Geßners als Untersuchungsrichter.

Letztlich erfolgreiche Bemühung Geßners bei den Züricher Behörden um die Aufhebung der wegen Freigeisterei verhängten Verbannung Heinrich Meisters.

1773 Französische Übersetzung der *Neuen Idyllen* (Heinrich Meister): *Contes Moraux et Nouvelles Idylles de D . . . et Salomon Gessner* zum Verkauf in Frankreich bei Geßner erschienen.

1775 Juni: Wiederholte Begegnung der Grafen Stolberg mit Geßner in Zürich.
Tod des Vaters. Übernahme des Verlags, ohne die Teilhaberschaft mit Orell und Füßli aufzugeben.

1776 Zusätzlich zum Amt des Obervogts von Erlenbach Obervogt von Wipkingen (zu den »Vier Wachten«).

1779 November/Dezember: Höflichkeitsbesuch Goethes bei Geßner.

1780 (bis 1788) Redaktion des von nun an jährlich bei Geßner erscheinenden *Helvetischen Calenders*.
Fragment eines Briefes von 1751 im *Helvetischen Calender* erschienen.
(bis 1788) Alljährliche Folge von schließlich insgesamt 53 radierten Schweizerlandschaften im *Helvetischen Calender*.
Begegnung mit W. Heinse in Baden (Aargau), wo sich Geßner in diesen Jahren wiederholt zur Kur aufhielt.

1781 Oberaufseher über den stadteigenen Sihlwald bei Zürich. Von da an im Sommer alljährlich mit der Familie im Försterhaus oberhalb Thalweil.

1784 Juli: Sophie von La Roche bei Geßner.

1785 Franz Xaver Bronner, nach seiner Flucht aus dem Kloster, in Zürich, wo ihn Geßner literarisch förderte und materiell unterstützte.

1786 Diderots Tochter bei Geßner.

1787 Vorrede zu Bronners bei Geßner erschienenen *Fischergedichten und Erzählungen*.
Sommer: Aurelio de' Giorgi-Bertola bei Geßner.
Friedrich Matthisson bei Geßner.

*Salomon Geßners Auserlesene Idyllen, in Verse ge-
bracht von Karl Wilhelm Ramler* in Berlin erschienen.

1788   28. Februar: Schlaganfall.
        2. März: Geßner in Zürich gestorben.

1796   Hottinger (Geßner-Biographie), Herder (in den
        Briefen zur Beförderung der Humanität), Schiller
        (*Über naive und sentimentalische Dichtung*), August
        Wilhelm Schlegel (im *Athenäum*) im pro und contra
        zu Geßner.

1800   Barré, Radet, Desfontaines und Bourgueil: *Gessner.
        Comedie en deux actes et en prose. Mêlée de Vaude-
        villes* in Paris erschienen und wiederholt dort aufge-
        führt.

1801   *Salomon* [u. Judith] *Gessners Briefwechsel mit sei-
        nem Sohne* [Conrad] *während dem Aufenthalte des
        Letztern in Dresden und Rom*, hrsg. von Heinrich
        Geßner und in dessen Verlag erschienen.

1802   *Oeuvre de Salomon Gessner* [zutreffender auf dem
        Lieferungstitel: *Sämmtliche Radierte Blätter von
        Salomon Gessner*]. 2 Bde. Zürich: J. J. Siegfried. –
        Ebenso Zürich 1835 (beide Ausgaben enthalten ins-
        gesamt 336 Abdrucke nach den Originalplatten von
        G.s Radierungen; vollständiger war eine bereits 1796
        unter Ausschluß der Öffentlichkeit von der Familie
        hergestellte Sammelausgabe, die 395 Radierungen
        enthielt).

1804   (bis 1807) Georg Wilhelm Kolbe in Zürich, um die
        im Besitz der Familie befindlichen Zeichnungen und
        Gemälde Geßners zu radieren.

1805   (bis 1811) *Collection des tableaux en gouache et des
        dessin de Salomon Gessner. Gravé à l'eau-forte par
        Guil.* Kolbe bei Geßner in Zürich.

1814   Ankauf des 1811 von der Familie zur Versteigerung
        angebotenen künstlerischen Nachlasses aus Mitteln ei-
        ner öffentlichen Sammlung Zürcher Bürger. Über-
        gabe des Nachlasses an die Zürcher Künstlergesell-

schaft nach dem Tode von Geßners Frau im Jahre 1818; seit 1841 im Kunsthaus in Zürich. – Der literarische Nachlaß, mit Ausnahme der verschiedenen Briefkomplexe, ging verloren.

1839   21. und letzte Auflage der deutschsprachigen Züricher Ausgabe von Geßners *Schriften* erschienen.

1841   *Salomon Geßners sämmtliche Schriften*, hrsg. von Julius Ludwig Klee, in Leipzig erschienen.

[ca.] 1884 *Geßners Werke. Auswahl*, hrsg. von Adolf Frey, in Kürschners Textreihe »Deutsche National-Litteratur« erschienen.

1930   Geßner-Ausstellung im Züricher Kunsthaus.

Auswahlbibliographie

Eine vollständige Geßner-Bibliographie beabsichtigt der Hrsg. innerhalb seiner z. Zt. für die »Sammlung Metzler« entstehenden Darstellung von Leben, Werk und Wirkung Salomon Geßners mitzuteilen. Für die Zeit bis 1930 bietet P. Leemann-Van Elck in seiner materialreichen Geßner-Monographie (s. hier w. u.) die bislang immer noch ausführlichste Literaturzusammenstellung, die bei eingehenderer Beschäftigung mit Geßner auf jeden Fall mit herangezogen werden sollte.

Werkausgaben

Vgl. dazu den Editionsbericht und die Verzeichnisse der Ausgaben zu den einzelnen Idyllenkomplexen.

Briefe

Hottinger, Johann Jakob: Salomon Gessner. Zürich: Gessner 1796, S. 228–230 [2 Briefe an den Vater von 1746] und S. 257–261 [Briefwechsel mit seiner Frau im Jahre 1774].

Baden, Torkel (Hrsg.): Briefe über die Kunst von und an Christian Ludwig von Hagedorn [mit zwei Briefen Geßners von 1768]. Leipzig: Weidmann 1797, S. 164–170.

Salomon [und Judith] Gessners Briefwechsel mit seinem Sohne [Conrad], während dem Aufenthalte des Letztern in Dresden [1784–85] und Rom [1787–88]. Hrsg. von Heinrich Gessner. Zürich: Heinrich Gessner 1801.

Körte, Wilhelm (Hrsg.): Briefe der Schweizer Bodmer, Sulzer, Geßner. Aus Gleims litterarischem Nachlasse. Zürich: Gessner 1804 (= Briefe deutscher Gelehrten. Aus Gleims litterarischem Nachlasse hrsg. von W. K., Bd. 1) [darin: Briefwechsel zwischen Geßner und Gleim 1754–1772].

Ausgewählte Briefe von C. M. Wieland an verschiedene Freunde die in den Jahren 1751 bis 1800 geschrieben und nach der Zeitfolge geordnet. Bd. 1. Zürich: Heinrich Geßner 1815.

Wieland, Ludwig (Hrsg.): Auswahl denkwürdiger Briefe von C. M. Wieland. Wien: Gerold 1815.

Briefe von Salomon Gessner an J. G. Zimmermann [1761 bis 1772]. In: Zürcher Taschenbuch auf das Jahr 1862, S. 143–174.

Bodemann, Eduard: Johann Georg Zimmermann. Sein Leben und bisher ungedruckte Briefe an ihn. Hannover: Hahn 1878, S. 192–200.

Hamel, Richard: S. Geßners Briefe an [Vincenz Bernhard von] Tscharner nebst zwei Briefen des Prinzen Ernst zu Mecklenburg an Geßner und eine Ode Geßners auf die Geburt des Prinzen von Wales. In: R. H., Mittheilungen aus Briefen der Jahre 1748–68 an V. B. v. T. Rostock 1881.

Blümner, Hugo: Winckelmanns Briefe an seine Züricher Freunde. Nach den auf der Züricher Stadtbibliothek aufbewahrten Originalen in vermehrter und verbesserter Gestalt. Freiburg/Br. u. Tübingen: J. C. B. Mohr 1882.

Sauer, August: Briefe von [E. v.] Kleist. u. Briefe an Kleist. In: Ewald von Kleist's Werke. 2. u. 3. Theil. Berlin: Hempel 1882.

Sauer, August: Mittheilungen über E. v. Kleist [Abschn. II: Zwei Briefe Kleists an Geßner (von 1755 u. 1758)]. In: Vierteljahrschrift für Litteraturgeschichte 3 (1890), S. 282 bis 284.

Wilhelm, F.: Briefe an Karl Wilhelm Ramler. In: Vierteljahrschrift für Litteraturgeschichte 4 (1891), S. 226–228 [Geßner an Ramler 1755] und S. 233–235 [1770].

Wölfflin, Heinrich: Salomon Geßner. Mit [7] ungedruckten Briefen [Geßner an J. G. Schultheß, 1752–53]. Frauenfeld: Huber 1889, S. 149–160.

Schüddekopf, Carl: Aus dem Briefwechsel zwischen Gessner

und Ramler [1755–78]. In: Zeitschrift für vergleichende Litteraturgeschichte, N. F. Bd. 5 (1892) S. 96–117.

Usteri, Paul: Briefwechsel Salomon Geßners mit Heinrich Meister. 1770–1779. In: Archiv für das Studium der neueren Sprachen und Litteraturen, 62. Jg., 120. Bd., N. S. 20. Bd. (1908), S. 341–375.

Leemann-Van Elck, Paul: Salomon Geßners Beziehungen zu Zeitgenossen. Mit 28 ungedruckten Briefen an S. Geßner. In: Zürcher Taschenbuch 1931, S. 143–208.

Leemann-Van Elck, Paul: Salomon Geßners Briefe an [Friedrich] Nicolai [1764–87]. In: Zürcher Taschenbuch 1934, S. 132–161.

Leemann-Van Elck, Paul: Salomon Geßners Freundschaft zu Ewald v. Kleist [mit 3 Briefen aus den Jahren 1753–58]. In: Zürcher Monats-Chronik VI. Jg. (1937).

Leemann-Van Elck, Paul: Salomon Geßners Freundschaft mit Anton Graff [mit Briefen aus den Jahren 1766–84]. In: Zürcher Taschenbuch 1938, S. 186–211.

Chiapelli, Fredi: Lettere di Aurelio Bertòla a Salomone Gessner [16 Briefe aus den Jahren 1777–86]. In: Nuova Antologia 85 (1950), S. 394–409.

Weisz, Leo: Salomon Gessner und Franz Kazinczy. Ein Abschnitt in den kulturellen Beziehungen zwischen der Schweiz und Ungarn. Aus alten Briefen [Kazinczys, Geßners und seiner Witwe, 1782–94]. In: Neue Zürcher Zeitung Nr. 3637 (63) vom 16. Dezember 1956.

Monographien, Lexikonartikel und Würdigungen

Bertola-Giorgi, Aurelio de': Elogio di Gessner: Pavia 1789; ebs. Pisa 1798. – Dt. Übers.: Lobrede auf Geßner. Zürich: Orell, Geßner, Füßli u. Comp. 1789.

Hottinger, Johann Jakob: Salomon Gessner. Zürich: Geßner 1796. (Wiederabgedruckt in: Salomon Geßners sämmtliche Schriften [hrsg. von Julius Ludwig Klee]. Leipzig: Fleischer 1841. Bd. 1, S. 1–116).

Meusel, Johann Georg: Lexikon der vom Jahre 1750 bis 1800 verstorbenen Teutschen Schriftsteller. Bd. 4. Leipzig: Fleischer 1804, S. 171–176.

Jördens, Karl Heinrich: Lexikon deutscher Dichter und Prosaisten. Bd. 2. Leipzig: Weidmann 1807, S. 110–133; ebd. Bd. 6. 1811, S. 177–188.

Döring, Heinrich: Art. ›S. G.‹. In: Ersch-Gruber, Allgemeine Enzyklopädie der Wissenschaften und Künste. I. Sect., 64. Theil. Leipzig: Brockhaus 1857, S. 365–372.

Goedeke, Karl: Grundriß zur Geschichte der deutschen Dichtung. Bd. IV, 1. Dresden: Ehlermann ³1916, S. 81–82.

Creizenach, Wilhelm: Art. ›S. G.‹. In: Allgemeine Deutsche Biographie. Bd. 9. Berlin: Duncker u. Humblot 1879, S. 122–126.

Frey, Adolf: Einleitung zu: Geßners Werke. Auswahl. Hrsg. von A. F. Berlin u. Stuttgart: Spemann [ca. 1884] (Deutsche National-Litteratur. Hrsg. von Joseph Kürschner. Bd. 41, I. Abt.), S. III–XXXVI.

Wölfflin, Heinrich: Salomon Geßner. Mit ungedruckten Briefen. Frauenfeld: Huber 1889. (Vgl. dazu: Rehm, Walther: Heinrich Wölfflin als Literarhistoriker. Mit einem Anhang ungedruckter Briefe von Michael Bernays, Eduard und Heinrich Wölfflin. München: Verlag der Bayerischen Akademie der Wissenschaften 1960 [Bayer. Akad. d. Wiss. Philos.-histor. Klasse. Sitzungsberichte. Jg. 1960, Heft 9]; darin bes. Kapitel III: Salomon Geßner, S. 27–47.)

Bergemann, Fritz: Salomon Geßner. Eine literarhistorisch-biographische Einleitung. München: Georg Müller u. Eugen Rentsch 1913 (Diss. Berlin 1913).

Vollmer, H.: Art. ›S. G.‹. In: Thieme-Becker, Allgemeines Lexikon der bildenden Künstler von der Antike bis zur Gegenwart. 13. Bd. Leipzig: Seemann 1920, S. 499–500.

Hesse, Hermann: Einleitung zu ›Salomon Gessners Dichtungen. Ausgewählt und eingeleitet von H. H.‹. Leipzig: Haessel 1922 (Die Schweiz im deutschen Geistesleben 2).

Leemann-Van Elck, Paul: Salomon Gessner. Sein Lebensbild. Mit beschreibenden Verzeichnissen seiner literarischen und künstlerischen Werke. Zürich: Orell, Füßli 1930 (Monographien zur Schweizer Kunst. Bd. 6).

Salomon Gessner. 1730–1930. Gedenkbuch zum 200. Geburtstag, hrsg. vom Lesezirkel Hottingen. Zürich: Verlag Lesezirkel Hottingen 1930. [Mit Beiträgen von: Ermatinger, Emil: Salomon Geßner, der Mensch und der Dichter (Raum und Zeit – Der Mensch – Der deutsche Theokrit), S. 1–52. – Wartmann, Wilhelm: Der Maler und Zeichner Salomon Geßner, S. 53–72. – Bernoulli, Rudolf: Der Kupferstecher und Buchkünstler Salomon Geßner, S. 73 bis 84. – Baldensperger, Fernand: L'Episode de Gessner dans la littérature européenne, S. 85–116. – Wölfflin, Heinrich: Zur allgemeinen Charakteristik von Geßners Kunst, S. 117–126. – Rychner, Max: Salomon Geßner als Verleger, S. 127–135. – Weisz, Leo: Der Rats- und Sihlherr Salomon Geßner, S. 136–148. – Frei, Karl: Salomon Geßner und die Porzellanmanufaktur in Schooren, S. 149 bis 160.]

[Katalog der] Ausstellung Salomon Gessner. Schriften, Radierungen, Zeichnungen, Malereien, Porzellan. Mai–Juni 1930 [im Kunsthaus Zürich]. Ausführliches Verzeichnis [Zürich: Kunsthaus Zürich, Zentralbibliothek Zürich und Züricher Kunstgesellschaft 1930].

Wehrli, Max: Artikel ›S. G.‹. In: Große Schweizer. Hrsg. von M. Hürlimann. Zürich: Atlantis ²1942 (1938), S. 151 bis 154.

Wölfel, Kurt: Art. ›S. G.‹. In: Neue deutsche Biographie. Bd. 6. Berlin: Duncker u. Humblot 1964, S. 346–347.

Zürcher, Richard: Salomon Gessner 1730–1788. In: Geist und Schönheit im Zürich des 18. Jahrhunderts. Zürich: Orell Füssli 1968, S. 105–166.

Voss, E. Theodor: Salomon Geßner. Leben, Werk und Wirkung. Stuttgart: Metzler. In Vorbereitung (Sammlung Metzler. Realienbücher für Germanisten).

Sprache, Struktur, Motive, Gehalt, Idyllentheorie

Cholevius, Carl Leo: Geschichte der deutschen Poesie nach ihren antiken Elementen. I. Theil. Leipzig: Brockhaus 1854, S. 461–466.

Schmidt, Erich: Salomon Gessners rhythmische Prosa. In: Zeitschrift für deutsches Altertum 21 (1877), S. 303–306.

Netoliczka, Oskar: Schäferdichtung und Poetik im 18. Jahrhundert. In: Vierteljahrschrift für Litteraturgeschichte 2 (1889), S. 1–89.

de Reynold, Gonzague: Gessner et le sentiment de la nature. In: Mercure de France 19 (1908), S. 44 ff.

Yoxall, J. H.: Salomon Gessner and the Alps. Boston: Living Age 1908.

Müller, Nikolaus: Die deutschen Theorien der Idylle von Gottsched bis Geßner und ihre Quellen. Diss. Straßburg 1911.

Merker, Erna: Art. ›Idylle‹. In: Reallexikon d. dt. Literaturgeschichte. Bd. 1, ²1958 (urspr. 1924), S. 742–749.

Langen, August: Anschauungsformen in der deutschen Dichtung des 18. Jahrhunderts. Rahmenschau und Rationalismus. Jena: Diederichs 1934 (Dt. Arbeiten d. Univ. Köln 6). Photomechanischer Neudruck Darmstadt: Wiss. Buchgesellschaft 1965, passim.

Roskamp, Diedrich: Salomon Geßner im Lichte der Kunsttheorie seiner Zeit. Ein Beitrag zum Problem Klassizismus und Romantik im 18. Jahrhundert. Diss. Marburg 1935.

Strasser, Rudolf: Stilprobleme in Geßners Kunst und Dichtung. Diss. Heidelberg 1936.

Bernoulli, Rudolf: Zu Salomon Geßners Arbeitsweise [als Maler]. In: Zeitschrift für Schweizer Archäologie 9 (1947) S. 31–33.

Langen, August: Verbale Dynamik in der dichterischen Landschaftsschilderung des 18. Jahrhunderts [u. a. S. Geßner und Mahler Müller]. In: Zeitschrift f. dt. Philologie 70 (1948/49), S. 249–318.

Rehm, Walther: Griechentum und Goethezeit. Geschichte eines Glaubens. Bern: Francke ³1952 (urspr. 1936), passim.

Müller, Andreas: Landschaftserlebnis und Landschaftsbild. Studien zur deutschen Dichtung des 18. Jahrhunderts und der Romantik. Stuttgart: Kohlhammer 1955, S. 34–41 [Arkadische Landschaft. E. v. Kleist – Gessner].

Anger, Alfred: Landschaftsstil des Rokoko. In: Euphorion 51 (1957), S. 151–191.

Blackall, Eric: The Emergence of German as a Literary Language 1700–1775. Cambridge: University Press 1959. – Dt. Übers. von Hans G. Schürmann: Die Entwicklung des Deutschen zur Literatursprache 1700–1775. Mit einem Bericht über neue Forschungsergebnisse 1955–1964 von Dieter Kimpel. Stuttgart: Metzler 1966, S. 285–292 und passim.

Anger, Alfred: Literarisches Rokoko. Stuttgart: Metzler 1962 (Sammlung Metzler 25), S. 62–64 und passim.

Anger, Alfred: Deutsche Rokoko-Dichtung. Ein Forschungsbericht. Stuttgart: Metzler 1963 (Sonderdruck aus: Dt. Vierteljahrsschrift für Literaturwissenschaft u. Geistesgeschichte 36, 1962), S. 64–66 und passim.

Sengle, Friedrich: Wunschbild Land und Schreckbild Stadt. Zu einem zentralen Thema der neueren deutschen Literatur. In: Studium generale 16 (1963), S. 619–631.

Sengle, Friedrich: Formen des idyllischen Menschenbildes. In: Formenwandel. Festschrift für Paul Böckmann. Hamburg: Hoffmann u. Campe 1964, S. 156–171. – Auch in: F. S., Arbeiten zur deutschen Literatur. 1750–1850. Stuttgart: Metzler 1965, S. 212–231.

Meyer, Herman: Hütte und Palast in der deutschen Dichtung des 18. Jahrhunderts. In: Formenwandel. Festschrift für Paul Böckmann. Hamburg: Hoffmann u. Campe 1964, S. 138–155, bes. S. 142–146.

Mähl, Hans-Joachim: Die Idee des goldenen Zeitalters im Werk des Novalis. Studien zur Wesensbestimmung der frühromantischen Utopie und zu ihren ideengeschichtli-

chen Voraussetzungen. Heidelberg: Winter 1965 (Probleme der Dichtung. Studien zur deutschen Literaturgeschichte Bd. 7), S. 161–169 und passim.

Brunner, Horst: Die poetische Insel. Inseln und Inselvor-
stellungen in der deutschen Literatur. Stuttgart: Metzler
1967 (Germanistische Abhandlungen 21), S. 113 ff. und
passim.

Böschenstein, Renate: Idylle. Stuttgart: Metzler 1967
(Sammlung Metzler 63), S. 50–68 und passim (mit nahezu erschöpfender Bibliographie zur Idylle überhaupt).

Voss, E. Theodor: Nachwort zu Johann Heinrich Voss,
Idyllen. Faksimiledruck nach der Ausgabe von 1801. Hei-
delberg: Lambert Schneider 1968 (Deutsche Neudrucke.
Reihe Goethezeit. Hrsg. v. Arthur Henkel).

Dedner, Burghard: Wege zum ›Realismus‹ in der aufklä-
rerischen Darstellung des Landlebens. In: Wirkendes Wort
18 (1968), S. 303–319, bes. 311–313 und 319.

Dedner, Burghard: Topos, Ideal und Realitätspostulat. Studien zur Darstellung des Landlebens im Roman des
18. Jahrhunderts. Tübingen: Niemeyer 1969 (Studien zur
deutschen Literatur Bd. 16), bes. S. 7–32 [1. Kapitel:
Gessners ›Daphnis‹: Die Zweideutigkeit der Idylle um
die Mitte des 18. Jahrhunderts].

Literarische Beziehungen, Einflüsse und Wirkungen

Europa allgemein:

Van Tieghem, Paul: Les idylles de Gessner et le rêve pasto-
ral dans le préromantisme européen. In: Revue de littérature comparée 4 (1924), S. 41–72 und 222–269. Auch in:
P. V. T., Le préromantisme. Paris 1930. Bd. 2, S. 204 bis
311.

Baldensperger, Fernand: L'Episode de Gessner dans la littérature européenne. In: S. G. Gedenkbuch (a. a. O.), S. 85
bis 116.

Schweiz:

Mörikofer, J. C.: Die schweizerische Litteratur des 18. Jahrhunderts. Leipzig: Hirzel 1861, S. 283–298.

Baechtold, Jakob: Geschichte der deutschen Literatur in der Schweiz. Frauenfeld: Huber 1892, S. 624–634.

Wehrli, Max: Das geistige Zürich im 18. Jahrhundert. In: Schweizer Monatshefte 22 (1942/43), S. 475–487.

de Reynold, Gonzague: Bodmer et l'école suisse. Lausanne: Bridel 1912, S. 595–651 und passim.

Stettbacher, H.: Salomon Gessner und Pestalozzi. In: Atlantis 1930, S. 214.

Buser, Rita: Gottfried Keller und Salomon Gessner. Liestal: Buchdruckerei Landschaftler 1963 (Diss. Basel 1960).

Voll, Karl: Böcklin und Salomon Gessner. In: Kunst und Künstler X (1912), S. 506–508.

Deutschland:

Guthke, Karl S.: Haller und die Literatur. Göttingen: Vandenhoeck u. Ruprecht 1962 (Arbeiten aus der Niedersächsischen Staats- und Universitätsbibliothek Göttingen Bd. 4), passim.

Michel, Victor: C.-M. Wieland. La formation et l'evolution de son esprit jusqu'en 1772. Paris: Boivin [1938] (Études de littérature étrangère et comparée 10), passim.

Sengle, Friedrich: Wieland. Stuttgart: Metzler 1949, S. 79 bis 81, 246–249 und passim.

Delp, Wilhelmina E.: Goethe and Gessner. In: Modern Language Review 20 (1925), S. 333–337.

Rehm, Walther: Griechentum und Goethezeit. Geschichte eines Glaubens. Bern: Francke ³1952, passim [u. a. über die Beziehung Geßners zu Winckelmann und Goethe].

Bräuning-Oktavio, Hermann: Goethe und Diderot im Jahre 1772, mit ungedruckten Briefen von J. H. Merck und F. M. Leuchsenring. In: Goethe. N. F. Jahrbuch der Goethe-Gesellschaft XXIV (1962), S. 237–252.

Voss, E. Theodor: Nachwort zu Johann Jakob Engel, Über Handlung, Gespräch und Erzählung. Faksimiledruck der 1. Fassung von 1774 [u. a. mit Engels Rezensionen von Geßners »Neuen Idyllen« und Diderots »Contes moraux«, 1772 und 1773/74]. Stuttgart: Metzler 1965 (Sammlung Metzler 37), passim [u. a. über die Beziehung Geßners zu J. J. Engel, Herder, Goethe und Diderot].

Bräuning-Octavio, Hermann: Herausgeber und Mitarbeiter der Frankfurter Gelehrten Anzeigen 1772. Tübingen: Niemeyer 1966, passim [u. a. zu Goethes Geßner-Rezension von 1772].

England:

Reed, Bertha: The Influence of Solomon Gessner upon English Literature. Philadelphia: Americana Germanica Press 1905 (urspr. German American Annals, Vol. III).

Price, Lawrence Marsden: English Literature in Germany. Berkeley u. Los Angeles: Univ. of Calif. Press 1953. – Dt. Übers. von Maxwell E. Knight: Die Aufnahme englischer Literatur in Deutschland. 1500–1960. Bern: Francke 1961, passim.

Blumenthal, Friedrich: Lord Byron's Mystery ›Cain‹ and its Relation to Milton's ›Paradise Lost‹ and Gessner's ›Death of Abel‹. Schulprogramm Oldenburg 1891.

Ritter, Otto: Gessner und [James] Thomson [Kl. Mitteilung]. In: Archiv für das Studium der neueren Sprachen und Litteraturen CXI (1903), S. 170.

Usteri, Paul: Inkle und Yariko, [bei Steele und Gessner]. In: Archiv für das Studium der neueren Sprachen und Litteraturen CXXII (1909), S. 353–368.

Price, Lawrence Marsden: Inkle and Yariko Album. Berkeley 1937.

Frankreich:

Süpfle, Theodor: Geschichte des deutschen Kultureinflusses auf Frankreich. Gotha 1886, Bd. 1, S. 184–202.

Baldensperger, Fernand: Gessner en France. In: Revue d'histoire littéraire de la France 10 (1903), S. 437–456.

Broglé, H.: Die französische Hirtendichtung in der zweiten Hälfte des 18. Jahrhunderts in ihrem Verhältnis zu S. Geßner. Idylle und Contes Champêtre. Diss. Leipzig 1903.

Rauchfuss, A.: Der französische Hirtenroman am Ende des 18. Jahrhunderts und sein Verhältnis zu S. Geßner. Diss. Leipzig 1912.

Muller, Daniel: La véritable édition originale de deux contes de Diderot. In: Bulletin du Bibliophile 1928, S. 261 bis 268.

Geary, Edward J.: The Composition and Publication of Les Deux Amis de Bourbonne. In: Diderot Studies [1], ed. by Otis E. Fellows and Norman L. Torrey. 1949, S. 27 bis 45.

Mortier, Roland: Diderot in Deutschland 1750–1850 [urspr.: Diderot en Allemagne 1750–1850. Paris: Presses Université de France 1954]. Übers. von Hans G. Schürmann. Stuttgart: Metzler 1967, passim.

Ernst, Fritz: Turgot und Geßner. In: Neue Schweizer Rundschau 38/39 (1930), S. 198–204. – Auch in: F. E., Essais. Bd. III, S. 124–141.

Heiss, Hanns: Der Übersetzer und Vermittler Michael Huber. 1727–1804. [H. H., Studien über einige Beziehungen zwischen der deutschen und der französischen Literatur im 18. Jahrhundert I]. In: Romanische Forschungen XXV (1907), S. 720–800.

Estève, Edmonde: Gessner et Alfred de Vigny. In: Revue d'histoire littéraire de la France 17 (1910), S. 673–684.

Italien:

Horloch, G.: L'opera litteraria di Gessner et sua fortuna in Italie. 1906.

Flamini, Francesco: Aurelio Bertòla e suoi studi intorni alla letteratura tedesca. Pisa 1895.

Chiapelli, Fredi: Geßner und Bertola, eine stilistische Freundschaft. In: Neue Schweizer Rundschau N. F. 16 (1948/49), S. 484–492.

Croce, Benedetto: Salomon Gessner e un suo ammiratore italiano [Bertola]. In: Quaderni della critica 1950, S. 118 bis 125.

Chiapelli, Fredi: s. o. Abschnitt ›Briefe‹.

Spanien:

Cano, José Luis: Gessner en Espagna. In: Revue de littérature comparée 35 (1961), S. 40–60.

Rumänien:

Bogdan-Duĭcă, G.: Salomon Gessner în literatura romîna. In: Convorbiri Literare 35 (1901), S. 162–173.

Polen:

Szyikowski, Maryan: Gessneryzm w poezyi polskiej. Krakow 1914.

Ungarn:

Weisz, Leo: s. o. Abschnitt ›Briefe‹.

Schweden, Norwegen, Dänemark:

Kyrre-Olsen, Olav: Geszners Skrifter i Danmark og Norge. Bergen: B. Giertsen 1903.

Borelius, Hilma: Gessners inflytande på svenska litteraturen. In: Samlaren 1901, S. 65–80.

Nachweis der Abbildungen

Mit Ausnahme des Titelbildes handelt es sich bei den Abbildungen dieser Ausgabe um Wiedergaben von Radierungen und Holzschnitten Salomon Geßners aus verschiedenen Ausgaben seiner Werke.

Titelbild (Salomon Geßner nach einem Gemälde von Anton Graff aus dem Jahre 1781 – heute im Kunsthaus Zürich –, Stich von Johann Heinrich Lips) – Frontispiz aus: J. J. Hottinger, Salomon Gessner. Zürich: Heinrich Gessner 1796.

7 Radierte Kopfleiste zu *Die Nacht* aus: Sal. Gessners Schriften. ⁴1770, II. Teil, S. 153.

13 Radiertes Titelblatt zu: Idyllen von dem Verfasser des Daphnis. 1756.

20 Radierte Vignette aus: Idyllen von dem Verfasser des Daphnis. 1756, S. 119.

25 Radierte Vignette zu den *Idyllen* aus: Sal. Gessners Schriften. ⁴1770, III. Teil, S. 127.

30 Radierte Vignette aus: Idyllen von dem Verfasser des Daphnis. 1756, S. 134.

40 Radierte Vignette zu den *Idyllen* aus: Salomon Gessners Schriften. ⁷1777/78, I. Bd. (1777), S. 21.

62 Radierte Titelvignette zu: Daphnis. Zweite Auflage 1756.

65 Holzschnittvignette aus: Moralische Erzählungen und Idyllen von Diderot und S. Gessner. 1772, S. 62.

72 Radierte Vignette zu den *Vermischten Gedichten* aus: Salomon Gessners Schriften. ⁷1777/78, I. Bd. (1777), S. 140.

75 Radierte Vignette zu den *Idyllen* aus: Sal. Gessners Schriften. ⁴1770, III. Teil, S. 42.

84 Radierte Vignette aus: Moralische Erzählungen und Idyllen von Diderot und S. Gessner. 1772, S. 228.

Schlußbemerkung

Je mehr man sich in Geßner hineinliest und dabei die Gesichtspunkte derer bedenkt, die über ihn geschrieben haben, um so widerspruchsvoller und perspektivenreicher wird das Bild des Dichters, von dem kaum einer seiner Biographen zu sagen vergaß, wie einfach das Problem sei, das sich mit ihm stellt.

Über eines kann kein Zweifel bestehen: Salomon Geßners *Idyllen* waren über Jahrzehnte hin die berühmteste deutschsprachige Dichtung, in ihrer Wirkung vergleichbar eigentlich nur mit Goethes *Werther* und Heines *Buch der Lieder*. Der zeitweilige Weltruhm, eine Art Fieber wie das von Goethes Liebesroman verursachte, begann mit den Übersetzungen ins Französische in den sechziger Jahren des 18. Jahrhunderts, bei denen u. a. Diderot und Turgot Pate gestanden hatten, Übersetzungen ins Englische, Holländische, Schwedische, Polnische und Italienische folgten; zu Beginn des 19. Jahrhunderts gab es kaum eine Literatursprache, in die Geßners *Idyllen* nicht übersetzt waren. Zu seinen Bewunderern gehörten Geister wie Diderot, Rousseau, Turgot, Benjamin Franklin, Winckelmann, Wieland, später auch Byron, Coleridge, Heine, Keller, Storm und Raabe und zudem, kaum überraschend, Böcklin.

In Goethes *Dichtung und Wahrheit* ist geschildert, wie stark Geßner auf die Generation der sechziger und noch der siebziger Jahre gewirkt hat, obschon von eben daher die dem Ruhm Geßners schließlich tödlich gewordene Kritik kam. Fest steht auch, daß in den verschiedenen Generationen von der Mitte des 18. bis zum Beginn des 19. Jahrhunderts wenige deutsche Dichter sind, die nicht auf diese oder jene Art – und zumeist im Jugendwerk – den Einfluß Geßners erkennen lassen. Das trifft zu auf Goethe und gilt für Novalis und Hölderlin; die Liste wäre mühelos zu vermehren.

Aber schon die hier angedeutete Vielfältigkeit von Geßners

Wirkung müßte einen nachdenklich machen, selbst wenn die
Kette von Paradoxen, an denen bei Geßner kein Mangel ist,
noch nicht begonnen hat, einen zu verblüffen:

Der Dichter, von dem festzustehen scheint – zumindest wenn
man unseren ersten Assoziationen und unseren Nachschlagwerken glauben will –, daß er ein typischer Vertreter des
literarischen Rokoko sei, wurde verehrt und geliebt von
Winckelmann, der in Geßner eine ihm wohltuende Alterna-
tive zur modischen Rokokowelt seiner Zeit verkörpert fand
(Wölfflin, Rehm).

Der Dichter, den Herder (1767) und der junge Goethe (1772)
seiner »Naturferne« und seiner »leeren Idealität« wegen ab-
gelehnt haben, ist in neuerer Zeit als »Vorläufer« in Hinsicht auf die Naturdichtung des jungen Goethe verstanden
worden (Bergemann).

Der Dichter, den man in den Feuilletons des beginnenden 20. Jahrhunderts ob seines vermeintlichen Eskapismus
feierte, konnte die Lektüre eines Mirabeau und Robespierre
sein (Baldensperger).

Der Dichter, dem man von jeher eine bemerkenswerte Übereinstimmung von Wunsch und Verwirklichung hat zuerken-
nen wollen, den die Zeitgenossen um seiner »Naivität« willen nicht genug preisen konnten, war von Schiller durchaus
als sentimentalischer Dichter verstanden worden.

Schließen wir diese bewußt kurz gehaltenen Bemerkungen
mit der Empfehlung, mißtrauisch zu sein gegenüber dem,
was über Geßner gesagt worden ist und gesagt wird. Wer
vergleichen mag, kann feststellen, daß mit dem, was unsere
Handbücher und Literaturgeschichten über Geßner schreiben,
die Germanistik noch immer im Banne der Wertmaßstäbe
steht, die in der Gründungszeit unserer Wissenschaft das
Bild Geßners bestimmten, daß noch immer August Wilhelm
Schlegel, Jean Paul und Hegel bewußt oder unbewußt repe-
tiert werden – mit dem, was diese schon, bewußt oder unbewußt, Herder und dem Goethe von 1772 nachgesagt hatten. Die Geschichte der Geßner-Rezeption illustriert ein-

drucksvoll den Satz, daß Literaturgeschichte stets eine solche der obsiegenden Richtung ist.

Hier noch ein Paradox, über das sich schon Schiller (Brief an Goethe vom 18. Juni 1796) nicht genug wundern konnte – nämlich Herders mittelbar eingestandener Widerruf seiner Geßnerkritik von 1767 in den 1796 erschienenen *Briefen zur Beförderung der Humanität*:

»Warum ist Geßner von allen Nationen, die ihn kennen lernten, mit Liebe empfangen worden? Er ist bei der feinsten Kunst Einfalt, Natur und Wahrheit. In Darstellung einer reinen Humanität sollte ihn selbst das Sylbenmaas nicht binden; wie auf einem Faden, der in der Luft schwebt, läßet er sich in seiner poetischen Prose oder prosaischen Poesie jetzt auf blühende Fluren hinab, jetzt schwinget er sich in die goldenen Wolken der Abend- und Morgenröthe, bleibet aber immer in unserm blauen Horizont gesellig, froh und glücklich. Mit Kindern ward er ein Kind, mit den ersten Menschen Einer der ersten Schuldlosen Menschen, liebend mit den Liebenden und selbst geliebt von der ganzen Natur, die ihm in seiner Unschuld ihren Schleier wegzog. Gerade der einfachste Dichter, deßen ganze Manier Verbergung der Kunst war, ist unser berühmtester Dichter worden, und hat manche Ausländer mit dem süßen Wahne getäuscht, als sei alle unsre Poesie reine Humanität, Einfalt, Liebe und Wahrheit.«

Für wertvolle Hilfeleistungen beim Zustandekommen der vorliegenden Ausgabe habe ich zu danken der Zentralbibliothek in Zürich, deren einzigartige Sammlung von Originalausgaben der Werke Geßners mir bei wiederholten Besuchen zugänglich war, in nicht geringerem Maße aber auch der Bibliothek der Columbia-Universität in New York, insbesondere deren ›Interlibrary Loan Service‹, für täglich bewiesene Geduld und tätiges Verständnis gegenüber oft vermessenen Bücherwünschen.

E. Th. V.

Inhalt

Gedichte und Fabeln des 18. Jahrhunderts

IN RECLAMS UNIVERSAL-BIBLIOTHEK

PHILIPP RECLAM JUN. STUTTGART